Jacquine Vanesse

Victor Cherbuliez

Edition : Culturea (culurea.fr), 34 Hérault
Contact : infos@culturea.fr
Impression : BOD, Norderstedt (Allemagne)
ISBN :9791041833733
Date de publication : juillet 2023
Mise en page et maquettage : https://reedsy.com/
Cet ouvrage a été composé avec la police Bauer Bodoni

JACQUINE VANESSE

I

«...Vous me demandez qui est Mme Sauvigny et s'il est vrai que le fameux docteur Oserel ait conçu l'idée bizarre.... Le bruit court, dites-vous, qu'ils s'épouseront avant peu. N'en croyez rien, madame. Le docteur n'est pas un homme qu'on épouse, et Mme Sauvigny n'est pas de ces veuves qui se remarient. Elle s'est fait une existence à son goût, elle n'y voudrait rien changer.

«Pour savoir qui est Mme Sauvigny et ce qu'elle vaut, il faut l'avoir longtemps pratiquée. Je connais des étourdis, et je suis du nombre, qui ont passé plus d'une fois près d'elle sans la remarquer. Elle-même se croit très ordinaire, et elle ne ressemble à personne. Elle a de rares qualités, et n'a pas grand mérite à les avoir: c'est la nature qui en fait tous les frais. Elle emploie sa vie à faire le bien; ne l'en louez pas; elle vous dirait de la meilleure foi du monde qu'elle ne s'occupe que de se rendre heureuse, qu'elle ne cherche que son plaisir. Fille unique d'un riche négociant en tissus de la rue du Sentier, mariée très jeune à un banquier qui ne l'était plus, elle a perdu dans l'espace de quelques années son père, sa mère, son mari, et à l'âge de vingt-cinq ans, elle restait seule, sans enfants et sans devoirs, à la tête d'une grosse fortune qui ne tarda pas à l'incommoder. Elle allégea sa charge en se consacrant aux œuvres de bienfaisance; elle a désormais quelques millions de moins à porter: vous voyez bien qu'elle ne cherche que ses aises.

«Elle possédait à quinze lieues de Paris une grande terre et un grand château, qu'elle a converti, par pur égoïsme, en un asile de vieillards des deux sexes. Elle le dirige en personne; elle a le génie de l'ordre et de l'administration, et on a toujours du plaisir à exercer ses talents. Cette maison est un hospice modèle; vous pouvez m'en croire: vastes cours plantées d'ormes, jardins, vestibules, escaliers, magasin aux provisions, pharmacie, cuisines, cabinets de bains, buanderies, dortoirs et réfectoires chauffés à la vapeur, offices chauffés au gaz, j'ai tout vu, tout admiré, et particulièrement la lingerie, qui est un rêve. Je ne m'étais jamais douté jusqu'ici qu'on pût rêver devant des armoires profondes, regorgeant de gros et de menu linge savamment empilé; il est vrai de dire que ce linge, blanc comme neige, fleure la lavande et le mélilot. Voilà les récréations que se donne cette femme; plus sévère pour moi-même, je ne m'en donnerai jamais de si coûteuses.

«Ses bons vieux et ses bonnes vieilles, qui sont vraiment sans façons, l'ayant dépossédée de son château, évincée, mise à la porte, elle s'est construit à l'autre extrémité de son grand parc un simple chalet. Gardez-vous de la plaindre; si elle n'aime pas qu'on la loue, elle aime encore moins qu'on la plaigne, et ce chalet, moitié briques, moitié bois, où la maçonnerie s'assortit agréablement avec la charpente, est aussi confortable que rustique. Assis sur un soubassement de pierre de taille, il occupe le milieu d'une terrasse bordée de balustres et ombragée de vieux tilleuls, au pied de laquelle passe une route et coule une rivière. L'étage inférieur, flanqué de galeries à claire-voie, la façade en pignon aigu, protégée par un large avant-toit, les corniches et les balcons des fenêtres géminées, les boiseries d'un beau rouge foncé, tout dans cette demeure est frais, attirant et donne aux passants envie d'entrer. Mme Sauvigny est une égoïste qui a du goût, et, par vanité sans doute, elle a voulu que son refuge eût bon air, que personne n'allât s'imaginer qu'elle s'était dépouillée pour ses vieillards.

«Malheureusement, madame, qu'elles fassent le bien ou le mal, les femmes sont des êtres intempérants. À mon avis, Mme Sauvigny fait le bien avec excès, elle a l'intempérance du cœur. Son hospice ne suffit pas à la rendre heureuse. Qu'elle couru les grands chemins, par tous les temps, pour visiter les pauvres et les malades des environs, soit! Si je m'avisais d'y trouver à redire, elle me répondrait que ce sont des distractions utiles à sa santé, des exercices hygiéniques, que la charité qui court est son sport, comme le cheval et la bicyclette sont les miens. Mais je lui en veux d'avoir attiré dans ce pays le docteur Oserel. Quoiqu'elle n'en convienne pas, ce fut une faute et une grande complication dans sa vie.

«Votre lettre m'a prouvé que vous connaissiez de réputation le docteur Oserel. Vous savez que ce savant praticien est un de ces chirurgiens de province qui vont de pair avec les plus célèbres de Paris, qu'il excelle surtout dans le traitement des maladies de femmes qui relèvent de la médecine opératoire. Mais peut-être ignorez-vous que, quoique très mûr, il appartient à la jeune école. Ah! madame, que le ciel vous préserve de tomber jamais dans ses mains redoutables! Il a daigné travailler à mon instruction; il m'a appris que, depuis la découverte des anesthésiques, les chirurgiens, n'ayant plus besoin de se presser, libres d'en prendre à leur aise, multipliaient les précautions, que leurs deux pratiques favorites étaient le morcellement des tumeurs et l'hémostase, ou arrêt de l'hémorragie au moyen des pinces et appareils de compression. On a changé tout cela. On estime que le point est d'aller vite, d'épargner au patient l'épuisement nerveux causé par les longs tripatouillages et par la meurtrissure des tissus. On pose en principe que chi va presto va sano. Mais, pour aller presto, il faut que l'opérateur s'entende à travailler dans le sang, qu'il ait des mains aussi subtiles que carnassières et des yeux au bout des doigts.

«Le docteur Oserel est du nombre de ces opérateurs qui font en vingt minutes ce que les plus habiles faisaient autrefois en une heure. On assure que les patients s'en trouvent bien. Que le bon Dieu le bénisse! On affirme aussi que, quelque amour qu'il ait pour son art, il n'opère que dans les cas où il y a des chances sérieuses de réussite, que s'il approuve les audacieux, il réprouve les téméraires. Bref, il ne souhaite pas la mort de son prochain, c'est une justice à lui rendre, et, pour être tout à fait équitable à son égard, j'ajouterai que ce représentant de l'école du fa presto, qui n'a jamais l'esprit plus lucide que quand la liqueur rouge coule à flots, n'est pas un homme rapace. S'il était riche, il opérerait pour le seul plaisir d'opérer; ne l'étant pas, il rançonne les malades payants, mais il opère avec autant de plaisir ceux qui ne paient point. Telles sont ses bonnes qualités; j'ai tout dit, je pense avoir épuisé le sujet.

«Madame, ils eurent bientôt fait de s'entendre comme larrons en foire. Elle l'avait fait venir d'Orléans pour examiner une de ses protégées, dont la maladie était bizarre. Elle l'emmène déjeuner au Chalet. En sortant de table, elle lui fit visiter son asile de vieillards, qui l'intéressa peu: vieux ou jeunes, il ne s'intéresse vraiment qu'aux gens qui ont des tumeurs. Puis on fit le tour du parc, d'où la vue plonge sur toute la vallée. Le docteur s'enfonça bientôt dans une profonde rêverie; ce n'était pas le paysage qui le touchait, car il s'écria tout à coup: «—Ah! madame, vous avez manqué votre affaire; c'était une maison de santé, une clinique chirurgicale qu'il fallait fonder ici. Qu'on serait bien chez vous pour faire de la médecine opératoire!»

«Il faut vous dire que dans son enfance il mena les oies aux champs. Il lui en est resté quelque chose; les villes sont pour lui des prisons et il est fermement convaincu qu'on n'opère bien qu'au village. L'endroit lui parut offrir toutes les conditions désirables. Le parc de Mme Sauvigny et le village adjacent sont exposés au midi et adossés à un plateau rocheux, qui les abrite contre les vents du nord; grâce aux émanations d'une immense forêt de chênes, de hêtres et de pins, l'air y est plus salubre qu'ailleurs: les forêts sont de puissants antiseptiques. Le docteur avait pensé à autre chose encore, il pense à tout. Il s'était dit que, si Mme Sauvigny consentait à passer un bail avec lui, il serait le proche voisin de plusieurs petites villes trop éloignées de Paris pour que leurs habitants aillent s'y faire traiter, et il comptait sur son génie, sur sa renommée pour persuader à Paris de lui envoyer, malgré la distance, des tumeurs à opérer.

«Mme Sauvigny s'est résolue sans peine à lui bâtir sa maison de santé, qui est connue dans tout le pays sous le nom de maison Oserel, et dont il paie un loyer dérisoire. D'un commun accord, ils avaient inséré dans le contrat une clause portant qu'il donnerait des consultations gratuites et réserverait un pavillon aux pauvres, à l'entretien desquels elle pourvoit. Le corps de logis est habité par des pensionnaires, dont elle ne s'occupe point; elle n'entendait pas se faire marchande de soupes. Le docteur a pour premier ministre une vieille intendante, qui fut sa ménagère depuis le jour où il perdit sa femme. On la dit fort industrieuse, très experte en son métier; conseillé par cette Égérie, s'il fait des cures admirables, il fait aussi d'excellentes affaires; c'est du moins le bruit public, mais on lui rend le témoignage qu'il acquitte religieusement ses charges. Il a gagné son pari, sa confiance en son étoile n'a pas été trompée: Paris ne tarda pas à venir, Paris donne tant que cette année il a dû refuser du monde, et je ne serais pas surpris qu'il fût en instance auprès de Mme Sauvigny pour qu'elle lui agrandisse sa maison, désormais trop étroite.

«Elle en passera par là, elle ne sait rien lui refuser. Comment expliquer la déférence, l'étrange attachement qu'elle a pour lui? Il faut croire que, très curieuse de médecine, elle aime à feuilleter ce gros dictionnaire. Ce n'est pas tout: cette femme si délicate, si fine, fait à ce rustre l'honneur de le regarder comme son congénère. S'il a gardé les oies dans son enfance, elle est elle-même la petite-fille d'un paysan du Jura, dont elle prétend tenir beaucoup; elle croit à l'atavisme; elle se sent, dit-elle, très paysanne. Elle sait gré au docteur d'être un fils de la glèbe et de sacrifier comme elle aux dieux des champs et des bois.

«Homme supérieur, tant qu'on voudra, ce grand faiseur de cures miraculeuses est un affreux despote, possédé du démon de la jalousie. Il désire qu'elle lui appartienne, qu'elle soit sa chose, et il lui reproche comme de criminelles infidélités toutes les occupations où elle trouve son plaisir. Il est jaloux du ses vieillards, des pensées et du temps qu'elle leur donne, jaloux de ses relations de voisinage, des amis qu'elle reçoit, des pauvres qu'elle visite, de ses chiens, de ses chats, de ses chevaux, de son jardin et de son jardinier, jaloux des livres qui l'amusent et du mélilot qu'elle cueille pour parfumer sa lingerie, jaloux des fleurs qu'elle regarde, jaloux de l'air qu'elle respire. Il voudrait qu'elle n'eût pas d'autre intérêt dans la vie que celui qu'elle porte à ses prouesses chirurgicales, aux énormes fibromes qu'il enlève par l'ouverture complète de la cavité abdominale. Que dis-je? il ne lui suffit pas qu'elle s'intéresse à ses laparotomies, il exige qu'elle y assiste et qu'elle s'en mêle. Vous n'imaginez pas les épreuves, les servitudes qu'il lui impose. Il a découvert qu'elle s'entendait mieux que son interne à administrer le chloroforme, qu'elle endormait les malades par enchantement, et dans tous les cas graves, il lui inflige cette abominable corvée. Je l'ai vue entrer dans la salle des opérations aussi pâle qu'un condamné qu'on traîne à la guillotine; c'est par un effort suprême de sa volonté qu'elle surmonte son angoisse, commande à ses nerfs et s'en fait obéir. Je l'ai mainte fois exhortée à secouer le joug; mais non, elle subira jusqu'au bout cette odieuse tyrannie. Le monstre a réussi à lui persuader que pour qu'il ait toute sa tête, il faut qu'elle soit là, et elle se résigne à être là.

«N'allez pas croire toutefois qu'elle se résignerait à l'épouser. S'il s'avisait de lui en faire la proposition, il essuierait, je gage, un refus catégorique; mais il n'aurait garde de s'exposer à ce hasard. Tout veuf qu'il soit, il est marié: il a épousé la chirurgie, et il est trop content de sa femme pour se soucier d'en avoir deux. Soyez certaine d'ailleurs que, si monstrueux que soit son orgueil, il rend justice à sa figure. Épais, massif, grossièrement équarri, la peau rugueuse, l'œil jaune et inquiétant, je vous donne le docteur Oserel pour un des hommes de France les plus laids. Avez-vous ainsi que moi relu récemment Don Quichotte? Vous souvient-il de cet écuyer du bachelier Samson

Carrasco, dont le nez informe et colossal épouvanta Sancho? Celui du docteur a cet avantage qu'il n'est pas en carton et qu'il est très expressif; il lui sert à manifester tous ses sentiments, ses joies superbes, ses chagrins, ses dépits, ses soupçons, ses transports jaloux. Non, ce n'est pas un nez, c'est quelque chose qui ressemble à la trompe charnue et rétractile d'un tapir. Songez aussi que notre homme a cinquante ans sonnés et en paraît soixante, qu'elle en a trente-cinq, que dans ses bons jours, ses yeux de brune claire en ont seize, que son sourire n'en a jamais plus de vingt, qu'elle a des gaietés d'enfant, et que vous chercheriez vainement un cheveu gris sur cette tête sérieuse, qui caresse parfois des chimères et à laquelle les fardeaux lourds sont aussi légers qu'un roitelet à la branche où il se pose. Y pensez-vous, madame? En bonne foi, vous voudriez donner cette adorable femme, corps et âme, au plus maussade des pachydermes! J'en ai juré par mon piano, ce crime ne se commettra pas!

«D'ailleurs, je vous le répète, pourquoi se remarierait-elle? Quoi qu'il en dise, malgré son horreur pour les grandes villes, M. Oserel finira par s'établir à Paris, seul théâtre qui soit digne de ses exploits. Elle aimait beaucoup Paris, elle ne le regrette pas. Quand elle y était, elle pensait quelquefois à des bœufs dont le mugissement l'appelait, à des prés verts ou à des champs jaunes, qui lui faisaient signe d'accourir; depuis qu'elle est au village, elle n'a jamais rêvé à la loge qu'elle avait jadis à l'Opéra. Et voilà ce que c'est que d'avoir eu un grand-père qui mettait sa gloire à tenir d'une main ferme le manche de sa charrue! Le monde ne lui manque point; elle est heureuse, parfaitement heureuse; elle n'a pas un moment d'ennui. Son hospice, ses pauvres, des registres à revoir, des comptes à apurer, des projets, des plans, des devis, des malheurs consolés, des misères soulagées, qui apprennent à sourire, voilà ses spectacles, ses fêtes et ses délices. En vérité, si beaucoup de femmes entendaient ainsi la vie, la question sociale serait bientôt résolue.

«L'amour des champs est contagieux, paraît-il, et il commence à me gagner. J'ai trouvé à louer ici une cabane et un enclos, qui s'appelle l'Ermitage, et aussi vrai que Mme Sauvigny se sent paysanne, je me sens devenir ermite. Le docteur affirme qu'on n'opère bien qu'au village, elle déclare que c'est là seulement qu'on est heureux. Je ne sais qu'en penser, mais je suis tenté de croire qu'il y a dans ce pays un charme mystérieux qui agit surtout sur les musiciens, et qu'ils y composent de bonne musique. Être inspiré si loin de vous! Cela tient du miracle. Je m'étais promis de vous dire que je périssais d'ennui; je veux être franc, madame, je ne m'ennuie pas.»

Voilà ce que le jeune, brillant et déjà célèbre compositeur Valery Saintis écrivait le 23 août 189... à la comtesse de R..., qui cette année avait cherché en vain à l'attirer dans sa villa de Trouville, où l'été d'avant il avait fait un long séjour. La maison était pleine, et cependant sa place restait vide. Ce grand musicien était un merveilleux pianiste, d'une prodigieuse mémoire, et si l'envie lui en venait, un improvisateur incomparable, grande ressource pour les jours de pluie, sans compter que l'homme était un charmeur. Sa figure sans traits, d'un dessin plus agréable que correct, semblait comme inachevée et avait le mystère d'une esquisse, mais d'une esquisse de maître. Ses cheveux d'un blond doré, sa bouche grasse et sensuelle, son front large, puissant, où se jouait un rayon, ses yeux d'un bleu dur, qui s'adoucissaient subitement, la mousse pétillante de folie qu'il avait parfois dans le regard, le signalaient à l'attention. Sa voix chaude, sa parole vibrante, les séductions de son sourire lui avaient valu de glorieux triomphes. Il avait reçu de la nature le don de croire et de persuader, et quoiqu'il se passât plus de choses dans son imagination que dans son cœur, on s'y trompait et il s'y trompait lui-même.

Les hommes le goûtaient peu; ils le soupçonnaient vaguement de les mépriser. C'était une fausse apparence, il n'était ni fat ni malveillant. Il avait une haute idée de lui-même; mais son orgueil débonnaire se consolait facilement des victoires d'autrui; les siennes lui suffisaient, et, se jugeant hors de pair, les comparaisons chagrines n'empoisonnaient point sa vie. L'attaquait-on, la riposte était vive, mais il mêlait toujours quelque grâce à ses impertinences. Quand son amour-propre n'était pas en jeu, il était bon prince, serviable, généreux, obligeant; il savait se déranger, et il tenait ses promesses. Son amitié n'était point un de ces figuiers stériles que le Christ condamnait au feu.

Si les hommes se défiaient de lui, les femmes lui faisaient fête, lui prodiguaient les attentions, les avances, les paroles flatteuses. Il savourait ce nectar; il ne détestait pas la cajolerie, mais il ne s'en contentait point; en matière de sentiment, il cherchait le réel, le solide. Il avait de fougueux désirs, et dès que ses fougues le prenaient, il devenait entreprenant, audacieux jusqu'à la témérité. Il s'était acquis la réputation d'un homme dangereux, et les femmes les plus résolues à résister ne sont pas fâchées d'avoir à se défendre.

Mme de R..., désolée que par un inconcevable caprice il ne se fût pas rendu à ses pressants appels, s'était demandé quelle était la raison secrète, l'aventure de cœur qui retenait dans une solitude, dans un désert, cet homme si répandu et si sociable, car les belles dames sont disposées à croire que les endroits où elles ne sont pas sont des déserts. Elle était allée aux renseignements, et soit hasard, soit divination, elle avait rencontré juste dans ses conjectures. La lettre qui fut lue ce soir-là, à haute voix, devant une nombreuse assistance, leva ses derniers doutes. Chacun la commenta, dit son mot. On décida d'un commun accord que M. Saintis était éperdument amoureux de Mme Sauvigny, que c'était là le charme mystérieux qui le retenait prisonnier en Seine-et-Marne, et la cause de son mauvais vouloir contre le fameux docteur Oserel.

On n'était pas content de lui, on se vengea de cet infidèle en discutant son talent.

«Qu'il en ait beaucoup, dit un membre de l'Académie des Beaux-Arts, personne n'en doute. Donnera-t-il jamais tout ce qu'il est capable de donner? C'est une autre question.

La vie lui a été trop facile. Il avait des rentes, une santé imperturbable, l'humeur folâtre, le vin gai et le ferme désir de se rendre heureux, sans trop regarder aux moyens. Il n'a pas contracté l'habitude des grands efforts, de ces tourments volontaires qui sont le secret du génie: c'est la souffrance qui nous révèle à nous-mêmes. Les enfants ne font pas leurs dents sans souffrir, et les oiseaux sont malades pendant la mue. L'existence des vrais artistes a sa crise inévitable, douloureuse, qui les perd ou qui les sauve. Ils se sont mis en règle avec le passé, ils ont appris les traditions et le métier, il leur reste à se chercher et à se trouver. Dressés, façonnés par un maître, ils furent quelque temps de serviles imitateurs: il faut avoir servi pour mériter d'être libre, il faut s'être donné pour avoir le droit de s'appartenir. Raphaël et Van Dyck, Mozart et Beethoven ont parlé une langue apprise avant de trouver la leur. Tout véritable artiste est un esclave affranchi. Je crains que Valery Saintis ne s'affranchisse jamais qu'à moitié de la servitude étrangère. On ne peut dire qu'il ait eu un maître, il en eut vingt, qu'il admirait tous, sans en préférer aucun. Tant d'équité faisait honneur à la rectitude de son jugement; mais il est bon qu'un jeune homme, à l'âge des déraisons, ait été résolument, passionnément injuste, qu'avant de dire: «J'aime Platon, j'aime encore «mieux la vérité», il ait commencé par sacrifier la vérité à Platon. Ce beau papillon a coqueté avec toutes les fleurs. Il sait ses classiques par cœur, et le piano que voici m'est témoin qu'il rend les styles les plus divers avec une égale perfection. Je crains vraiment qu'il n'ait trop de souplesse et trop de mémoire, et je le soupçonne de prendre quelquefois des réminiscences pour des inspirations. On a dit d'un célèbre jacobin qu'il avait une facilité meurtrière à revêtir la nature d'autrui. Notre ami Saintis a une facilité excessive à s'approprier les procédés et le génie des autres. Le jour viendra-t-il où, dégorgeant ses souvenirs d'érudit, il sera tout à fait lui-même, pleinement et sans mélange? Je le souhaite pour sa gloire et pour notre bonheur.»

Mme de R... le regarda de travers; elle n'admettait pas qu'on touchât à son Saintis, dont elle adorait le talent. Elle n'eut garde de relever les assertions blasphématoires de ce censeur hargneux et disert. Les femmes ne discutent point; mais, après qu'on a tout dit, elles répètent, comme Galilée: E pur si muove!

«Cette femme, qui se croit ordinaire, nous l'a pris, dit-elle avec mélancolie, en froissant la lettre dans sa main; il est perdu pour nous.

—Et soyons de bonne foi, nous aurons peine à le remplacer», dit la baronne de B.....

Il y avait parmi les hôtes de la comtesse un juge d'instruction, beau parleur, grand conteur d'anecdotes, à la mine fringante, à l'esprit pincé. Il était seul à ne point s'affliger de la désertion de l'infidèle, qui, l'année précédente, lui avait causé des chagrins, en le condamnant à ne jouer que les seconds rôles. Il ne faut jamais deux coqs dans un poulailler.

«C'est votre faute, mesdames, dit-il avec un peu d'aigreur, vous l'avez trop gâté. S'il néglige ses devoirs et ne suit que sa fantaisie, vous devez vous en prendre à vous. Mais vous pouvez vous rassurer, il vous reviendra. Mme Sauvigny me paraît être une de ces places qu'on n'emporte pas d'emblée; pour peu que le siège traîne, il se rebutera; à sa manière, comme le docteur Oserel, il appartient à l'école du fa presto. Soyez certaines que vous le reverrez avant peu, et surtout ne craignez pas qu'il vous fasse l'affront d'épouser telle veuve dont le sourire a vingt ans. Il aimerait mieux se pendre que de renoncer à sa vie de garçon. Vous la lui rendez si douce! Vous l'étouffez sous les roses.»

La semaine d'après, M. Valery Saintis recevait de Trouville un billet très court, ainsi conçu: «Vous êtes un ingrat, et si je m'en croyais, je ne vous reverrais de ma vie». Cette menace ne l'émut point. Il descendit dans son jardin, contempla ses pruniers, couverts de reines-Claude aussi dorées que ses cheveux. Il en mangea, en se disant:

«Cette chère comtesse ne s'en croira pas; je la reverrai quand il me plaira de la revoir.»

Dans ce moment, à trois kilomètres de là, le docteur Oserel venait d'achever une hystérectomie, qui lui avait donné quelque souci. Il appréhendait des complications; il craignait aussi que le sujet ne fût rebelle au chloroforme, et il avait exigé que ce fût Mme Sauvigny qui l'endormît. Tout avait marché à souhait; ils étaient heureux l'un et l'autre. Il avait allumé une cigarette, et on assure que la première cigarette que fume un opérateur, après s'être lavé les mains, a une saveur exquise. De son côté, elle était aussi contente qu'on l'est d'habitude quand on s'est acquitté d'une corvée, tiré à sa gloire d'une affaire désagréable qui vous faisait peur: rien n'est plus propre à rafraîchir le sang.

Dès qu'il eut fini sa cigarette, elle emmena le docteur déjeuner au Chalet. Jusqu'au dessert, il lui expliqua savamment ce qu'avait eu de particulier l'opération du jour, en raconta d'autres qui semblaient identiques et ne l'étaient pas, cita des faits, ébaucha des systèmes, lui fit un cours d'anatomie; elle écoutait avec recueillement, avec dévotion, en se reprochant de ne pas tout comprendre. Ils prirent le café dans une petite loge ou méniane en avant-corps, aux pans coupés, construite en cul-de-lampe, laquelle avait vue sur la terrasse et sur la route qui longeait la rivière. Le docteur avait entamé un second discours; il parlait avec feu de certains changements que, sur le conseil de son intendante, il se proposait d'introduire dans le train de sa maison. Si attentive qu'elle fût, elle eut une distraction: elle avait cru entendre le trot d'un cheval, qu'elle soupçonnait d'être une jument blanche. Elle se leva; elle ne s'était pas trompée. Le cavalier lui fit face et la salua; elle répondit par un sourire. Il l'interrogeait des yeux, il semblait dire: «Êtes-vous seule?» Au même instant, il vit apparaître la grosse tête du docteur, qui s'était levé, lui aussi, et le regardait. Il salua une seconde fois et partit à franc étrier.

«J'aurais parié que c'était lui», grommela le docteur.

Il se rassit et tambourina une marche guerrière sur l'un des bras de son fauteuil. Elle devinait au froncement de ses narines qu'il couvait une colère.

«Madame, dit-il enfin, au risque de vous désobliger, je vous déclare que vous êtes à la fois la plus admirable et la plus étonnante des femmes que je connaisse.

—Je vous dispense, répondit-elle en riant, de m'expliquer ce que je puis avoir d'admirable; dites-moi tout de suite en quoi je vous étonne.

—Non, je n'écourterai pas ma harangue; eh! que diable, qui dit le mal doit dire le bien, et quand les pilules sont amères, c'est bien le moins qu'on les dore. J'ai toujours admiré la justesse et la sûreté de votre coup d'œil, la solidité de votre jugement. Si vous endormez si bien les malades, c'est que vous discernez les cas, que vous avez la science des doses, et que vous gardez votre sang-froid. Tout à l'heure, nous avons eu un moment difficile; mon interne, qui manque de tempérament, a failli perdre la tête; vous aviez toute la vôtre. Vous possédez, madame, un grand bon sens naturel, fortifié par l'éducation et par la religion que vous a donnée le hasard de votre naissance. Elle vous a accoutumée de bonne heure à tout examiner et à retenir ce qui est bon. Je vous crois très attachée à votre confession; si vous pratiquez peu, ce n'est pas votre faute, il n'y a pas de temple dans les environs. Et cependant, si bonne protestante que vous soyez, autre preuve de bon sens, vous êtes la tolérance même.

—Le vilain mot! fit-elle. Je ne tolère pas, je respecte.

—Il est déjà bien beau de tolérer; il y a tant d'intolérants, tant de sots, qui trouvent leur tête si bien taillée qu'ils voudraient que toutes les autres fussent faites sur ce patron! Vous avez montré qui vous étiez le jour où vous avez résolu de confier à des religieuses le service de votre asile. Vous aviez su comprendre que les surveillantes laïques ont des attaches au dehors, des intérêts de famille qui les distraient de leurs fonctions, que, comme on l'a dit, elles ont rarement cette tenue, cette rigoureuse propreté, cet esprit d'ordre que les religieuses acquièrent par la discipline des couvents.

—Mes bonnes petites sœurs, dit-elle, ont l'amour de la règle, parce qu'elles croient à quelque chose.

—Votre action généreuse, madame, a été récompensée. Lorsque le curé de votre village, l'abbé Blandès, eut appris qu'une hérétique, qu'on disait très riche et d'humeur très libérale, venait s'établir à poste fixe dans sa paroisse, il prévit en homme d'esprit qu'elle y ferait la pluie et le beau temps. Il s'inquiéta, vous fit une guerre sourde, sema des bruits fâcheux, adjura ses ouailles de se tenir en garde contre la dangereuse séductrice. La guimpe blanche de vos religieuses et la jolie chapelle que vous leur avez bâtie l'ont subitement amadoué, et vous êtes, vous et lui, dans les meilleurs termes, à ce point que, s'il en faut croire la chronique, ce prêtre zélé ne se fait aucun scrupule de mettre lui-même la séductrice à contribution.

—Je vous en prie, docteur, interrompit-elle, dites-moi ce que j'ai d'étonnant.

—Nous y venons. Un peu de patience! vous ne perdrez rien pour avoir attendu. Mais je tiens à vous dire une fois de plus que j'admire infiniment votre perspicacité et votre esprit de conduite. Vous séparez la balle d'avec le grain. On vous trompe difficilement. Les solliciteurs qui assiègent votre porte et vos oreilles n'ont qu'à se bien tenir; vous n'êtes dupe ni des histoires, ni des visages. Si bonne que vous soyez, vous savez dans l'occasion éconduire les fausses misères, et quoique les refus vous coûtent, vous dites quelquefois non, et j'ai cru remarquer que ce non protestant était plus net, plus décisif, plus péremptoire qu'un non catholique.»

Il contempla un instant ses mains, ses longues, ses larges mains, qui savaient se faire toutes petites et souples comme des anguilles quand elles vaquaient aux délicates et sanglantes besognes de leur métier. Puis, haussant la voix:

«Eh bien! madame, puisqu'il faut enfin vous le dire, je m'étonne qu'une femme si avisée, si raisonnable, si clairvoyante, si judicieuse, si habile à distinguer les chiens d'avec les loups et à discerner les vrais pauvres des faux, qu'une femme qu'on n'abuse point, qui ne prend jamais le change, soit dans certains cas d'une si déplorable crédulité.

—Dans quels cas? demanda-t-elle.

—Dans tous les cas de conscience, dont vous avez la fureur de vous occuper. Il faut que cela sorte, il y a beau jour que je ronge mon frein. Eh! madame, toutes les peines que vous vous donnez pour assainir le corps de votre prochain, le bon Dieu vous en tiendra compte, et quand vous m'aidez à opérer une tumeur, vous vous employez à une œuvre pie et méritoire. C'est un genre d'opérations qui produit de visibles résultats. Mais les tumeurs de l'âme, sacrebleu! laissez au ciel le soin de les guérir. Je donnerais ma main à couper que de tous les genres de charité, c'est encore celui qui vous intéresse le plus. Vous n'êtes pas fâchée qu'il y ait des âmes malades; vous avez tant de plaisir à les dorloter, à les panser! Vous ne savez pas encore que le Maure entre noir au bain, que noir il en ressort; vous croyez à l'efficacité des bonnes paroles, et c'est ainsi que vous êtes tour à tour la plus raisonnable et la plus chimérique des femmes.... Madame, excusez-moi, je ne crois pas aux cures d'âmes. J'ai cinquante ans, et je vous affirme qu'à ma connaissance il n'en est pas une qui ait réussi.

—C'est une opinion très contestable, répliqua-t-elle, en hochant la tête. Mais à quel propos me faites-vous cette grosse querelle?

—À propos du jeune homme qui tout à l'heure faisait caracoler sous votre fenêtre une jument blanche. Puisse-t-elle avoir les éparvins ou devenir lunatique!

—Pauvre bête! que vous a-t-elle fait? Il ne vous suffit donc pas d'être dur aux humains?»

Et après un silence:

«Vous n'aimez pas M. Saintis, et c'est un tort que je vous reproche.

—M'autorisez-vous, une fois pour toutes, une bonne fois, à vous parler librement de lui? S'il me déplaît, c'est que je n'ai de goût que pour les gens sûrs, et je regrette que vous vous plaisiez tant dans sa compagnie. Qu'il soit un grand musicien, c'est possible; je ne m'y connais guère. La musique, j'en conviens, est pour moi le plus obscur des grimoires, une impénétrable énigme, dont ma pauvre intelligence a renoncé depuis longtemps à trouver le mot. Le seul instrument que je comprenne est le tambour; celui-là du moins dit clairement ce qu'il pense. Mais je veux que M. Saintis ait autant de génie qu'il lui plaît de le croire: vous voyez que je lui fais bonne mesure, que je ne lui refuse rien. Il m'est tombé l'autre jour sous les yeux un article de journal plein d'allusions malignes à ses bonnes fortunes, aussi célèbres, paraît-il, que ses opéras, et je trouve en vérité qu'il vient trop souvent ici.»

Et, roulant les yeux, il ajouta d'un ton presque tragique:

«Prenez-y garde, madame; je suis tourmenté de l'idée qu'il finira par vous compromettre.»

Elle ne put s'empêcher de sourire, pendant qu'une légère rougeur lui montait aux joues. L'idée du docteur lui semblait bizarre, baroque, et même un peu comique. Qu'on pût la compromettre, que ses vieillards et ses pauvres fussent capables de se mettre en tête qu'elle avait une aventure, quelle invraisemblance! quelle énormité! Cependant, à y bien réfléchir, cette idée énorme avait son côté flatteur. Un homme de sens rassis, tel que le docteur Oserel, trouvait donc qu'elle était encore une assez jolie femme pour qu'on pût croire, s'imaginer.... Il lui faisait beaucoup d'honneur, et c'est pourquoi elle avait en même temps souri et rougi.

«Qu'avez-vous à répondre? reprit-il.

—Beaucoup de choses. Et d'abord, vous ne savez pas, mon bon monsieur, que M. Saintis a été mon ami d'enfance, que nous sommes nés tous deux au Sentier, lui dans les soieries, le demi-gros, le rassortiment, moi dans les tissus, dans le gros, que nos familles étaient intimement liées, que je ne vais jamais à Paris sans passer au moins une demi-journée avec sa sœur, Mme Leyrol. Autre détail: avant d'acheter son château, mon père louait une villa à Louvecienne, et le petit Valery Saintis y a fait de nombreux séjours. Nous allions ensemble à la maraude; nous avons croqué tête à tête des pommes vertes, clandestinement cueillies chez le voisin, ce qui leur donnait un goût particulier. Ce sont là des complicités qui unissent deux cœurs à jamais. Je l'appelais mon petit Valery, il m'appelait Lolotte.

—Et vous appelle-t-il encore Lolotte?

—Non, le respect est venu. Pendant que je devenais respectable, il a fait un chemin fort brillant dans le monde, et, j'en conviens, je me sens flattée d'être l'amie d'un homme célèbre; si vous-même vous l'étiez moins, peut-être me seriez-vous plus indifférent; les femmes sont si vaniteuses! Mais ce qui me touche plus encore que sa renommée, c'est son talent. Je ne suis pas comme vous; sans être musicienne, j'aime passionnément la musique; elle me détend, me délasse. À peine M. Saintis s'est-il assis devant mon piano et laisse-t-il courir ses doigts sur le clavier, mes fatigues, mes soucis s'évanouissent; nous en avons tous et nous sommes heureux de les oublier. En l'écoutant, il me semble que la vie est une histoire qui finit bien.

—Est-ce là vraiment tout ce qui se passe entre vous? Allez, madame, on n'en fait pas accroire à un vieux médecin. Avouez que cet homme de génie se complaît à dévider devant vous son écheveau très compliqué, qu'il vous conte avec une joie secrète ses nombreux péchés, que vous ne perdez pas un mot de ce qu'il vous dit, que son cas vous paraît intéressant, que vous lui prodiguez les sages conseils, que vous vous êtes promis de le convertir, qu'il feint une contrition qu'il ne ressentira jamais, que vous lui imposez de douces pénitences, et qu'il n'a pas besoin de les accomplir pour que vous lui donniez l'absolution. Selon moi, le grand tort de la morale chrétienne est de glorifier le repentir; le vrai repentir, madame, est aussi rare que l'oiseau bleu.... Ai-je deviné juste? Est-il vrai que depuis trois mois que votre ami d'enfance est venu planter sa tente dans ce pays, vous vous livrez souvent à ces savoureux et périlleux entretiens, qui remplacent avec avantage les pommes vertes d'autrefois? J'envie son sort; heureux les pécheurs qui se confessent à vous!

—Quand on est un homme de science, reprit-elle, d'un ton grave, on doit se piquer d'être exact. M. Saintis n'est dans ce pays que depuis six semaines, et vous savez que je suis très occupée, qu'on me dérange à tout moment, qu'il n'est pas toujours facile de s'entretenir seul à seule avec moi.... Au surplus, docteur, est-il défendu aux femmes d'avoir, comme vous autres, leurs secrets professionnels?»

Il se leva brusquement et n'attendit pas d'être à la porte pour se coiffer de son chapeau à grands bords.

«Eh! parbleu, de quoi vais-je me mêler? Sont-ce là mes affaires? Pardonnez, madame, son indiscrétion à un vieux radoteur, qui retourne voir ses opérées, moins intéressantes à coup sûr qu'un grand musicien qui s'amusa beaucoup.»

À ces mots, il partit sans lui avoir donné la main; cela arrivait quelquefois. Elle releva une mèche de ses cheveux châtains qui s'égarait souvent sur son front, s'accouda sur l'appui de la fenêtre, et comme il traversait la terrasse, avançant la tête:

«Docteur, mon bon docteur, lui cria-t-elle, je ne suis ni admirable, ni étonnante.»

Il ne répondit point; il se contenta de hausser deux fois de pitié ses larges et puissantes épaules, et doubla le pas.

N'ayant jamais été amoureux, il dépensait son fonds de jalousie innée dans ses amitiés, qui étaient ses romans; c'est ainsi qu'il payait son tribut à l'humaine faiblesse. Il avait chagriné Mme Charlotte Sauvigny, qui aurait voulu que ses amis s'aimassent comme elle les aimait; elle leur en demandait trop, et puis, s'ils se jalousaient, elle y était, malgré elle, pour quelque chose: nature contenue, réservée, discrète, ses moindres attentions avaient beaucoup de prix; il était naturel qu'on se les disputât.

II

Si, quelques mois auparavant, on avait annoncé à M. Saintis que, plantant là ses belles amies, il irait s'installer dans un lieu solitaire, en pleins champs, au bord d'une route où il passait plus de voitures de roulier et de chariots de foin que d'équipages; que, pendant toute une saison ou mieux encore durant toute une année, il ne quitterait que de loin en loin et pour affaires pressantes sa thébaïde si cruellement tranquille; qu'il y serait pauvrement logé, qu'il habiterait une maison de paysan, sans autre société quotidienne que celle de son valet de chambre, d'une cuisinière louée dans le pays, d'un grand tilleul, de deux pruniers, de quelques groseilliers à maquereau, de cinq ou six poules, d'une lapine toujours près de mettre bas, d'un carré de choux, d'une chatte et d'une vieille girouette rouillée, qui grinçait lamentablement en tournant, mais qui par bonheur ne tournait presque jamais; si on l'avait assuré que, dans sa profonde retraite, il n'aurait pas un moment d'ennui, qu'il travaillerait d'arrache-pied, emploierait ses jours et ses longues soirées à composer un opéra et, par manière de passe-temps, des concertos et des élégies pour piano, mais qu'il changerait sa méthode de travail, que dorénavant grand éplucheur et devenu sévère à lui-même, il répéterait sans cesse: «C'est bien, et pourtant ce n'est pas encore cela»; si quelqu'un lui avait dit comment il amuserait ses loisirs et que sa principale, sa seule récréation serait de se rendre à cheval ou à bicyclette dans une villa distante de trois kilomètres, laquelle n'aurait pas d'autres fêtes à lui offrir que les divertissements qu'on peut trouver dans un hospice de vieillards et dans une salle d'opérations, il aurait sûrement traité le prophète d'imposteur.

L'hiver de l'année précédente, il avait remporté une de ces victoires qui font époque dans la vie, qui décident d'une destinée. Jusqu'alors, il n'était guère connu que des amateurs de concerts et des gens du métier, lesquels faisaient grand cas de quelques-unes de ses compositions pour piano ou pour orchestre, en louaient la savante et ingénieuse facture. Il commençait à peine à percer, le grand public s'obstinait à ignorer son nom, et il n'était pas homme a se contenter de sa gloire obscure. Il préparait un coup, c'était son expression; paroles et musique, il composait secrètement un opéra en quatre actes, intitulé l'Alcade de Zalamea, dont il avait emprunté à Calderon le sujet et l'intrigue. Un maréchal du second Empire assurait que, pour réussir, il faut posséder trois choses: le savoir, le savoir-vivre, le savoir-faire. Valery Saintis les avait toutes les trois, et il y joignait le bonheur, qui est peut-être la plus précieuse de toutes. La première fois qu'il frappa à la porte de l'Opéra-Comique, il fut reçu, et ce qui est plus extraordinaire, aussitôt reçu, il fut joué. Un soir, à huit heures, il était encore un ignoré; à minuit, il était un homme célèbre. Une salle enthousiaste, emballée, délirante avait fait une ovation à l'Alcade, témoigné par ses frénétiques applaudissements qu'elle tenait cet opéra pour un chef-d'œuvre et l'auteur pour un grand musicien. En réalité, c'était une œuvre pleine de promesses, jeune, charmante, souvent exquise, parfois puissante, mais inégale et incomplète. Qu'importe? Il y a des défauts qui plaisent, et, quelque bonne fée lui venant en aide, il avait obtenu un de ces succès rares, excessifs, fous, que les ennemis traitent tout haut de scandaleux, que les amis déclarent tout bas inexplicables.

Les grands bonheurs se paient. Les hommes du métier qui trouvaient injuste qu'il ne perçât pas s'indignaient qu'il eût trop percé. La critique se montra malveillante, grincheuse. Les plus indulgents de ses juges lui reconnaissaient une remarquable virtuosité, la science de l'instrumentation, certaines qualités mélodiques et l'entente des développements; ils vantaient certain solo de hautbois qui avait ravi en extase les premières loges et qu'on avait trissé; mais ils accusaient ce jeune homme trop heureux de s'amuser à la moutarde, aux curiosités de l'art, aux effets d'orchestre, aux combinaisons de timbres, aux sonneries de trompettes, aux carillons de cloche, de mêler à ses nouveautés trop d'archaïsmes, d'être plus industrieux que vraiment personnel. Un autre disait: «C'est du Mozart, du Weber, du Gounod, du Verdi; ce sera, quand vous voudrez, du Schumann, du Brahms ou du Wagner; ce ne sera jamais du Saintis. Le poisson n'est pas de lui, il y met sa sauce.» Ce feuilletoniste venimeux n'ajoutait pas qu'il eût donné vingt palettes, une pinte de son sang pour trouver la recette de la sauce Saintis, qui alléchait si fort un public pâmé. Un troisième écrivait: «Ce n'est pas, comme on le prétend, un génie, ce n'est qu'un habile sans convictions, qui met toutes ses voiles au vent. À quelle école appartient-il? à celle du succès.»

Ces épigrammes l'affectaient peu; il était si content, si radieux! Il pensait à ce qu'avait dit Voltaire de l'insecte qui dépose ses œufs dans le fondement des chevaux; cela les incommode, mais ne les empêche pas de courir. Son Alcade faisait salle comble; on avait vu rarement pareille vogue; c'était une fureur, la feuille de location en témoignait. Il se sentait hors d'insulte et hors d'atteinte, et il avait toutes les femmes pour lui. Comme le disait un certain juge d'instruction à la comtesse de R..., elles l'étouffaient sous les roses; ce supplice lui semblait délicieux. On ne pouvait lui pardonner son insolent, son indécent succès, et on lui enviait ses bonnes fortunes; on lui en prêtait d'étourdissantes; on prétendait que ce sultan jetait le mouchoir.

Dix-huit mois durant, ce fut une ivresse; mais il avait trop de vrai talent pour se griser plus longtemps de fumée. Il entra un jour dans un café où des inconnus parlaient de lui; l'un d'eux disait:

«Vous verrez qu'il ne fera plus rien, qu'il n'avait qu'un opéra dans le ventre.»

Une petite goutte d'eau froide suffit quelquefois pour calmer subitement un gaz en effervescence. L'inconnu en avait menti; il se sentait capable de pondre beaucoup d'œufs, d'étonner amis et ennemis par sa fécondité. Une légende du Nord qu'on lui avait contée avait fait travailler son esprit, lui avait suggéré une idée, un sujet, un plan: cette fois encore, il serait son propre librettiste, et cela s'appellerait la Roussalka, et ce serait une belle chose. Il savait que les envieux l'attendaient à son second opéra, que le public est sujet aux retours, qu'il se paie de ses excès d'indulgence par d'injustes sévérités. Il se promit de ne point se presser, de prendre son temps, de donner cette fois toute sa mesure, de faire une œuvre irréprochable, qui fermerait la bouche à la critique. Ce sage qu'on croyait fou se promit aussi de se mettre en garde contre Paris et ses dissipations; ce pays lui était funeste, ce n'était pas un lieu de recueillement, et il avait besoin de se recueillir. Il résolut de s'arracher aux tentations du diable, aux jardins d'Armide, de faire une retraite, de s'en aller très loin, de s'expatrier pour un an. Où irait-il? Peut-être aux Îles Baléares, à moins qu'il ne poussât jusqu'aux Canaries; un maître lui en avait donné l'exemple. Il commençait déjà ses préparatifs, quand un heureux hasard le fit changer de résolution et revenir a toutes jambes des Canaries.

Il avait fort négligé son amie d'enfance. Elle s'était mariée à seize ans et avait été introduite par son mari dans le monde de la finance, qui n'était pas celui qu'il fréquentait. Depuis qu'elle s'était retirée dans un chalet, c'est-à-dire depuis dix années bien comptées, il l'avait perdue entièrement de vue, elle avait disparu de son horizon. Elle était venue passer quelques jours à Paris, où elle avait conservé un pied-à-terre. Il la rencontra un soir chez sa sœur, Mme Leyrol, qui donnait un grand dîner. Elle fut sa voisine de table, et, heureuse de le revoir, elle se mit en frais pour lui. Il lui parut qu'elle avait un visage tout nouveau; que c'était une étrangère, qu'il voyait pour la première fois. Il s'occupa beaucoup d'elle, et quand il sortit de table, il avait décidé qu'il connaissait nombre de femmes plus brillantes ou plus belles, qu'il n'en connaissait aucune qui fût plus distinguée et plus charmante. Cette rencontre lui avait fait une si profonde impression, lui avait laissé un si vif souvenir que, huit jours après, elle eut la surprise de le voir entrer dans son chalet et d'apprendre qu'il avait loué une maison de paysan, qu'il s'y trouvait fort bien, qu'il se proposait d'y passer plusieurs semaines, plusieurs mois peut-être, qu'étant devenu son voisin, il comptait la voir très souvent. Cette aventure l'étonna et lui plut, et quand elle sut quelles raisons l'avaient déterminé à s'enfermer dans un ermitage, elle les jugea bonnes et n'hésita pas à le lui dire.

Il tint parole. Elle le voyait souvent arriver, mais il ne restait longtemps que lorsqu'elle était seule; un fâcheux interrompait-il leurs entretiens, peu maître de ses impressions, il en témoignait de l'humeur. Les choses ne se passaient pas comme l'avait prétendu le docteur. Il ne lui faisait point le détail de ses péchés; il lui contait quelquefois des historiettes plus ou moins scandaleuses, en cherchant à lui persuader qu'il n'en était point le héros; elle en pensait ce qu'elle voulait. La plupart du temps, il lui déclarait d'un ton contrit qu'il était bien revenu des vanités du monde et de ses caresses perfides, des folles amours, des gourmandises de l'amour-propre, des creux plaisirs que procurent les joies tapageuses, leurs grosses caisses et les clochettes de leurs chapeaux chinois; que les seuls biens solides étaient les affections sérieuses et le travail, que le reste ne valait pas le zeste d'un citron. Elle approuvait, elle encourageait d'un signe de tête ses bons sentiments, ses repentirs, auxquels elle ne croyait que par intermittences. Elle avait la passion de la règle; si elle aimait à ranger les armoires, les papiers, elle aimait encore plus à remettre un peu d'ordre dans les âmes troublées, désorientées, et aucune âme ne lui paraissait plus intéressante ni plus précieuse que celle de cet ami d'enfance, qui était devenu un grand musicien. Mais elle ne le sermonnait point; quoique protestante, elle n'était point prêcheuse; elle ne croyait qu'aux leçons de choses et elle s'appliquait à rendre sa maison agréable à ce malade désireux de guérir; elle constatait avec joie et un peu d'orgueil qu'il semblait s'y plaire. Elle en concluait que le fond du cœur n'était pas gâté, et elle lui marquait un bon point.

Quand ils avaient eu un long entretien, que personne n'avait interrompu, il s'en retournait content d'elle, content de lui, rasséréné, reposé, rafraîchi, et il se disait que cette magicienne bienfaisante connaissait ces philtres, ces enchantements qui rajeunissent les cœurs. Où avait-elle appris ce secret? Ce n'était pas dans la rue du Sentier. Plus il allait, plus le charme opérait. Mainte fois aussi, en la quittant, il lui arriva de trouver à l'un des détours du chemin une idée musicale, qu'il avait longtemps pourchassée et qui tout à coup se laissait prendre. Apparemment, il y avait dans cette âme une musique cachée, mystérieuse, qui se communiquait, et il ne tenait qu'à l'auteur de l'Alcade d'exploiter cette mine. Pourquoi l'imbécile s'en avisait-il si tard? Ce n'était pas tout. En revoyant une amie d'autrefois, longtemps et sottement négligée, il avait fait une découverte; il savait désormais qu'on peut concevoir pour une femme un sentiment étrange, un attachement passionné, qui n'est pas de l'amour, mais qui en tient, une sorte d'amitié amoureuse, à laquelle se mêle une profonde vénération. Il venait de faire connaissance avec le respect; aucune autre femme ne lui avait rien inspiré de pareil, et il éprouvait des sensations toutes nouvelles qui, lui semblait-il, ennoblissaient sa vie.

Mais, peu de jours après, comme il fumait une pipe dans son jardin entre onze heures et minuit, il se confessa à lui-même que ses subtilités, ses tortillages psychologiques n'étaient que des subterfuges, des échappatoires puériles, par lesquelles il s'abusait volontairement, que ces nuages, ces fantômes étaient destinés a lui cacher une évidente et terrible vérité, que son amitié respectueuse et romanesque était un amour lancinant, qui commençait à le faire souffrir, qu'il ne lui suffisait plus de voir, qu'il voulait posséder, et que le cas était grave. Il se souvint que jadis, six ou sept ans après le mariage de Mlle Charlotte Callaix avec M. Sauvigny, lorsqu'elle avait vingt-deux ou vingt-trois ans, ayant demandé à un jeune homme qu'il savait lié avec elle s'il la voyait souvent, ce joli garçon, qui passait pour n'être point timide, lui avait répondu d'un air navré:

«Je ne la vois plus, mon cher, j'étais pincé, et je n'aurais jamais osé le lui dire.»

On était maintenant plus libre de le lui dire, mais c'était une affaire de grande conséquence. Il avait lu dans les fins contours de ce front si pur, dans ces yeux d'un brun si doux, dans ce regard immaculé, dans la limpidité de ce sourire et jusque dans les lignes de ces mains aux longs doigts menus, jusque dans les plis de cette robe, que, pour la posséder, il se verrait contraint de se déjuger, de démentir tous ses principes, toutes ses maximes. Combien de fois n'avait-il pas déclaré, hautainement, que le mariage lui faisait horreur, que cette funeste institution était le tombeau du talent, que jusqu'à sa mort il resterait le très humble esclave de sa chère liberté! En proie à de violents combats intérieurs, perplexe, tourmenté, il tourna, vira dans son enclos jusqu'à deux heures du matin. Sa conclusion fut que le mieux était de s'en aller, d'en revenir à sa première idée, de partir bien vite pour les Canaries, après quoi il découvrit qu'on ne veut pas toujours ce qu'on veut.

Le lendemain, à la tombée de la nuit, il se présentait chez Mme Sauvigny et, pour sonder le gué, il lui parlait d'une affaire importante, sur laquelle il désirait avoir son avis: il lui était venu, depuis peu, disait-il, une vague envie de se marier; était-ce un bon ou un mauvais mouvement? Qu'en disait l'oracle? Elle répondit que son idée lui paraissait heureuse; elle ajouta on riant qu'elle n'avait jamais compris les répugnances des artistes pour le mariage, que, loin de refroidir ou d'étouffer l'imagination, l'air des prisons l'excite et l'exalte, que Rousseau se plaignait de n'avoir jamais été mis à la Bastille, où il aurait fait, assurait-il, les plus beaux rêves de sa vie.

«Le cas échéant, poursuivit-elle, j'aurais un parti à vous proposer. Il y a près d'ici une petite demoiselle que j'ose vous recommander; je la connais assez pour être sa caution. Elle est d'excellente famille, jolie, bien élevée, riche et assez intelligente pour être sensible à l'honneur d'épouser un homme célèbre. Quand vous serez décidé, avertissez-moi; mais avant que je me mette en campagne, vous m'aurez promis solennellement de la rendre heureuse.»

Ce soir-là, il ne poussa pas plus loin sa pointe; il se mit au piano et lui joua tous les airs qu'elle lui demanda.

Deux jours après, le 31 août, il était à Paris, où son premier soin fut d'aller voir sa sœur. Elle revenait d'une plage et se disposait à accompagner M. Leyrol chez des amis, qui les attendaient pour ouvrir la chasse. Elle avait reçu tout récemment de son frère une lettre dans laquelle il célébrait les louanges de Mme Sauvigny avec une chaleur, une exaltation extraordinaires, et cette lettre l'avait fort réjouie. Convaincue que, dans l'intérêt de son talent, il importait de le marier au plus tôt, elle s'était dit que le plus grand bonheur qui pût lui arriver serait d'épouser la seule femme qui, à sa connaissance, pût le tenir et le gouverner, la seule qui fût capable à la fois de donner d'excellents conseils et l'envie de les suivre. Elle avait pris cette affaire à cœur, répondu courrier par courrier. Elle fut charmée de le voir et de battre le fer pendant qu'il était rouge.

«Eh bien! lui dit-elle sans autre préambule, quand épouses-tu Charlotte?»

Il lui repartit d'un ton d'humeur qu'elle était trop pressée, qu'elle brûlait les étapes, et il lui fit un long discours, qu'il termina en disant qu'il craignait de s'exposer à un refus, que cette mésaventure lui paraîtrait fort désobligeante.

«Pourquoi voudrait-elle de moi? Il ne lui manque rien.

—Elle aime tant la musique! répliqua Mme Leyrol; il lui manque un musicien. Elle l'a, elle sera bien aise de le garder.»

Puis, d'un ton plus sérieux, elle lui expliqua que M. Sauvigny avait été un de ces maris médiocres, assez agréables pour ne pas dégoûter une femme du mariage, mais pas assez pour qu'elle désespère de trouver mieux, qu'à deux reprises sa veuve avait eu l'occasion de se remarier, qu'elle s'y était refusée, non qu'elle eût un parti pris, mais parce que les deux prétendants ne lui plaisaient qu'à moitié et que, devenue difficile, elle entendait qu'on lui plût tout à fait. Mme Leyrol ajouta que les mauvais sujets réussissent souvent où échouent les bons garçons.

Voyant qu'il hésitait encore, elle voulut frapper un grand coup.

«Si tu tergiverses, dit-elle, on te la volera. Situation, grande fortune, dons du cœur et de l'esprit, elle a tout ce qui peut séduire les hommes, et si sa figure est journalière, tu sais mieux que personne qu'il y a des heures et de longues heures où elle est encore plus jolie que moi. Monstre, vous me l'avez écrit!»

Là-dessus, pour l'inquiéter, elle lui parla non du docteur Oserel, qui n'était pas un rival bien redoutable, mais d'un certain M. André Belfons, proche voisin de Mme Sauvigny, grand et riche propriétaire, réputé excellent agronome, et qui passait pour un homme d'un commerce aussi attrayant que sûr et d'une figure assez engageante. On le voyait souvent au Chalet.

«Le printemps dernier, j'ai fait un séjour d'une semaine chez Charlotte, qui nous a fait dîner ensemble. J'ai cru m'apercevoir qu'il tournait beaucoup autour d'elle, et de son côté, j'en suis certaine, elle a pour lui une grande estime, une vive sympathie. Peut-être le trouverait-elle un peu jeune, mais c'est aussi ton cas, et ce n'est pas une affaire. Défie-toi, Valery, défie-toi.»

Elle avait mis le feu aux poudres, et peu s'en fallut que la poudrière ne sautât. Il avait dîné, lui aussi, avec M. Belfons; il décida que ce grand propriétaire était un danger et avait toute la mine d'un voleur. Il déclara à sa sœur avec une menaçante véhémence qu'à l'extrême rigueur, pourvu qu'il vît tous les jours Mme Sauvigny, il pouvait se résigner à vivre sans l'épouser, mais que si elle lui faisait le chagrin d'épouser M. Belfons, il penserait sérieusement à se brûler la cervelle. Il disait vrai; c'était bien là le véritable état de son cœur.

Il regagna précipitamment son terrier, et dès le lendemain, comme elle achevait de déjeuner, Mme Sauvigny les avait aperçus sous sa fenêtre, lui et sa jument blanche; mais la grosse tête du docteur Oserel était apparue et l'avait mis en fuite. Il revint dans la soirée. Il la trouva seule, occupée a écrire une lettre d'affaires; elle en écrivait beaucoup. S'empressant de poser sa plume et de fermer son buvard, elle lui tendit la main et remarqua qu'il avait un air singulier. Elle lui avait dit, peu de jours auparavant: «Quand vous serez décidé, avertissez-moi, je me mettrai en campagne.» Elle pensa qu'il s'était décidé et qu'il venait le lui dire. L'autre fois, il avait commencé par les paroles et fini par la musique; cette fois-ci, il fit tout le contraire, ce fut par la musique qu'il commença. Se sentant la gorge serrée, incertain s'il aurait le courage de parler, il se mit au piano, essaya d'improviser une fugue, qu'il interrompit dès les premières mesures.

«Non, fit-il, ce n'est pas là ce que je veux vous dire, et ce que je veux vous dire ne peut s'exprimer qu'en mots.»

Il la prit par la main, la conduisit dans la petite loge vitrée, la fit asseoir dans un fauteuil, s'assit modestement sur un simple tabouret, et il eut un instant l'air d'un écolier bien sage qui se dispose à réciter sa leçon. Mais ce n'était pas une leçon apprise, ce fut vraiment son cœur qui parla.

«Il faut, madame, qu'avant toute chose, je vous dise grosso modo le bien que je pense de vous et qui vous êtes.

—C'est donc un complot! s'écria-t-elle. L'autre jour, le docteur m'a forcée d'entendre l'énumération de mes vertus; à la vérité, il me trouve encore plus étonnante qu'admirable. Je suis ce que je suis, et je n'ai jamais aimé qu'on m'analysât, qu'on me disséquât.

—Il faut pourtant que vous m'entendiez; si je supprimais mes prémisses, ma conclusion serait en l'air. Le docteur est sans doute un grand savant, mais je le défie de vous connaître à fond; il faut être artiste pour vous comprendre. Qu'est-ce que l'art? il consiste à fondre dans l'harmonie d'un ensemble des oppositions, des dissonances ingénieusement préparées et sauvées. Votre âme, chère madame, est une œuvre d'art, et je le répète, un artiste seul peut savoir ce que vous valez.»

Ne pouvant l'arrêter, elle s'était résignée à l'entendre; elle se renversa dans son fauteuil, croisa les bras, ferma les yeux.

«Vous réunissez des qualités qu'on pourrait croire incompatibles, inconciliables, vous êtes pleine de contrastes, de contradictions apparentes, et cependant tout s'arrange, tout s'assortit, tout s'accorde. Vous combinez l'amour de l'ordre avec la fantaisie, la passion des choses utiles avec le culte de l'inutile; vous agissez sans cesse et vous aimez à rêver; vous êtes Marthe et vous êtes Marie. Naturellement timide, dans l'occasion, vous osez beaucoup. Vous alliez, je ne sais comment, un fonds de mélancolie douce avec des gaietés de petite fille. Vous avez une forte dose de cette fierté qui sied aux femmes, et vous ne laissez pas d'être si modeste, si défiante de vous-même que vous croyez facilement à la supériorité des autres, et, dans ce moment, j'en jurerais, vous êtes à mille lieues de vous douter que, telle que vous voilà, vous êtes délicieusement jolie.... Vous souriez?»

Elle avait souri parce qu'elle pensait qu'il y avait un grain de vérité dans ce qu'il disait, mais qu'il exagérait beaucoup, que les artistes exagèrent toujours.

«Est-ce tout?» dit-elle en rouvrant les yeux.

Elle aurait voulu que ce fût tout; elle commençait à se demander avec un peu d'inquiétude où il voulait en venir.

«Non certes, ce n'est pas tout; comme les bons avocats, j'ai réservé pour la fin le meilleur de votre affaire. Je continue. Quoique vous soyez bonne, bonne, bonne, vous êtes très malicieuse; mais, chose étrange, votre malice ne s'attaque qu'aux ridicules, aux prétentions, et vous êtes pleine d'indulgence pour les péchés, pleine de mansuétude pour les pécheurs. Vous êtes la femme la plus pure que je connaisse, et je gagerais bien qu'incapable non seulement de faire le mal, mais d'en concevoir la pensée, vous n'avez jamais transgressé un seul des dix commandements, même en rêve, que votre imagination n'a jamais péché. Vous ne résistez pas aux tentations, vous passez à côté d'elles sans les voir. C'est le secret de votre modestie, vous triomphez sans gloire parce que vous avez vaincu sans péril, et c'est aussi le secret de votre grâce: votre vertu n'est pas un effort, mais une divine facilité de bien faire, et comme les oiseaux vos bonnes actions ont des ailes. Et cependant votre imagination si chaste est étrangère à toute pruderie; elle ne s'effarouche, ne se scandalise jamais; elle ne s'offense de rien, ni des opérations répugnantes du docteur Oserel, ni des crudités de son cours d'anatomie, ni des histoires saugrenues dont votre serviteur vous régale quelquefois. Mais voici, selon moi, votre marque distinctive. Vous êtes nerveuse, très nerveuse, et vos nerfs vous servent à vivre dans le cœur et l'esprit de votre prochain et à savoir ce qui s'y passe, ils ne vous servent jamais à vous agiter et jamais vous ne les employez à agiter les autres. Vous êtes de toutes les femmes la plus reposante; vos pensées sont fraîches comme des fleurs de montagne, et votre âme est enveloppée d'un mystère paisible, aussi doux que les longs silences des bois. Le docteur, qui a parfois des clartés, s'est montré un homme de grand sens le jour où il vous a définie devant moi: une nerveuse tranquille... Ah! madame, savez-vous quelle est la vraie destination et l'office propre d'une nerveuse tranquille?... Le plus sacré de ses devoirs est d'épouser un artiste, de le gouverner, de le calmer, de l'inspirer et de doubler son talent, en lui révélant des joies que le monde n'a jamais données.»

Elle pâlit, et un frisson lui courut dans tout le corps, frisson d'épouvante, frisson de bonheur. Il s'était laissé couler à ses pieds, et il lui disait:

«Charlotte, ma Lolotte d'autrefois, voulez-vous?»

Dans ses émotions, elle ne trouvait plus ses mots: elle fut quelques instants sans parler. Puis, l'ayant obligé à se rasseoir sur son tabouret:

«Souffrez, dit-elle, que nous raisonnions un peu.

—Je vous en conjure, ne raisonnons pas; c'est la plus sotte chose qu'on puisse faire dans certains cas.... Vraiment, vous raisonnez trop, vous êtes trop protestante, c'est votre seul défaut.»

Elle n'avait pas l'habitude d'argumenter en forme: elle supprimait les idées intermédiaires, arrivait tout de suite à sa conclusion, qu'elle formulait brièvement, et vous laissait la peine de rétablir le reste du discours.

«J'ai trente-cinq ans, vous en avez trente-trois.

—La belle affaire! comme dit ma sœur. Je vous déclare que vous êtes et serez toujours beaucoup plus jeune que moi.»

Après une pause:

«J'ai dans ce pays des attaches que je ne romprai jamais. Serait-il raisonnable de lier votre sort à celui d'une prisonnière?

—Je ne me soucie pas d'être raisonnable, je ne me soucie que d'être heureux.... Mais, Seigneur Dieu! à quelles objections vous arrêtez-vous? Je m'étais imaginé qu'à deux pas d'ici, et presque à votre porte, il y avait un chemin de fer qui mène en deux petites heures à Paris, où vous avez un pied-à-terre.»

Elle lui jeta un regard droit, et d'une voix sourde:

«Mon pauvre ami, je ne vous suffirais pas longtemps, et je veux suffire.»

Il sentit que c'était là l'objection capitale, l'empêchement dirimant, la grave difficulté qu'il aurait de la peine à lever, et il s'indigna. Il lui demanda pour qui elle le prenait. Était-il à ses yeux un drôle ou un imbécile? Il n'y avait qu'un imbécile qui pût se flatter de la tromper, il n'y avait qu'un drôle qui pût être assez vil pour la trahir.

«Comment pouvez-vous croire.... Ce que je trouve extraordinaire, ce n'est pas ce que vous dites, ce n'est pas ce que vous faites, c'est ce que vous êtes. Bonté, tendresse, sainte pitié, douceur, grâce, charme infini, vous êtes la plus femme de toutes les femmes, et je vous jure....»

Il n'acheva pas; il comprit qu'il aurait beau jurer, elle ne serait point convaincue; peut-être savait-elle qu'il n'avait pas tenu tous les serments qu'il avait faits. Il mit sa tête dans ses mains et réfléchit.

«Charlotte, dit-il en se redressant, ce qui vous manque c'est la confiance, et elle ne se commande pas. Après tout, vous avez le droit de vous défier et de me mettre à l'épreuve. Écoutez-moi. Si je passe une année entière dans ma maisonnette, sans la quitter, hormis les cas où mes affaires m'appelleront à Paris, si je continue à m'y trouver bien, si j'y travaille, si j'y finis mon opéra, si vous arrivez, à vous convaincre que le plaisir de vous voir souvent me tient lieu de tous les autres, si pendant tout un hiver, un printemps et un été, vivant en quelque sorte sous vos yeux, je ne vous donne aucun sujet de mécontentement ou d'inquiétude.... Nous sommes le 1er septembre. Si l'an prochain, à pareille date, je me présente ici pour implorer une seconde fois la grâce que vous me refusez, y a-t-il quelque apparence que vous disiez oui?»

Elle devint très rouge et répondit sans hésiter:

«Franchement, je le crois.»

Il poussa un cri de joie.

«Ah! dit-il, j'ai gagné mon procès. Mais je veux faire mieux, madame. Vous me soupçonnez d'être l'ennemi de vos occupations favorites, de vouloir vous enlever à vos œuvres pour vous avoir tout entière à moi. Il en est une à laquelle je prétends m'associer, dont je ferai mon affaire. Vous vous êtes mis en tête de donner à la jeunesse de votre village le goût de la musique: vous souhaitez qu'il y ait des fleurs dans les plus humbles maisons et un coin de poésie dans les plus prosaïques existences, qu'elles oublient par instants les sévérités de leur sort et les préoccupations du sordide intérêt. C'est une de vos nombreuses idées, et, bonnes ou mauvaises, j'ai été mis au monde pour les approuver toutes. Vous avez fait construire un grand kiosque fermé dans un endroit retiré de votre immense parc, de ce vaste capharnaüm où, chirurgien, religieuses, opérés, invalides, on trouve de tout; je dois convenir qu'on y rencontre même des arbres, et désormais les beaux-arts y ont leur place. Il y a près d'un an, vous avez obtenu que deux fois par semaine, un maître et une maîtresse d'école rassemblassent dans votre nouveau pavillon une vingtaine de jeunes filles qui ont de la voix, qu'ils leur apprissent les éléments de la musique et les fissent chanter par parties. Ces braves gens les ont bien commencées, mais ayant plus de zèle que de méthode, ils ne les mèneront pas loin. Je m'engage à les remplacer quelque temps, à leur montrer comment il faut s'y prendre. Oui, madame, deux fois chaque semaine, je sortirai de mon trou pour venir ici donner leur leçon à vos petites demoiselles. Je n'en ferai pas des Delna; il n'y en aura jamais qu'une; mais je me crois le génie de l'enseignement, et si je ne tire pas un surprenant parti de ces gosiers rebelles, je vous autorise à me déclarer indigne de prétendre à votre main et déchu de toutes mes espérances.

—Valery, s'écria-t-elle, l'œil humide de plaisir, c'est vous qui êtes mille fois bon. Ce grand maëstro se faisant, pour me plaire, le maître à chanter de vingt petites villageoises! Jacob n'en fit pas tant, et Rachel serait jalouse de moi.»

Cédant à un entraînement de son cœur, elle fut sur le point de le dispenser de toute épreuve, de prendre son parti sur-le-champ, de ne pas attendre un an pour dire oui. Sa réserve, sa circonspection naturelle la retinrent: il faut du temps aux nerveuses tranquilles pour s'apprivoiser avec les situations nouvelles et imprévues. Elle se dit qu'après tout cette épreuve qu'il s'imposait à lui-même de si bonne grâce était nécessaire. Elle se souvint que son père avait un adage, que cet habile négociant, qui avait eu la principale part dans son éducation, disait et répétait: «Qui ne sait attendre n'est pas digne de cueillir.» Elle pensait beaucoup à lui, elle sentait souvent la présence de ce mort dans sa vie.

«C'est donc le 1er septembre de l'an prochain, reprit-elle, que nous reparlerons de notre affaire. Peut-être me sera-t-il venu quelques cheveux gris, qui vous donneront à réfléchir. Mais, jusque-là, promettez-moi....

—Oh! je sais ce que vous allez me dire, interrompit-il. Vous attendez de moi que jusque-là je sois très réservé, très discret dans ma conduite comme dans mes propos, que je ne dise ni ne fasse rien qui puisse éveiller les soupçons de votre infernal docteur. Quand une idée lui trotte par la tête, il a de surprenantes divinations, et il condamne les gens sur de simples indices. La vertu est toujours récompensée; en vous proposant de faire chanter vos petites villageoises, je me suis procuré un prétexte honnête pour venir vous voir très souvent et à des jours réglés, sans que personne ait le droit de dire: «Il est bien assidu; que vient-il faire?» Je suppose qu'après la leçon, vous me retiendrez à dîner; c'est un égard que vous me devez. Que le docteur dîne avec nous, j'aurai l'air d'en être charmé, et je serai si correct, je me tiendrai si bien que sa malice noire ne devinera rien. J'entends que ce gros jaloux ne flaire pas de loin l'affreux tour que je me promets de lui jouer, eussiez-vous alors, contre toute vraisemblance, une demi-douzaine de cheveux gris.... Voilà qui est convenu, ajouta-t-il. Dès demain, je serai aussi cafard, aussi canaille qu'un vieux bonze et je m'engage à jeûner durant tout mon carême; mais vous m'autorisez, j'imagine, à fêter mon mardi-gras.»

Et à ces mots, s'agenouillant de nouveau devant elle, il s'empara d'une de ses mains, dont il baisa les cinq doigts successivement et tendrement, après quoi, excité par cet exercice, il profita de ce qu'elle avait des manches ouvertes, pour promener ses lèvres tout le long d'un avant-bras mince, ténu, mais ferme, et finit par arriver jusqu'à un coude, qui frémit et se déroba.

«Que ce jeune homme est resté jeune! fit-elle. Si pauvre que soit le verger, il a gardé l'amour de la maraude et des pommes volées.»

Ses émotions d'esprit et de cœur ne troublaient pas son sommeil. Elle dormit tranquillement toute la nuit, et au matin, en rouvrant les yeux, d'un seul coup tout lui revint en mémoire. Dès qu'elle fut habillée, elle se mit à sa fenêtre. Elle contempla un instant la rivière, que le soleil faisait fumer, et un grand pré herbu où sautillaient deux pies. Elle écouta le tic-tac d'un moulin, dont elle voyait tourner la roue, et, dans le ciel, le cri aigu et saccadé d'un émouchet qui planait, et qui ne lui parut pas inquiétant. Elle éprouvait le besoin de fêter quelqu'un; n'ayant personne sous la main, elle avisa de l'autre côté de l'eau, à l'extrémité d'un petit promontoire, un vieux saule crevassé, auquel il ne restait plus guère que son écorce, et qui nonobstant jetait encore quelques scions d'un vert pâle; on fait ce qu'on peut. Il lui sembla que ce saule creux la regardait avec bienveillance, et posant sur sa bouche l'index de sa main droite, elle lui lança au travers des airs un baiser très discret. Puis, selon son usage quotidien, elle descendit dans son parc, qu'elle traversa tout entier pour aller prendre des nouvelles de ses vieillards et s'assurer qu'ils étaient tous en vie.

III

Quoique la charité de Mme Sauvigny s'imposât la loi de ne faire comme la justice aucune acception de personnes et d'accueillir avec une égale sollicitude tous les genres de malheur, ne pouvant les soulager tous, les misères qui lui paraissaient les plus intéressantes étaient celles qu'elle avait vues, auxquelles elle pouvait donner un visage: tous les hommes en sont là comme les femmes, mais les femmes encore plus que les hommes. Peu avant la mort de son père, un vieil ouvrier, qui avait longtemps travaillé pour lui, était devenu subitement infirme. On avait négligé de s'enquérir et de lui venir en aide; il n'aimait pas à demander, il était fier. Réduit aux extrémités, il avait résolu d'en finir. Un soir, sa femme et lui avaient hermétiquement clos leur porte et leur fenêtre et allumé un réchaud. Cette catastrophe avait laissé à Mme Sauvigny un souvenir aigu comme un remords. Il en était résulté que, de toutes les œuvres entre lesquelles elle pouvait choisir, c'était l'assistance de la vieillesse qui l'avait le plus attirée, et qu'elle avait converti son château en un asile de vieillards.

Quelques jours après son entretien avec M. Saintis, une misère d'une tout autre espèce lui apparut sous les traits d'une jeune fille qu'elle rencontra dans un chemin creux, et que, bon gré, mal gré, il lui fut impossible d'oublier.

À trois ou quatre cents pas des dernières maisons du village et presque à la lisière de la forêt se trouvait une villa, nommée Mon-Refuge, jadis fort élégante et maintenant quelque peu délabrée. Cette habitation, avec le jardin et le petit parc attenant, était le triste débris d'un beau domaine, qui avait appartenu à M. Vanesse, riche fabricant de papiers peints, et après sa mort à son fils, grand mangeur d'argent, lequel, ne fabriquant rien et dépensant beaucoup, avait dans ses embarras démembré, aliéné sa terre par parcelles. Le peu qui en restait avait été cédé par lui à sa femme, à titre de restitution partielle de dot. Séparée de biens depuis plusieurs années, Mme Vanesse n'avait jamais habité sa villa déchue, qu'elle traitait dédaigneusement de cabane à lapins: elle en tirait parti en la louant très cher à des Parisiens en villégiature; mais s'étant refusée à faire les frais d'urgentes réparations d'entretien, elle avait perdu ses locataires et n'avait pas trouvé à les remplacer. Mme Sauvigny avait conçu un instant la pensée d'acheter Mon-Refuge, pour y établir une succursale de la Maison Oserel, qui ne suffisait plus à loger commodément les malades qu'attirait de partout la vogue croissante du grand opérateur. Elle avait prié son notaire de s'aboucher avec Mme Vanesse, dont les propositions et les exigences furent si extravagantes qu'elle battit promptement en retraite. Elle n'eût pas été la fille de son père si elle avait consenti à conclure un marché ridicule et souscrit à des conditions léonines. Elle s'était dit une fois de plus: «Sachons attendre, nous finirons peut-être par cueillir.»

Désespérant de louer cette année sa cabane à lapins, qu'il eût suffi de réparer et d'entretenir pour la transformer en une demeure des plus sortables, Mme Vanesse s'était résolue à y faire un séjour de quelques mois. Elle était apparue dans les premiers jours d'août, accompagnée de sa fille âgée de vingt-deux ans, et, une semaine plus tard, un homme très beau et très barbu était venu les rejoindre. Les innocents et les simples l'avaient pris d'abord pour M. Vanesse; mais les gens bien informés leur apprirent que le dissipateur était parti pour le Brésil, dans l'espérance de s'y refaire une fortune. Dès ce moment, Mon-Refuge et le trio qui venait de s'y installer devinrent l'objet de la curiosité publique et de plus d'un entretien; on aurait donné beaucoup pour connaître le fond des choses. Cette maison avait un air de mystère; quoiqu'elle fût proche de la route, un inextricable fourré de hauts buissons et de grands arbres, qui n'avaient jamais été émondés, l'abritait contre les regards indiscrets. On n'y recevait personne, a l'exception des fournisseurs, et les gens de service, une cuisinière grondeuse et une femme de chambre qui passait pour une fine mouche, avaient l'ordre de ne prononcer jamais une parole inutile. Cependant les fournisseurs ont l'art de faire parler les murailles. Le boucher et l'épicier donnèrent quelques renseignements. On apprit d'eux que ce ménage était bizarrement conduit, que c'était «une vraie billebaude», que Mme Vanesse alliait les prodigalités à la lésinerie, qu'elle faisait jeter quelquefois au fumier des gigots à peine entamés, que souvent aussi elle coupait un liard en deux, que le bel homme à la barbe noire était un étranger, un Russe ou un Suédois, qu'il s'appelait le comte Krassing, qu'il était sur sa bouche et que c'était lui qui réglait les menus; ils ajoutaient en clignant de l'œil qu'on aurait tort de s'imaginer qu'il fût le prétendu de Mlle Jacquine, qu'il s'occupait beaucoup plus de Madame.

D'habitude, pendant toute la matinée, Mon-Refuge semblait mort; dans l'après-midi, il se ranimait, et ses habitants sortaient quelquefois, montés sur des ânes, et s'acheminaient vers la forêt en file indienne. Le soir, quand les fenêtres étaient ouvertes, les passants entendaient le ronflement continu d'une voix de basse-taille, et, sans être sorciers, ils en inféraient que l'étranger faisait la lecture à ces dames. De temps en temps, une autre voix limpide, pure comme un cristal, fredonnait une chanson, qu'elle n'achevait jamais. Il arriva qu'une nuit, un valet de ferme qui s'était oublié au cabaret, si pressé qu'il fût de regagner sa soupente, s'arrêta à la grille de cette villa paisible, on se disant: «Quel sabbat font-ils donc?» Évidemment on se querellait et de minute en minute la bataille s'échauffait, quand tout à coup retentit un éclat de rire strident, prolongé, convulsif, et tout rentra dans le silence: il y a des rires auxquels on ne trouve rien à répondre. Le valet de ferme parla de celui-là comme d'une chose si extraordinaire, si prodigieuse que le lendemain, à la nuit tombante, quelques gamins du village, intrépides amateurs de curiosités, se dirigèrent à pas de loup vers Mon-Refuge, dans l'espoir trompeur d'être à leur tour les témoins de ce phénomène surnaturel. Comme ils approchaient de la grille, ils se heurtèrent contre le comte Krassing, qui leur fit d'un ton peu engageant la proposition de leur allonger les oreilles, et la bande épouvantée s'enfuit à toutes jambes.

Un matin, Mme Sauvigny eut une course à faire dans le voisinage de Mon-Refuge, et quand elle n'allait pas loin, aimant à marcher, elle sortait à pied. Au moment où elle arrivait devant la fameuse grille, elle se trouva face à face avec Mlle Jacquine Vanesse, qui, vêtue d'une blouse grise, armée d'un filet de gaze verte, portant en sautoir une boîte de fer-blanc, partait pour la chasse aux papillons. Elle n'avait pas encore mis ses gants, qu'elle tenait dans sa main gauche; sans s'en apercevoir, elle en laissa tomber un. Mme Sauvigny le ramassa et le lui rendit; la jeune fille la remercia avec une politesse un peu courte et continua son chemin. Leur entrevue avait duré dix secondes, qui avaient suffi à Mme Sauvigny pour constater que mince, svelte, élancée, Mlle Vanesse avait les joues rondes, une petite bouche, une fossette au menton, le nez très fin, légèrement arqué, presque droit, une grande fraîcheur de teint, le front un peu bas comme celui d'une statue antique, des cheveux soyeux et voltigeants, d'un blond pâle, qu'elle les tressait en natte, que cette natte lui descendait le long du dos jusqu'à la ceinture, que ses sourcils et ses cils recourbés étaient d'un blond plus foncé que ses cheveux, que ses yeux étaient d'un gris doux, de nuance indécise, couleur de lin ou de nuage, que l'ensemble était singulier et délicieux.

Elle se retourna pour la suivre un instant du regard; elle la vit escalader lestement un monticule abrupt, qui était comme un poste avancé de la forêt. À l'élégante gracilité de sa personne, à sa légère et vive démarche, à ses pieds qui touchaient à peine la terre, elle croyait voir une Diane chasseresse, lasse de tuer des cerfs, mais toujours ardente à la proie, s'adonnant à la poursuite de ces êtres ailés, charmants et poudrés, dont la vie d'un jour se passe à sucer le nectar des fleurs. S'étant remise en route, elle crut se souvenir qu'on donnait le nom de vanesse à un genre de papillons remarquables par la vivacité de leurs couleurs, et elle s'imagina que, si Mlle Jacquine aimait les papillons, c'est qu'elle croyait être de leur famille. Puis elle se demanda pourquoi cette jeune personne, qui avait, disait-on, vingt-deux ans, s'obstinait à se coiffer comme une petite fille. Mais un oiseau chanta, et elle pensa longuement à un autre oiseau qui la suppliait de le mettre en cage et dont elle s'occupait beaucoup, après quoi elle ne pensa plus qu'à l'indigent qu'elle venait voir.

Un clou chasse l'autre; mais les idées que chassait Mme Sauvigny étaient sûres d'avoir leur tour. Dans l'après-midi, à l'heure habituelle de ses audiences, elle reçut la visite de l'abbé Blandès, qui avait une requête à lui présenter. Avant qu'il pût placer un mot:

«Monsieur le curé, lui dit-elle, apprenez-moi qu'il n'y a rien de vrai dans les méchants bruits qui courent sur Mon-Refuge et ce qui s'y passe.

—J'en suis désolé, madame, mais on ne dit rien de trop, et je déplore le scandale que donne Mme Vanesse à ma paroisse. Comme les saintes Écritures, appelons les choses par leur nom. Que pouvons-nous penser d'une mère assez éhontée pour loger son amant chez elle sous les yeux de sa fille?»

Là-dessus il exposa l'affaire qui l'amenait. Tout en l'écoutant, Mme Sauvigny, qui avait la faculté de suivre deux pensées à la fois, se disait:

«Cette jeune fille est-elle une innocente qui ne voit, qui ne sait rien, ou une créature perverse ou avilie qui boit comme de l'eau sa honte et celle des autres?»

Et elle croyait revoir ses joues rondes, ses cheveux blonds, ses yeux d'un gris chatoyant, sa démarche de jeune déesse qui s'ébat, son air de printemps et de fierté virginale.... Était-il possible? Une telle plante avait-elle pu croître et fleurir dans ce bourbier? Hélas! il y a des mares infectes où fleurissent des nénuphars.

Quand elle eut accordé à l'abbé sa demande:

«Monsieur le curé, reprit-elle, quelle preuve a-t-on que ce ne sont pas de pures calomnies?

—Mme Vanesse, répondit-il, a eu l'imprudence de renvoyer dans un moment d'humeur sa cuisinière, qui l'en a punie en jasant.»

Et avant de sortir, il fit un geste qui signifiait: «Qu'y pouvons-nous? C'est au bon Dieu d'y pourvoir.»

Mme Sauvigny avait entendu parler autrefois de M. et de Mme Vanesse, des fêtes brillantes qu'ils donnaient dans le temps de leurs prospérités; elle connaissait peu leur histoire. Elle interrogea M. Saintis, qui, sans avoir été un ami de la maison, y était allé souvent. Il lui dit ce qu'il savait, mais il ne savait pas tout. Connaît-on les gens chez qui l'on va?

Mme Vanesse appartenait à une vieille famille du Limousin, jadis très riche et réduite peu à peu par des malheurs et des folies à cet état de médiocrité mal dorée, dont un philosophe s'accommode, mais qui pèse à quiconque a des prétentions à soutenir. On avait dit depuis longtemps:

Dans la maison de Salicourt,
Le mari dort, la femme court.

Ce dicton était encore vrai. Le marquis Honoré de Salicourt avait épousé sa cousine germaine, qui courut beaucoup, et il avait dormi ou fait semblant de dormir. Ce sage débonnaire avait deux goûts consolateurs, l'amour des vieux livres et la passion de l'entomologie. La marquise étant morte d'une chute de cheval, il n'eut plus d'autre souci que celui de marier sa fille, âgée alors de vingt-cinq ans, laquelle, ayant hérité du tempérament fougueux de sa mère, était de garde difficile. Ce fut dans une ville d'eaux, où elle l'avait entraîné, qu'elle fit la connaissance de M. Julien Vanesse, qui venait de perdre son père et de recueillir une grosse succession. L'irréprochable et hautaine beauté de Mlle Aurélie de Salicourt lui inspira dès leur première rencontre une admiration passionnée et foudroyante. Il fut adroit, il fut tenace, et finit par se faire agréer. Elle ne le goûtait cependant qu'à moitié; elle lui reprochait de ne pas joindre à sa richesse l'éclat d'un nom, elle eut toujours pour lui un secret mépris. Trop fière pour consentir à tout recevoir de ce millionnaire, elle mit le marquis en demeure de la doter. Le mariage se fit à Paris. Dès le lendemain, il retournait se blottir dans son vieux castel et dans sa terre, désormais grevée de lourdes hypothèques. Il y vécut de peu, dans la compagnie de ses livres, de ses insectes, d'un vieux chien de chasse, et son sort lui parut doux, tant il était charmé d'être à jamais débarrassé de son impérieuse fille.

Durant dix-huit mois, M. Vanesse fut amoureux de sa femme, et pendant tout ce temps, malgré le secret mépris dont j'ai parlé, elle trouva quelque plaisir à se laisser aimer. Quand ils furent au bout de leur bail, ils décidèrent d'un commun accord que leur bonheur consisterait désormais à suivre chacun leurs fantaisies, à tout se permettre, et leur sagesse à avoir l'un pour l'autre une absolue tolérance. Ils avaient cependant des joies communes: leur train de maison était princier et ils donnaient ces fêtes magnifiques dont Mme Sauvigny avait ouï parler. Si forte que fût la dépense, elle n'excédait pas leur revenu; ils auraient pu être heureux longtemps, conformément aux clauses de leur convention, si aux prodigalités qui embellissent la vie, M. Vanesse n'avait ajouté les sottes profusions qui ne rapportent ni honneur ni plaisir. Ce n'étaient pas les femmes qui le ruinaient; sur cet article, il se contentait à peu de frais; mais ses amitiés lui coûtaient beaucoup plus cher que ses amours. Il s'était acquis la dangereuse réputation d'un bon enfant qui, soit faiblesse, soit vanité, ne savait rien refuser. Prêts gratuits, avances inconsidérées, déplorables complaisances pour tous les faiseurs de projets qui l'intéressaient à leur chimère, fonds hasardés dans des entreprises idiotes, il connaissait et pratiquait tous les genres de gaspillage, et ce poisson mordait à toutes les amorces. Cette grande fortune fondit en quelques années; aux difficultés succédèrent les embarras, aux embarras les détresses, et à bout de voie, ce bon enfant dissipa par des moyens subreptices une partie de la dot si péniblement amassée par le marquis de Salicourt. Tout entière à ses amusements, courant d'aventure en aventure, ivre de bruit et de fumée et comme perdue dans sa gloire, Mme Vanesse ne se doutait point du cruel réveil qu'il lui préparait. Comme la femme de Babylone, elle disait: «Je suis une reine sur son trône, et il n'y a ni soins, ni chagrins qui m'occupent.» Mais un jour, du haut des nues où elle planait, elle aperçut le gouffre, et les tempêtes éclatèrent.

De ce mariage, bien ou mal assorti, était née une fille sur laquelle M. Saintis ne put renseigner que vaguement Mme Sauvigny. À peine l'avait-il entrevue de loin, et l'eût-il vue de près, elle n'était pas facile à pénétrer. Elle avait fait preuve dès son enfance d'une remarquable précocité d'esprit; elle semblait être née avec le goût et le don de l'observation. Peut-être était-ce un héritage de son grand-père, le seul ou peu s'en faut qu'il dût lui laisser. Mais tandis que ce naturaliste passionné employait sa sagacité a étudier les mœurs des insectes, elle étudiait de préférence, en ce temps du moins, les mœurs des hommes et des femmes avec qui elle vivait ou qu'elle avait l'occasion de rencontrer. À l'âge où les petites filles jouent à la poupée, son plus grand plaisir était d'observer les visages, les sourires, les grimaces, d'essayer de lire dans les cœurs, en se promettant de n'être dupe de rien ni de personne. Elle voyait tout et elle écoutait beaucoup. À vrai dire, elle n'écoutait jamais aux portes: sa fierté naturelle l'en eût empêchée, et au surplus, à quoi bon? elle vivait dans une maison où l'on s'exprimait sur toute chose avec un parfait sans-gêne, avec une liberté cynique; cela entrait dans l'idée qu'on s'y faisait du bonheur, c'était un des articles du programme.

Elle n'avait pas eu grand mérite à découvrir que sa mère appartenait à la tribu des égoïstes féroces et son père à la famille des gens sans caractère; mais, elle savait aussi, et elle ne demandait pas mieux que de l'expliquer aux gens qui ne le savaient pas, ce que c'était qu'un amant et une maîtresse, et d'après les informations qu'elle avait recueillies, elle tenait pour certain que, comme son père, tous les hommes avaient des maîtresses, que, comme sa mère, toutes les femmes avaient des amants. Elle ne songeait point à s'en étonner ni à s'en indigner; c'était une mode, un usage reçu, et il faut bien se conformer aux usages. Un jour qu'elle s'en expliquait à son institutrice, Mlle Brehms, cette jeune Badoise, a l'œil candide, à l'oreille chaste, aux lèvres pudiques, lui reprocha sévèrement la témérité de ses opinions et l'indécence de son langage, la chapitra, la sermonna. Elle écouta son discours sans sourciller et sans répliquer; mais elle pensa que Mlle Brehms n'était pas au fait, que cela tenait peut-être à ce que le grand-duché était un endroit sauvage où ne pénétraient pas les modes de Paris; elle s'étonnait pourtant que deux pays si rapprochés eussent des mœurs si différentes. Quelques semaines après, étant entrée trop brusquement dans l'appartement de son père, elle l'aperçut tenant sur ses genoux la jolie sermonneuse, dont la tête reposait mollement sur son épaule droite. De ce jour, quoique son institutrice eût une voix fort agréable et qu'elle aimât à l'entendre chanter, elle la traita avec le dernier mépris, non parce que Mlle Brehms avait un amant, mais parce que les menteurs sont méprisables. Sur ce point, elle avait son jugement assis. Vivant avec des gens qui se donnaient à peu près pour ce qu'ils étaient, l'hypocrisie lui faisait l'effet d'une irrégularité, d'une anomalie monstrueuse et, pour tout dire, d'un vilain cas.

Mais, hors Mlle Brehms et les hypocrites, elle ne jugeait personne; elle observait, elle constatait. Elle avait alors quatorze ans; elle venait de faire sa première communion et savait son catéchisme sur le bout du doigt; elle l'avait étudié avec une vive curiosité; elle était si curieuse! Elle avait conclu de cette étude qu'il y a deux morales, l'une qu'on enseigne et qu'on ne pratique pas, l'autre qu'on pratique et qu'on n'enseigne qu'à soi-même. Cette contradiction ne la choquait point; c'était encore un usage. Tout occupée de faits et désireuse de s'instruire, elle était dans une indifférence absolue pour toutes les questions de principes; elle en fut tirée par un incident heureux. Dès les premiers jours de sa vie, sa mère avait eu contre elle un de ces griefs qui ne s'oublient pas: ayant eu des couches laborieuses, Mme Vanesse n'avait pu pardonner à sa fille la liberté qu'elle avait prise de la faire souffrir en venant au monde. Dans ces dernières années, quoiqu'elle ne trouvât pas deux minutes pour s'occuper d'autre chose que de son moi, cette égoïste féroce avait cru s'apercevoir que Jacquine avait le regard chercheur, l'oreille toujours attentive et savait trop de choses. Elle jugea bon de l'éloigner pour quelque temps; sans avis préalable, elle l'expédia subitement dans le Limousin, où un vieux marquis la reçut à bras ouverts.

Le séjour de deux ans qu'elle fit chez son grand-père modifia son caractère et lui laissa un ineffaçable souvenir. Ils s'étaient pris tout de suite en grande amitié; ce fut un coup de foudre. Ils ne se quittaient pas, et ils étaient pleins d'égards l'un pour l'autre. Ils vivaient presque tête à tête; le marquis était devenu sauvage, ne voyait personne. Quelle tranquillité, quelle paix dans ce manoir isolé et silencieux, dont on avait désappris le chemin! Qu'il ressemblait peu à la maison qu'elle venait de quitter, demeure trop hospitalière, ouverte à tout venant, toujours inquiète et remuante, où l'on méprisait les bonheurs qui ne font pas de bruit, où la grande affaire était de s'agiter, de se dissiper, de s'étourdir, où l'on se plaignait de n'être jamais assez loin de soi-même! Il y avait dans le Limousin un château mal meublé, où vivaient un vieillard et une petite fille à qui rien ne manquait lorsqu'ils étaient ensemble. Eh! bon Dieu, qu'il est facile d'être heureux! Rien de si simple.

M. de Salicourt avait eu cependant un grand chagrin: le feu avait pris une nuit dans l'aile de son château où il logeait son petit musée d'histoire naturelle, et sa collection de lépidoptères avait péri dans les flammes. Il engagea sa petite-fille à en commencer une; il lui expliqua les mœurs des papillons, lui enseigna comment on les capture sans les gâter, comment on les étale, comment on les pique dans la rainure de l'étendoir, puis dans les boîtes, et les soins qu'il faut prendre pour les préserver des anthrènes et des mites. Ce nouveau genre d'étude l'intéressa passionnément et cette passion devait lui rester toujours. En automne, il l'emmenait chasser la perdrix et le lièvre, car il chassait encore. Les soirées d'hiver se passaient en de longs entretiens qu'elle ne trouvait jamais trop longs. Quand il ne causait pas papillons, il lui racontait des histoires destinées à lui prouver que les égoïstes ne sont pas heureux, que les libertins finissent mal, qu'on se trouve toujours bien de faire le bien. Il dissertait, il raisonnait, il s'appliquait à rectifier l'idée qu'elle se faisait de l'espèce humaine et de ses variétés. D'accord sur le fond des choses, ces deux naturalistes ne s'entendaient qu'à moitié en matière de classification. Le marquis divisait les hommes en trois catégories: les honnêtes gens, ceux qui, moins honnêtes, négligent les devoirs, mais respectent les bienséances, enfin les pécheurs endurcis, qui se mettent au-dessus des bienséances et des devoirs, et qu'un jour Dieu punira. Jacquine ne mêlait pas Dieu à cette affaire, et elle admettait quatre classes d'êtres humains, rangeant dans la première ceux qui s'amusaient et ne s'en cachaient pas; dans la seconde ceux qui, a l'exemple de Mlle Brehms, s'amusaient en catimini, avec beaucoup de mystère; dans la troisième, les vaniteux qui, préférant leur gloire à leur plaisir, se condamnaient à faire des choses ennuyeuses à la seule fin de s'attirer des éloges; dans la quatrième, les oiseaux rares que son grand-père appelait les honnêtes gens; mais ils lui semblaient bien clairsemés sur la surface de ce globe, et elle soupçonnait véhémentement que, tout compté, tout rabattu, il n'y en avait qu'un et que c'était lui.

De jour en jour elle s'attachait davantage à ce grand-père qui lui avait révélé l'existence d'une sorte d'hommes qu'elle avait toujours tenus pour des êtres fabuleux et chimériques. Elle lui découvrait sans cesse de nouveaux mérites, de nouvelles vertus. Il avait lu tant de livres qu'il possédait les belles-lettres autant que les sciences, et il était si bon qu'une nuit il se releva pour faire des excuses à son valet de chambre qu'il avait rudoyé. Elle lui savait un gré infini d'être un beau vieillard frais, qui avait eu de grands chagrins et le courage de les oublier. Elle admirait ses talents d'observateur subtil et sagace des choses de la nature. Elle lui était reconnaissante de lui avoir appris à tirer la perdrix et à connaître les papillons. Elle l'aimait pour ses histoires, qui l'intéressaient sans la convaincre, pour ses convictions religieuses, qu'elle respectait sans les partager, pour ses morales qu'elle trouvait appétissantes, parce qu'elles sortaient du fond de son vieux cœur et qu'il les lui servait toutes chaudes. Elle l'aimait parce qu'il était aimable. Elle l'aimait surtout parce qu'il l'aimait et que jusqu'alors personne ne l'avait aimée.

Elle souhaitait qu'il vécût longtemps encore. Quelle bonne vie! Quels jours paisibles et doux ils couleraient ensemble! Un soir, en se mettant au lit, il fut frappé d'apoplexie, et peu d'heures après, il n'était plus. Elle ne le pleura pas, elle n'avait pas le don des larmes; mais elle le regretta amèrement, de toute son âme, et, au sortir de ce château où elle avait fait de si agréables découvertes, elle emporta ce mort dans son cœur et lui promit de l'y garder toujours.

En rentrant dans la maison paternelle, Jacquine n'y trouva rien de changé, mais elle fut étonnée de s'y voir, et dut faire un grand effort pour se réhabituer aux institutions du pays et aux mœurs des indigènes; elle avait vu autre chose et s'en souvenait.

Heureusement on était dans le fort de l'été; ses parents venaient de s'installer dans leur luxueuse villa de Saint-Cloud; elle ne tarda pas à découvrir que le parc était riche en papillons. À Saint-Cloud, comme dans leur hôtel des Champs-Elysées, M. et Mme Vanesse tenaient table ouverte; leur hospitalité était si généreuse que, parmi les convives, il y avait toujours un ou deux visages sur lesquels ils auraient été embarrassés de mettre un nom; mais c'était le moindre de leurs soucis. Tout d'abord, Jacquine avait formé le ferme propos de se tenir à l'écart de ces réunions brillantes et bruyantes, où les actions étaient souvent aussi libres que les paroles. On ne cherchait point à l'y attirer; on était bien aise qu'elle s'effaçât: si elle l'avait ignoré, le premier regard que sa mère avait jeté sur elle à son retour lui eût appris qu'elle avait seize ans et une beauté qui devenait inquiétante. Peu à peu elle se ravisa; sa curiosité s'était réveillée, elle résolut de reprendre le cours de ses études anthropologiques et mondaines. Mais elle ne se contentait plus d'observer, elle n'était plus indifférente. L'air qu'elle avait respiré dans un vieux château l'avait changée; elle avait rapporté du Limousin une conscience, c'était un cadeau que lui avait fait son grand-père. Quand on a une conscience, on s'en sert pour porter des jugements, et les siens étaient sévères; elle ne disait plus: «Que voulez-vous? c'est l'usage», et désormais ce n'étaient pas seulement les menteurs qu'elle méprisait. Il lui parut clair comme le jour que, dans la société élégante et mêlée que ses parents avaient tant de plaisir à fêter, à quelque classe qu'elles appartinssent, les femmes étaient toutes légères, que toutes avaient eu leur aventure, que tous les hommes étaient des viveurs et nombre de ces viveurs des aigrefins. Quelques-uns cependant avaient quelque décence dans leurs discours comme dans leur maintien; c'étaient des hypocrites, elle l'eût juré sur l'Évangile, et il n'en était pas un, vous entendez, pas un, qui n'eût un désir honteux dans le cœur et une tare secrète dans sa vie. Ne faisant grâce à personne, elle se confirmait résolument dans la conviction qu'il n'y avait jamais eu sur la surface du globe qu'un parfait honnête homme, qui n'y était plus. Mais elle faillit s'en dédire.

Un vieux garçon, M. Lunil, orientaliste de quelque mérite, disait-on, et tout plongé dans ses chères études, passait ses étés à Saint-Cloud. Ce septuagénaire bien conservé, au vaste front couronné de cheveux blancs, à la figure grave et presque auguste, portait des lunettes d'or, derrière lesquelles souriaient de grands yeux bleus, qui exprimaient la douceur de son âme et la paix d'une conscience pure. Il dînait souvent dans la villa, où il semblait ne se plaire qu'à moitié; sans doute il se trouvait déplacé dans un monde d'évaporés et d'agités; mais quand on a du savoir-vivre, on s'impose quelquefois des devoirs fastidieux. Un soir qu'il y avait spectacle et que Mme Vanesse, fort décolletée, jouait le principal rôle dans une comédie fort légère, M. Lunil distingua dans un parterre houleux, qui riait à gorge déployée, une jeune fille qui ne riait pas. Jusqu'à la fin de la représentation, il eut les yeux sur elle, et son regard semblait lui dire: «Ils sont fous, mais il y a ici deux sages». On se lia. Il prenait souvent Jacquine à part, et ils avaient ensemble de longs entretiens, toujours sur des sujets sérieux. Elle l'étudiait avec intérêt, mais avec défiance, et ne découvrait en lui rien de suspect. Elle se demanda si elle n'avait pas fait tort a l'humanité; elle était tentée de croire qu'elle s'était trop pressée de condamner Ninive en bloc, qu'il s'y trouvait encore quelques justes épars, qu'elle venait d'en rencontrer un égaré parmi les pécheurs. Elle se souvenait d'avoir vu autrefois au Jardin d'acclimatation, dans une des vitrines de l'aquarium, une belle sole blanche, nageant innocemment au milieu de crabes embusqués, qui méditaient des crimes. Elle comparait M. Lunil à cette innocente sole blanche, et la sole, qui aimait à donner des conseils, l'engageait quelquefois, à mots couverts, à se garer des crabes et de leurs embûches. Plus elle allait, plus elle prenait en gré cet homme vénérable, et, de son côté, il lui témoignait chaque jour une affection plus paternelle.

À quelque temps de là, par un beau soleil de septembre, elle était descendue dans le parc et, son filet à la main, se dirigeait vers des buissons autour desquels elle avait vu voltiger la veille un magnifique paon du jour, Vanessa Io. M. Lunil, qui était en promenade, l'aperçut de loin et, s'étant assuré qu'une petite porte percée dans le mur de clôture n'était fermée qu'au pêne, il entra, rejoignit sa jeune amie, lui demanda la permission de l'accompagner. Chemin faisant, il lui apprit comment le papillon se nomme en sanscrit, en zend, en copte et en syriaque. Puis, il changea de propos, il lui parla du penchant qu'ont les vieux savants pour les jeunes filles et de la confiance que les jeunes filles devraient avoir dans les vieux savants, qui seuls sont des confidents discrets, des amis sûrs, des conseillers désintéressés, de sages et obligeants pilotes auxquels elles peuvent s'en remettre du soin de conduire leur barque, si elles veulent naviguer sans péril à travers les écueils d'un monde frivole et corrompu: son discours lui parut diffus et trop imagé. Mais c'est un péché véniel. L'instant d'après, elle ne l'écoutait plus; ils venaient d'atteindre les buissons où elle se flattait de retrouver son paon du jour, qui s'était gardé d'y revenir: elle aperçut un grand mars, lui donna la chasse, le prit, et le rapportant en triomphe, elle le fit admirer à M. Lunil, qui s'extasia sur la beauté de ce nymphalide, sur ses longs palpes écailleux, sur ses ailes brunes à reflets violets. Il était dans un ravissement qui sans doute lui troublait un peu l'esprit, car il pinçait doucement le bout des doigts de Jacquine et poussait de gros soupirs. Ce procédé lui parut choquant, et elle allait le lui dire, quand elle se sentit saisir par la taille; du même coup, elle s'avisa que l'homme vénérable cherchait à la presser contre son cœur, que ses lèvres balbutiaient un tendre aveu, et qu'il attachait sur elle des yeux de vieux libertin, qui lui inspirèrent une telle horreur que, se dégageant violemment, elle le souffleta sur les deux joues. De cette affaire, les lunettes d'or volèrent en éclats.

Oh! Ninive, Ninive!... Quoi! pas même un juste!... Le souvenir de cette aventure la poursuivit, l'obséda longtemps et lui causait d'affreux dégoûts, des nausées.... C'était donc ça, l'amour! Elle ne pouvait plus entendre prononcer ce mot sans revoir les yeux de M. Lunil, sans songer à l'horrible regard dont elle croyait encore sentir sur elle la souillure. Prenant sa conscience à témoin, elle prêta le serment que jamais, au grand jamais, vieux ou jeune, aucun homme ne pourrait se vanter d'être aimé de Jacquine Vanesse.

Pendant l'hiver qui suivit, elle pensa sérieusement à entrer en religion. Il y avait une difficulté: elle ne croyait pas. Elle lut beaucoup de livres de dévotion, elle s'en gorgea sans profit. Elle évoquait l'ombre de son grand-père, qui avait toujours été un vrai croyant, elle l'adjurait de la délivrer de ses doutes; l'ombre ne disait rien de décisif. Elle finit par se rebuter, et, au printemps, elle prononça des vœux fort étranges.

Peu de mois avant la mort du marquis, on avait déterré dans une friche qu'il faisait défoncer une statuette antique, haute d'un pied ou approchant. On n'eut pas besoin de consulter les archéologues de la province pour reconnaître, après l'avoir décrassée, que cette statuette, d'une remarquable conservation, représentait une Diane bocagère, laquelle, le carquois sur l'épaule, lancée au pas de course, menaçait d'un dard, qu'elle brandissait de sa main droite, une bête ou un homme qui avaient déplu à ses yeux de déesse. Jacquine s'étant éprise de ce joli bronze, son grand-père le lui avait offert, en lui disant: «C'est singulier, cette Diane te ressemble. Elle a ton front, ton nez, et sa bouche est aussi petite que la tienne; mais, grâce à Dieu, elle a un air méchant que tu n'as pas.»

Jacquine avait rapporté du Limousin trois choses: une conscience, une collection commencée de papillons et cette statuette, à laquelle elle attachait le plus grand prix. Elle l'avait serrée dans une armoire et l'en tirait souvent pour la regarder. Du jour où elle renonça à se faire religieuse, elle la regarda plus souvent encore. Elle la sortit de sa cachette et la mit en évidence, perchée sur un socle, entre deux vases qui ornaient sa cheminée. Elle lui dit un soir: «Il y a des femmes qui font vœu de virginité pour se consacrer aux œuvres de miséricorde; je garderai la mienne parce que je hais et méprise les hommes. Oui, je resterai vierge ainsi que toi, et ainsi que toi, j'aurai le cœur dur; comme toi, je lancerai des flèches.» Dès ce moment, comme par l'effet d'une transfusion d'âmes, quand elle se regardait dans sa glace, elle croyait y apercevoir la déesse à qui elle s'était promis de ressembler de cœur autant que de visage.

Jusqu'à cette mémorable soirée, elle avait fait à sa mère le plaisir de s'effacer; elle ne s'effaça plus. On la soupçonnait d'être curieuse, de s'amuser à découvrir les dessous et à déchiffrer les visages; mais on pensait que tout lui était égal, on ne la croyait point disposée à moraliser sur les actions humaines; si vénéneux que soient leurs sucs, le botaniste accuse-t-il d'immoralité la jusquiame et la ciguë? Dorénavant, on put lire quelquefois dans ses yeux devenus parlants ses dégoûts et ses mépris. Elle avait toujours été taciturne; sa langue se dénoua; elle décochait des mots piquants, des épigrammes; comme sa déesse, elle lançait des flèches.

Mme Vanesse, qui passait des journées entières sans se souvenir qu'elle avait une fille, ne pouvait plus douter de son existence; il est difficile d'oublier une écharde qui vous est entrée sous l'ongle. Elle dit un matin à son mari:

«Votre fille s'est gâtée chez mon père; elle est devenue insupportable. Il est temps d'aviser; vous devriez lui parler sévèrement.»

Il lui parla, mais sans sévérité; il n'était pas sévère de son naturel.

«Ta mère, lui dit-il, te trouve fort déplaisante, et c'est aussi mon opinion. J'en atteste tes joues roses et ta natte qui te bat sur les talons, tu as l'air fort jeunet, et tu te piques de loger dans ta tête la sagesse morose d'une vieille douairière, qui médit du diable parce qu'il ne veut plus d'elle. Il faut prendre un parti; sois jeune ou vieille à ton choix. Le malheur est que tu n'as jamais été jeune et que tu ne vieilliras jamais; tu me fais l'effet d'une sardine salée dans sa malice.

—À qui la faute?» répliqua-t-elle, en lui tirant sa révérence.

Il répondit par une pirouette, et l'entretien en demeura là.

Elle avait dix-huit ans quand le comte de Saint-Isle demanda sa main; Mme Vanesse l'épaulait de tout son crédit, qui n'était pas grand dans cette circonstance. Le bruit courait qu'elle avait eu des bontés pour le comte, et Jacquine le laissa entendre. Mme Vanesse s'emporta, mais elle n'eut pas le dernier mot.

De cuisants soucis firent bientôt diversion à ses querelles avec sa fille. Si elle avait eu des bontés pour le comte de Saint-Isle, elle avait refusé d'en avoir pour l'un des rois de la finance internationale, le baron Mark, qui faisait sans cesse la navette entre Vienne et Paris. De ses nombreux poursuivants, c'était peut-être le plus épris, et il ne se consolait pas de son échec; tant d'autres avant lui avaient réussi! Mais il avait la mine basse, et elle voulait qu'on eût l'air d'un parfait gentleman. Aussi légère que superbe, exclusivement occupée de sa précieuse personne et vivant au jour le jour, elle n'avait aucun soupçon de la situation lamentable où l'allaient réduire les ineptes faiblesses et les extravagances de son mari. Le baron Mark se chargea de lui ouvrir les yeux, et il lui démontra qu'il n'y avait plus de ressources, que M. Vanesse les avait toutes épuisées. Dans ses colères, elle ne gardait aucun ménagement. Pour ajouter à l'humiliation du coupable, ce fut en présence de leur fille que, l'œil en feu, la voix frémissante, contractant ses noirs et implacables sourcils, elle lui demanda compte de dilapidations qu'elle traitait d'escroqueries. Il commença par plier la tête et les genoux, s'avilit; puis, se redressant sous l'insulte, il riposta, attaqua à son tour, rendit coup pour coup. Jacquine vit ce jour-là le fonds et le tréfonds de ces deux belles âmes.

Ce qui suivit cette scène violente la confondit d'étonnement. Elle savait ses parents ruinés, et il n'y eut rien de changé dans leur vie. Ils ne songeaient à vendre ni leur hôtel ni leur villa; ils ne réduisaient point leur dépense, ils ne retranchaient rien aux somptuosités de leur train de maison. Elle chercha le mot de l'énigme. Quel était le Jupiter qui faisait tomber cette pluie d'or? Un matin, ayant rencontré M. Mark dans l'escalier de l'hôtel, il la salua avec un sourire si protecteur que, par une soudaine illumination, elle se dit: «C'est lui». Elle ne se trompait pas, c'était bien lui.

Que sa mère se vendît et que son père s'y prêtât, c'était leur affaire; mais elle ne pouvait vivre avec eux sans se condamner à recevoir chaque jour quelques gouttes de la pluie d'or, et sa fierté s'en indignait. Elle résolut sur-le-champ de se faire institutrice, ouvrière en linge ou en modes, il n'importait, pourvu qu'elle sauvât sa fierté. N'était-elle pas la petite-fille de son grand-père et la vivante image d'une vierge divine? Comme autrefois les yeux de M. Lunil, le sourire du baron Mark lui avait fait horreur. Elle se mit secrètement en campagne, et elle s'était déjà renseignée dans un bureau de placement, quand un incident heureux la dispensa de recourir à ce parti extrême. Elle calomniait la vie; il lui arrivait parfois des bonheurs, éphémères ou incomplets, il est vrai.

Mlle Hortense de Salicourt, sœur cadette du feu marquis, était à son exemple restée fidèle au Limousin. N'ayant pas eu de fille à doter et ayant hérité de parents éloignés, au demeurant aussi économe qu'une fourmi, elle était beaucoup plus riche que ne l'avait jamais été son frère. Comme lui, elle avait le goût de la lecture et l'esprit orné; mais elle n'aimait point la solitude, elle recherchait le commerce des humains; aussi ne vivait-elle pas à la campagne; elle possédait et habitait la plus belle maison de la petite ville de X.... Depuis quelques années, elle était fort tourmentée de la goutte et, par surcroît de malheur, une affection des yeux l'avait mise peu à peu dans l'impossibilité de lire. Elle avait cherché, sans la trouver, une jeune fille à son gré, dont elle pût faire sa demoiselle de compagnie et sa lectrice. Le bruit vint jusqu'à elle qu'en dépit des apparences M. Vanesse était en pleine déconfiture; elle avait toujours porté à son neveu par alliance et plus encore à sa nièce une haine de vieille fille qui, ne s'étant jamais amusée, voulait mal de mort aux gens qui s'amusaient. Elle applaudit à cette catastrophe, qui lui parut un juste châtiment du ciel, et comme elle ne s'oubliait pas, elle s'avisa de la faire servir à ses intérêts particuliers. Six ou sept ans auparavant, son frère lui avait présenté une petite blonde, qui lui avait fait une agréable impression. Elle écrivit aussitôt à Jacquine pour l'engager à venir vivre avec elle et lui annoncer qu'elle comptait léguer sa fortune à un orphelinat qu'elle patronnait, mais que, si sa petite-nièce agréait sa proposition, elle serait charmée de lui assurer par un codicille une rente viagère de douze mille francs. Elle insinuait qu'elle offrait la rente et non le capital parce qu'il y avait de par le monde des mains crochues dont elle se méfiait, et auxquelles elle n'entendait pas laisser une parcelle de son avoir. «Douze mille francs de rente! se dit Jacquine avec un peu d'émotion dans le pouls; ce n'est pas la richesse, mais c'est l'indépendance.» Et courrier par courrier, elle répondit qu'elle acceptait.

Pour se sentir heureuse ou à peu près chez sa grand'tante, elle dut y mettre du sien. Sans être une égoïste féroce, Mlle de Salicourt n'avait pas l'humeur commode. S'écoutant beaucoup, attentive à ses moindres sensations et très attachée à ses habitudes, les minuties étaient pour elle des affaires d'État. À mesure que sa santé déclinait, elle devenait plus exigeante. Elle témoignait à Jacquine une sincère affection; mais, sujette aux insomnies, elle abusait parfois de sa complaisance jusqu'à l'obliger à lui faire la lecture pendant des nuits entières. Bien en prenait à sa petite-nièce d'avoir des nerfs solides et une santé de fer; elle n'avait jamais été malade, elle disait elle-même que ce n'était pas dans ses moyens. Ce qui l'agaçait le plus, c'étaient certaines manies de Mlle de Salicourt et ses perpétuelles frayeurs. La foudre, le feu, le vent, les voleurs, tous les bruits insolites, les chevaux, les chiens, les vaches, les souris, elle avait peur de tout. La mort lui causait un tel effroi qu'il était interdit de prononcer devant elle ce mot malsonnant. Elle s'étonnait quelquefois de ne plus recevoir la visite de tel et tel; on les disait absents, on n'osait pas lui confesser qu'ils étaient enterrés depuis six mois. Tant de pusillanimité scandalisait Jacquine, qui n'avait peur de rien; mais elle n'était pas chargée de faire l'éducation de sa grand'tante, qui faisait la sienne en la forçant de joindre à ses fonctions de demoiselle de compagnie un dur service de garde-malade. Elle ne s'en plaignait pas, elle portait allégrement son double fardeau. Cette fille d'un homme improbe avait une probité naturelle qui lui faisait désirer de ne pas être en reste avec Mlle de Salicourt; elle voulait pouvoir dire, quand elle serait en possession de ses rentes: «En vérité, je n'ai pas volé mon argent». Elle savait que le testament était en règle; pour encourager son zèle, sa tante avait voulu que le notaire le lui montrât, et elle était certaine que cette pauvre femme à qui il ne fallait pas parler de la mort ne le referait pas; il lui en avait trop coûté de le faire: pendant une heure, elle s'était crue mortelle.

Jacquine ne s'ennuyait jamais. Sa principale distraction était d'observer les mœurs, les jeux de physionomie des nombreux visiteurs qui venaient faire leur cour à une vieille fille d'humeur bourrue, qu'on savait goutteuse et riche. Il va sans dire qu'elle expliquait leurs assiduités par des vues intéressées; c'était peut-être vrai de quelques-uns; mais elle généralisait trop; elle n'admettait point d'exceptions: son siège étant fait, il n'était pas au pouvoir des habitants de la petite ville de X.... de la réconcilier avec la triste espèce humaine. Ils lui faisaient de grandes politesses, des avances flatteuses, qu'elle recevait avec courtoisie, en ne gaussant à part soi de la simplicité crédule ces pauvres gens, qui lui supposaient plus de crédit qu'elle n'en avait. Il lui arriva quelquefois de les amuser de belles paroles, de vaines espérances. Elle avait décidé que, somme toute, il y avait mieux à faire que de décocher des épigrammes à son prochain; qu'il est plus doux de se divertir sournoisement à ses dépens, de le berner, de le mystifier par des patelinages fourrés de malice et, quand on le peut, par de diaboliques artifices. Sa tante s'était fait lire par elle la première partie de Faust; Méphistophélès avait fait sa conquête; ce modèle lui semblait bon à suivre, et sa petite Diane de bronze, qui n'y trouvait rien à redire, l'exhortait elle-même à s'exercer dans l'art de manier l'ironie et de porter des coups fourrés. Tous les grands artistes ont eu plusieurs manières: elle en avait eu deux, c'était la troisième, et, la jugeant bonne, elle se promettait de s'y tenir.

Garde-malade toujours attentive et dure à la peine, apprentie studieuse en magie noire, elle faisait avec application son double métier, quand Mlle de Salicourt, à qui la goutte était remontée dans la poitrine, mourut presque subitement, sans se douter qu'elle mourait. Qu'allait faire Jacquine? Par une disposition du testament, la maison qu'elle avait habitée pendant deux ans et demi devait être vendue aux enchères dans un bref délai. Quel serait désormais son domicile? Peut-on vivre seule à vingt et un ans? Une lettre qu'elle reçut la tira de son embarras. Cette longue et verbeuse missive lui apprenait que son père venait de partir pour le Brésil, que sa mère occupait au quatrième étage d'une maison bourgeoise de la rue Pierre-Charron un modeste appartement, situé au nord, et la pressait de venir l'y rejoindre.

«Voilà ce que c'est que d'avoir des rentes, pensa-t-elle; on vous recherche, on vous désire. Acceptons provisoirement; quand j'aurai vu, j'aviserai.»

Il faut être juste envers tout le monde: l'orgueil de Mme Vanesse lui tenait quelquefois lieu de vertu. Elle voulait bien qu'on l'entretînt, mais elle entendait qu'on la respectât, et, le baron Mark lui ayant parlé un jour sur un ton cavalier, elle avait rompu avec éclat. Ce pauvre homme était plein de bonnes intentions; mais, étant mal né, il avait des formes un peu rudes et des expressions malheureuses. Aimant les beautés mûres et dégoûté, disait-il, des perruches, il avait cru conclure avec Mme Vanesse un arrangement à long terme; il ne se connaissait guère en femmes; ce Louis XIV s'était flatté d'avoir trouvé sa Maintenon. Il était loin de compte, et elle le lui fit bien voir. Il eut beau gémir, supplier, elle fut intraitable; il se convainquit bientôt qu'il n'y avait aucune espérance de retour.

Les têtes les plus fumeuses ont leurs éclairs de bon sens. Pour la première fois de sa vie, Mme Vanesse avait fait son examen de conscience et reconnu que, le joug fût-il doré comme un calice, toute servitude lui était insupportable, qu'elle aimait mieux se priver que de cesser de s'appartenir, qu'au surplus elle avait quarante-huit ans, qu'il faut savoir quitter le monde avant qu'il nous quitte, que la retraite avait peut-être ses douceurs et ses plaisirs, que, quand son refuge serait une steppe, elle était assez ingénieuse pour y faire pousser des fleurs. Par l'entremise et les bons offices du baron, elle avait recouvré les trois quarts de sa dot; c'était juste de quoi vivre, en renonçant à toutes les fantaisies; mais il lui aurait été dur de les sacrifier toutes. Elle se souvint qu'elle avait toujours eu un bonheur insolent au jeu. Elle courut deux fois à Monte-Carlo, y gagna gros et eut assez de force d'âme pour se retirer sur son gain.

En arrivant chez sa mère, Jacquine la trouva un peu vieillie, mais elle gardait ce qui ne se perd pas, la ligne, le grand air, et elle avait le bon goût de dédaigner les artifices. L'hiver s'écoula tranquillement. On allait quelquefois au théâtre, on n'allait jamais dans le monde. Mme Vanesse racontait à sa fille de longues histoires, où il y avait, par-ci par-là, un grain de vérité, et lui exposait les principes de sa nouvelle philosophie. Jacquine commençait à croire au sérieux amendement de sa mère, et jamais elle n'avait eu l'humeur si douce, si pacifique. Elle ne l'espionnait pas, ayant en mépris l'espionnage et les espions; mais ses terribles, ses inévitables yeux, qu'on était sûr de rencontrer lorsqu'on essayait de les fuir, ne découvraient rien de suspect dans l'appartement de la rue Pierre-Charron, et à quelque heure qu'elle y rentrât, elle avait la conviction qu'elle pourrait ouvrir toutes les armoires sans y trouver un homme.

L'été suivant, Mme Vanesse proposa à sa fille d'aller passer quelques mois à Mon-Refuge. Elle accepta avec empressement; il y avait si longtemps qu'elle ne s'était mise au vert! On partit, on s'installa. Au bout de la première semaine, un jour qu'il pleuvait à verse, un homme frappait à la porte; elle s'ouvrit, il entra, on lui offrit la table et le logement, et, six semaines plus tard, il était encore là. À la vérité, tout se passait avec une décence apparente, on prenait des précautions, on observait toutes les formes. Mme Vanesse avait dit à Jacquine:

«Ce pauvre comte Krassing a une santé fort délicate; son médecin lui a recommandé de respirer l'air des forêts. C'est une bonne œuvre que nous faisons.»

Elle n'avait rien répondu, mais il lui parut que sa mère avait abusé de sa confiance, l'avait indignement trompée, et elle jura de l'en faire repentir.

«Soit! lui disait-elle in petto. Tu veux la guerre, tu l'auras.»

Et fidèle à sa nouvelle méthode, affectant de ne rien voir, de ne rien soupçonner, elle préludait à sa vengeance par de sourdes pratiques.

Mme Vanesse avait fait à Monaco la connaissance de cet hôte indiscret, joueur malheureux, mélancolique décavé, qu'elle avait cru devoir consoler. Le comte Krassing était un Scandinave qu'à sa beauté étrange, à l'ampleur de son front, à la blancheur lumineuse de son teint, au mystère de son regard et de son sourire, on était tenté de prendre pour un homme de génie; mais il était tout en façade; qui avait vu la devanture, avait tout vu. Doué d'une grande mémoire et d'une audace plus grande encore, s'il avait peu de jugement et manquait d'esprit, il savait du moins se servir de l'esprit des autres. Nourri des littératures du Nord, il était si bien entré dans la peau des personnages d'Ibsen qu'il s'y croyait chez lui, et on avait peine à l'en faire sortir. Il s'attribuait le don d'ensorceler, de fasciner les femmes; il se flattait d'être un de ces hommes ténébreux, qu'elles ne peuvent aimer «sans sentir planer sur leur tête de grandes ailes noires et silencieuses», et qui leur révèlent «le grand inconnu, les délices de cette vie marine après laquelle soupirent les animaux terrestres». Il se piquait aussi d'avoir des visions, qu'il racontait éloquemment, et quand il se mettait sur ce sujet, il avait l'accent prophétique, l'œil vaticinant. Jacquine avait jugé, dès le premier jour, que ce prophète n'était qu'un vulgaire pique-assiette. Elle se rappelait avoir vu, assis sur un tas de cailloux, au bord d'un grand chemin, un mendiant très beau et très barbu, qui avait la tête d'un Isaïe ou d'un Ézéchiel et aurait pu poser pour un tableau de sainteté, ce n'était pourtant qu'un mendiant. Mais il y a des mendiants honnêtes qui se donnent pour ce qu'ils sont, et elle tenait pour certain que le comte Krassing était un faux comte et un chevalier d'industrie.

Elle lui faisait bon visage, lui parlait d'un ton caressant. Elle l'interrogeait sur son passé, sur tel épisode de son orageuse existence qu'il lui avait déjà conté, et lui posant des questions captieuses, perfides, l'obligeant à préciser les faits, les dates, les lieux, elle lui signalait d'un air de parfaite innocence les contradictions grossières dans lesquelles tombait ce véridique historien, qui, démentant son caractère et l'exquise courtoisie dont il se targuait, entrait en fureur, la traitait de diable en jupon.

Elle s'amusa bientôt à un autre jeu. Elle s'aperçut que le comte essayait souvent sur le diable en jupon la puissance magnétique de son regard. Mme Vanesse ne se levant jamais avant midi, il profitait de ses matinées pour se ménager des tête-à-tête avec Jacquine, et, de jour en jour, il devenait plus tendre, plus pressant. Elle ne permettait pas qu'il prit aucune liberté, mais elle ne le décourageait point, elle n'avait garde de lui ôter toute espérance. Il fut imprudent, et, dès ce moment, Mme Vanesse le surveilla, le tint en sujétion. À la moindre peccadille, elle lui prodiguait les algarades, les duretés, les menaces. La jalousie la tourmentait, et elle souffrait aussi de la contrainte qu'elle devait s'imposer pour ne pas se trahir devant Jacquine. Un soir, elle éclata. Elle les prit tous deux à partie, reprochant au comte de compromettre sa fille, à sa fille d'être une coquette qui jouait les Agnès. La scène fut terrible: Jacquine y avait mis fin par cet éclat de rire strident qui avait frappé de stupeur un valet de ferme aviné.

Il y avait des jours où, lasse de ses tristes jeux, désireuse de se détendre et d'oublier, elle s'en allait toute seule se promener en forêt, emportant dans sa boîte de fer-blanc une aile de poulet ou des œufs durs, avec un flacon de vin trempé, et elle déjeunait à l'ombre d'un buisson, et l'oubli venait, et durant quelques heures ce monde, ce vilain monde lui apparaissait comme un endroit charmant, où l'on attrape des papillons, en pensant à un bon vieillard qui connaissait leurs coutumes et leurs mœurs. Mais, en d'autres jours, elle se sentait la bouche si amère, un tel poids de dégoût dans le cœur, une telle lassitude de vivre, qu'elle enviait de toute son âme la félicité silencieuse des morts. Sa destinée lui faisait l'effet d'une impasse, d'un cul-de-sac, l'endroit charmant n'était plus pour elle qu'un mauvais lieu, où elle avait hâte de ne plus être, et l'angoisse qui se peignait dans son regard errant semblait dire:

«Par où s'en va-t-on?»

IV

L'abbé Blandès avait un gros souci: l'abside de son église était endommagée, il avait besoin de trois mille francs au moins pour la réparer, et le conseil municipal les lui avait refusés. Il aimait tendrement son église; il se plaisait à dire qu'il l'avait épousée, et il était aussi chagrin qu'un mari amoureux, mais nécessiteux, qui ne peut payer une robe à sa femme. Homme de ressource et fort avisé, il s'était dit que, par un hasard providentiel, un grand musicien était venu s'établir dans le pays, que, si ce grand musicien daignait donner un concert au bénéfice de son abside, il ne serait pas loin d'avoir ses trois mille francs, qu'une quête lui procurerait le reste, mais qu'il n'y avait qu'une seule personne qui pût décider M. Saintis à lui faire cette grâce. Il s'en fut trouver Mme Sauvigny, la supplia d'intercéder auprès de son ami d'enfance. Après une courte discussion, elle fit atteler et alla relancer l'ermite dans sa bicoque, qui n'était pas aussi bicoque qu'il le prétendait. À peine lui eut-elle présenté sa requête:

«Je consens, dit-il, à tout ce que vous voulez; mais je fais mes conditions. La première est que, pour la rareté du fait, je donnerai mon concert dans une grange, une véritable grange. La seconde est que je jouerai sur votre piano; non seulement c'est un Pleyel juste à son point de maturité, mais jadis, quand vous cultiviez encore les beaux-arts, vous en avez touché quelquefois, et il y a dans ce piano un peu de vous.»

Séance tenante, ils composèrent un programme. Restait à trouver la grange; deux fermiers offrirent la leur; on choisit la plus grande, qui était aussi la mieux tenue. Mme Sauvigny se chargea de la mettre en état, de la garnir de bancs et de chaises, d'y dresser une estrade. Puis elle rédigea une circulaire, et programmes, circulaires, billets furent expédiés par ses soins partie au sous-préfet de l'arrondissement, qui était de ses amis et en plaça beaucoup, partie dans les villas et les châteaux des environs.

«Vous avez mis vos billets à un prix extravagant, lui dit le docteur Oserel, qui ne manquait guère une occasion de grogner; vous verrez qu'on vous les renverra tous.»

On en renvoya très peu, tant on était désireux de lui être agréable ainsi que d'entendre et surtout de voir le jeune et célèbre maëstro, qui, depuis le prodigieux succès de son opéra, ne s'était jamais produit en public.

Quand le grand jour fut arrivé, la vieille grange, étonnée de sa gloire, se trouva comble; il n'y avait pas un siège vide; les billets restés en compte, qu'on vendait sous le porche, furent tous enlevés. Le chemin de fer du Bourbonnais avait amené les bourgeois des petites villes avoisinantes, les châtelains étaient venus dans leurs voitures; jamais le village n'avait vu circuler dans ses rues tant de landaus, tant de victorias, tant de livrées, de galons et de si brillantes toilettes. Le jeune maître se surpassa; il joua avec une égale perfection du Bach, du Mozart, du Beethoven, du Chopin, du Schumann et du Saintis; il fut fêté, acclamé. Ceux qui tenaient surtout à le voir étaient aussi satisfaits que ceux qui désiraient l'entendre. Les cheveux en désordre, le front moite, l'œil étincelant, il ressemblait à un jeune dieu qui a la tête échauffée par de trop copieuses libations de nectar, et son ivresse céleste le rendait beau. Lorsqu'il eut frappé ses derniers accords et que, descendu de son estrade, il enfila le long couloir ménagé entre les deux rangées de bancs, il y eut presse pour rapprocher; de jeunes femmes étaient montées sur leurs chaises et lui envoyaient des sourires. Mme Sauvigny ressentit comme un chatouillement d'orgueil.

«Elles ne savent pas qu'il est à moi», pensait-elle.

Et vraiment il était bien à elle, c'est à elle seule qu'il en avait. Ils sortirent ensemble, et il attendit que la foule se fût écoulée, pour lui dire tout bas:

«Eh bien! Lolotte est-elle contente?

—Oui, répondit-elle, Lolotte est très contente, et elle se rengorge comme le sonneur de cloches qui s'écriait: Que nous avons bien prêché ce matin!»

Elle ne lui avoua pas que, si passionnée qu'elle fût pour la musique, elle avait eu de fréquentes distractions pendant le concert. Peu d'instants avant qu'il se mît au piano, elle avait vu entrer Mme Vanesse et le comte Krassing, qu'elle ne connaissait pas, suivis d'une jeune fille qu'elle connaissait; et, en revoyant cette tête blonde et ce frais visage, une idée, qu'elle avait tenté de chasser, lui était revenue, plus obsédante que jamais. À plusieurs reprises, elle avait cru sentir sur elle le regard de Jacquine: pure illusion; la charité s'en fait comme l'amour, et ce n'était pas Mlle Vanesse qui la regardait, c'était son idée.

Elle retourna dans la grange, une heure plus tard, pour s'assurer qu'on avait grand soin de son piano, qui désormais lui était doublement précieux, qu'on le lui ramènerait sain et sauf. En entrant, elle aperçut à terre, sous une des chaises qu'avait occupées le trio qui faisait parler de lui, un joli carnet en maroquin agrémenté d'ivoire. Elle le ramassa et y vit un chiffre gravé, qu'elle n'eut pas de peine à déchiffrer. Ce carnet lui parut de bonne prise; elle le glissa dans sa poche.

Le lendemain, vers le milieu de la matinée, elle se présentait au presbytère. L'abbé Blandès arpentait une des allées de son petit jardin, dont il s'occupait beaucoup. Elle lui annonça que la recette du concert se montait à près de deux mille quatre cents francs, qu'elle s'était donné le plaisir de compléter la somme dont il avait besoin pour être tout à fait heureux, et elle lui remit un pli cacheté, contenant trois billets. Il la remercia avec effusion. Ayant été autrefois professeur de rhétorique dans un petit séminaire, il avait l'esprit fleuri et le goût des citations.

«Ah! madame, s'écria-t-il d'une voix émue, je ne dirai jamais comme Cornélie: «Que de vertus vous me faites haïr!» Mais vous savez ce que je vous souhaite, ce que je demande à Dieu dans mes prières. Le jour où vous aurez la vraie foi, vous serez parfaite, et ce jour viendra, j'en ai l'assurance. Pour tout vous dire, je soupçonne que dès maintenant, dans le fond de votre cœur, vous êtes à nous.»

Elle détestait la controverse et il l'aimait beaucoup: c'était le seul défaut qu'elle lui trouvât.

«Vous présumez trop de moi, dit-elle. Hélas! mon erreur m'est chère. On aime la religion qu'on a sucée avec le lait comme on aime son pays natal; c'est une fatalité.

—Singulière patrie, riposta-t-il, qu'une église où l'on ne s'entend sur rien, où règne la discorde, où l'on se chamaille sans cesse! Le caractère de la vérité divine est l'unité, et dans l'église qu'elle a créée à son image, il n'y a qu'un chef, qu'une discipline, qu'une règle de foi.

—En êtes-vous bien sûr! Cette unité est-elle aussi réelle que vous le dites? Je suis portée à croire que, dans votre église comme dans la nôtre, il y a beaucoup de dissidences, que plus un catholique a de vrai zèle, plus il est enclin à avoir ses opinions particulières. Il en est des dogmes, à ce qu'il me semble, comme de la musique, que chacun, sauf les indifférents, interprète à sa façon et au gré de son cœur. Pour que le dogme ait une action sur la vie, il doit se convertir en sentiment, et nos sentiments nous sont très personnels, nous y mettons notre marque. Monsieur le curé, ai-je tort de m'imaginer que les plus grands saints ont eu leurs petites hérésies? Il n'y a que les indifférents qui n'en aient point.... Mais Dieu me garde de discuter avec vous! Beaucoup plus fort, beaucoup plus savant que moi, vous finiriez peut-être par me convaincre, et les femmes sont si déraisonnables que, lorsqu'on les a convaincues, on ne les a pas persuadées.»

Il allait s'échauffer, quand ses yeux se portèrent sur le pli cacheté qu'il tenait dans sa main droite. Il pensa à ses trois billets de mille francs, à l'abside de sa pauvre église, à la joie qu'il éprouverait en rhabillant sa femme, et il se calma comme par enchantement.

«Madame, reprit-il, ce qui me paraît aussi certain qu'un dogme, c'est que vous êtes la femme la plus généreuse, la plus obligeante que je connaisse, et vous pouvez m'en croire, je voudrais trouver une occasion de vous rendre à mon tour un grand ou un petit service.

—Précisément, dit-elle, je venais vous en demander un.»

Il ne manquait point de finesse; il reconnut sur-le-champ à son air qu'elle avait une commission désagréable à lui donner, et il regretta de s'être trop avancé. Elle lui parla de Mon-Refuge, de la jeune fille dont le sort la préoccupait, de son vif désir d'en avoir le cœur net, d'éclaircir ses doutes par une enquête dont elle le priait de vouloir bien se charger.

«Eh! madame, qui peut la faire mieux que vous? Vous avez l'esprit si délié! Vous savez si bien forcer l'entrée des cœurs!»

Elle rougit: «Je veux vous confesser ma faiblesse, répondit-elle, cette maison mal habitée me fait l'effet d'une caverne, et les cavernes me font peur.

—Et vous y envoyez les curés, dit-il en riant, dussent-ils y compromettre leur soutane!

—Les curés ont le droit d'entrer partout, et quand ils vous ressemblent, leur soutane n'est jamais compromise.

—Ah! permettez, quoique ces dames soient venues une ou deux fois à la messe, ce sont des étrangères de passage que je ne compte point parmi mes ouailles. Nous vivons dans un temps où les prêtres ne sauraient être trop circonspects; on est si prompt à les accuser d'indiscrétion!»

Et comme elle insistait, il ajouta imprudemment:

«Encore faudrait-il un prétexte.

—Le voici», dit-elle, en lui tendant le carnet qu'elle avait ramassé la veille. Et elle lui représenta que Mme Vanesse l'avait perdu dans un concert donné au bénéfice d'une église: n'était-il pas juste que le desservant de cette église se chargeât de lui rapporter son bien?

«Et d'ailleurs, continua-t-elle, Mme Vanesse se lève si tard que, selon toute apparence, elle ne pourra vous recevoir. Si vous désirez me plaire, vous demanderez à parler à sa fille, et, sagace comme vous l'êtes....

—Mais enfin, interrompit-il, quel résultat espérez-vous de ma démarche et de mon entretien avec cette jeune personne?

—De deux choses l'une: peut-être s'accommode-t-elle du milieu où elle vit, peut-être aussi aspire-t-elle à en sortir. Si elle est heureuse, il n'y a rien à faire; si elle ne l'est pas, je réussirai peut-être à faire quelque chose.»

Il se trouvait pris; il s'exécuta de bonne grâce.

«Madame, dit-il, retournez dans votre chalet; je me rends de ce pas dans la caverne; si j'en sors vivant, j'irai sans retard vous porter des nouvelles de mon expédition plus fâcheuse que lointaine.»

Elle était si pressée d'en avoir qu'elle lui dit:

«Avec votre agrément, je les attendrai dans votre jardin. Vous avez de si beaux œillets, monsieur le curé!...»

Il partit d'un bon pas, comme il l'avait promis; mais il ralentit bientôt sa marche; sa mission lui pesait. Il faut compter avec les accidents et avec l'humeur contrariante des femmes: ne pouvait-il pas se faire que ce jour-là, tout exprès. Mme Vanesse se fût levée une heure plus tôt que d'habitude à la seule fin de se montrer dans sa gloire à un curé qui se souciait peu de la contempler de près? Elle lui imposait beaucoup; il lui avait paru que son impériale et impérieuse beauté, sa grande tournure, ses grands airs la rendaient redoutable. Il maugréait à part lui contre Mme Sauvigny et l'intempérance de son zèle.

«De quoi se mêle-t-elle? pensait-il. Sa charité dégénère parfois en manie. Ne soyons excessifs en rien: medio tutissimus ibis. À quoi bon se créer des devoirs de fantaisie? Eh! vraiment c'est assez des devoirs évidents pour remplir les heures et les journées.»

Lorsqu'il atteignit la grille de Mon-Refuge, il s'avisa qu'elle était hermétiquement close et que, pour se la faire ouvrir il fallait tirer une sonnette grosse comme une cloche. Il lui répugnait de s'introduire dans ce vilain endroit avec tant de fracas. Il prit le plus long, poussa jusqu'à une porte bâtarde ouvrant dans le parc, qui lui parut plus rassurante. Il entra, et, après avoir traversé des bosquets changés en halliers, il longea un jardin peu fleuri, mal tenu, et il se dit que, lorsqu'on néglige de nettoyer ses plates-bandes, on est sans doute peu disposé à nettoyer sa conscience. Puis il suivit une avenue verte de mousse, qu'envahissaient par endroits les ronces et les orties, et il se dit encore que quand on laisse pousser des orties dans ses allées, on en laisse pousser dans son âme, que le désordre appelle le désordre, que l'abîme appelle l'abîme, et il le disait en latin: Abyssus abyssum vocat.

Enfin il aperçut la maison, qu'il abordait par ses derrières, et si forte était sa prévention qu'il trouva à cette maison une face de réprouvé. Il aurait suffi cependant de la regretter, de boucher quelques lézardes pour lui donner bon air: c'est ainsi qu'en jugeait Mme Sauvigny, puisqu'elle voulait l'acheter.

Il n'eut pas la peine de sonner. Une femme de chambre accorte et délurée, qui s'occupait de cueillir une rose pour en orner son corsage, vint au-devant de lui. Il s'informa si Mme Vanesse était visible.

«Madame aura bien du regret, elle n'est pas encore levée.

—Et puis-je causer un instant avec Mlle Vanesse?

—Mademoiselle est en promenade; c'est le jour des papillons.»

L'abbé se sentit fort soulagé, bénit la Providence de la grâce qu'elle lui faisait et de l'heureux tour que prenait son aventure, tira de sa poche le carnet et pria la femme de chambre de le rendre à sa maîtresse, à qui sûrement il appartenait.

«Ne doutez pas, dit-elle, qu'il ne lui appartienne et qu'elle ne soit ravie de le retrouver. Elle le conserve comme la prunelle de ses yeux.»

Puis d'un ton de mystère:

«Il y a, dans ce carnet, une pochette où elle serre son fétiche.»

L'abbé fit un saut en arrière. Eh! quoi, cette odieuse femme ne se contentait pas de scandaliser une paroisse par son inconduite notoire et d'être une abominable mère; elle adorait les dieux fétiches! Son effarement fit sourire la femme de chambre.

«Je vois bien que M. le curé n'est pas au fait. Le fétiche de Madame est un petit bout de ficelle, détaché de la corde d'un pendu. Il paraît que c'est souverain pour gagner au jeu. Aussi Madame ne perd-elle jamais.

—Vous lui en ferez, répliqua-t-il, mon très sincère compliment.»

Et, tournant les talons, il s'en alla comme il était venu. Oui, son aventure avait bien fini, il en était quitte à bon compte. Mais au moment d'atteindre la porte bâtarde, il vit surgir soudain devant lui, sous une voûte de sombre verdure à la physionomie sinistre, une jeune fille en blouse, qui, alerte et toute pimpante, revenait d'un autre monde: pendant trois heures, elle avait couru les bois, où elle avait trouvé l'oubli. Elle s'effaça gentiment pour le laisser passer en lui disant.... Ce qu'elle lui dit fit sur l'abbé Blandès une telle impression qu'il ne lui fallut que cinq minutes pour regagner son jardin.

«Eh bien, lui demanda Mme Sauvigny, vous l'avez vue?

—Je l'ai non seulement vue, mais entendue, répondit-il. Madame, laissez-moi recueillir mes esprits; je tiens à vous répéter sa phrase mot pour mot; il ne faut pas gâter les belles choses. Elle m'a dit.... Et notez qu'elle avait le ton fort badin, le visage fort enjoué et un sourire agréable sur les lèvres.... «Monsieur le curé, m'a-t-elle dit, que venez-vous faire ici? Allez-vous-en bien vite. On ne reçoit dans cette maison que les sept péchés capitaux.» Ah! madame, je vous l'avoue sincèrement et tristement, je la tiens pour une âme perdue, qu'un miracle seul peut sauver, et il n'y a que Dieu qui en fasse. Vous vouliez savoir, vous savez. Croyez bien qu'elle est heureuse, qu'il ne manque rien à son bonheur, que vous la désobligeriez beaucoup en l'empêchant de vivre dans l'aimable société de l'orgueil, de la colère, de l'envie, de la gourmandise, de l'avarice, de la paresse et de la luxure.»

Mme Sauvigny se retira consternée.

V

Vers la fin de septembre, Mme Sauvigny était allée un soir, en compagnie du docteur Oserel, dîner chez des amis, à deux lieues de son chalet. Ils s'en retournaient entre onze heures et minuit, et leur voiture allait grand train, lorsque, arrivés à l'endroit où la route serre de près la rivière, dont les abondantes vapeurs avaient comme submergé ses rives plates, ils se trouvèrent plongés dans un brouillard si épais qu'on voyait difficilement à se conduire. Crainte d'accident, Mme Sauvigny ordonna à son cocher de mettre les chevaux au pas; elle se défiait d'eux, elle les savait sujets à fringuer, à se faire des fantômes de rien. Tout à coup, comme on approchait du pont, elle entendit dans la direction du petit promontoire qui faisait face au Chalet, le bruit d'une détonation, suivi d'un grand cri.

«On assassine quelqu'un», dit-elle au docteur en lui serrant le bras.

Il avait bien dîné et sommeillait.

«Bah! dit-il en se frottant les yeux, c'est quelque nigaud qui revient de la chasse aux canards; son fusil s'est accroché à un buisson, et le coup lui est parti entre les jambes. Rassurez-vous, il a eu plus de peur que de mal.

—On ne revient pas de la chasse si tard, répondit-elle, et le cri que j'ai entendu était sûrement un cri de femme.»

Malgré ses protestations, elle mit pied à terre, et tâchant de se réveiller, il suivit machinalement son exemple. Le groom prit une des lanternes de la voiture, et, précédés par lui, ils descendirent dans une prairie que traversait un sentier sinueux. Quoiqu'ils eussent de la peine à se guider, ils atteignirent bientôt la berge de la rivière. Ils cherchaient et désespéraient de rien trouver, tant la nuit était sombre, tant le brouillard était épais.

«Y a-t-il ici quelqu'un qui ait besoin de secours?» demanda le docteur de sa plus grosse voix.

Personne ne répondit.

«Après tout, madame, dit-il, sommes-nous bien certains, vous et moi, d'avoir entendu ce cri? J'ai cru l'entendre, mais je dormais et mon témoignage a peu de poids. Le vôtre assurément en a davantage. Cependant les femmes ont un appareil nerveux si prompt à s'ébranler, tant de goût pour ce qui tient du roman, que les plus raisonnables sont sujettes à caution.»

Il finissait sa phrase quand se produisit un changement à vue, opéré, pouvait-on croire, par la baguette d'une fée. Le brouillard dense, mais bas, rampant, dont la hauteur dépassait à peine trois mètres, fut frappé tout à coup par les rayons de la lune en décours, qui venait de se lever. Cette fumée grise et opaque, devenue subitement diaphane, s'était comme imprégnée d'une clarté laiteuse, et Mme Sauvigny aperçut quelque chose qu'elle montra du doigt au docteur. Trois ou quatre pas plus loin, au pied d'un vieux saule creux à qui elle avait naguère envoyé un baiser discret, gisait tout de son long, étendue sur le dos, endormie ou morte, une jeune fille dont le corps et les vêtements en désordre semblaient baigner dans une rosée de lumière magique; son visage et ses mains étaient d'argent.

«Ma parole! dit M. Oserel, la nature s'amuse quelquefois à singer des effets d'opéra, et si votre grand compositeur était ici....

—Voyez plutôt, interrompit Mme Sauvigny, j'en étais sûre, c'est elle.»

En effet, c'était elle, et déjà le docteur, agenouillé dans l'herbe, l'examinait, l'auscultait.

«Ah! lui disait Mme Sauvigny d'une voix sourde, en couvrant sa figure de ses mains, ne m'apprenez pas qu'elle est morte.

—Rassurez-vous, elle n'est qu'évanouie; mais j'ai bien du mal à lui ôter d'entre les doigts la crosse de son pistolet. Qu'est devenu le reste? le diable seul pourrait nous le dire.... Je ne sais en vérité comme est bâtie cette demoiselle. Elle a tout fait pour se massacrer, elle en est quitte pour une égratignure au pouce et une bosse à la tête.

—Ainsi vous me répondez de sa vie?

—Je vous en réponds, quoique, à vrai dire, je n'en sois pas responsable; je compte l'examiner tantôt, plus à mon aise et dans un lieu plus commode, car je ne pense pas que votre intention soit de la laisser ici.... Mais ne vous dérangez pas, je n'ai pas besoin qu'on m'aide à la soulever et mon paquet me pèsera peu. Elle est légère comme une plume.»

Après lui avoir desserré ses vêtements, il l'emporta dans ses robustes bras. Cinq minutes plus tard, ils étaient remontés en voiture, et Jacquine était couchée sur leurs genoux. On lui avait fait respirer des sels; bien que ses yeux fussent toujours clos, elle semblait se ranimer.

«Quelle étrange créature! murmurait le docteur. Son évanouissement n'est pas sérieux; c'est une simple lipothymie.... Voyez plutôt, tâtez-la, le cœur s'est remis à battre, et elle respire.»

Mme Sauvigny ne parlait pas; mais elle disait tacitement:

«Pauvre petite! comme on te calomniait! On osait prétendre que tu étais heureuse!

Et, se penchant sur ce visage livide, sur ces cheveux blonds trempés par le brouillard, couvant des yeux cette proie qu'elle avait convoitée:

«C'est la Providence qui te donne à moi. Je te tiens, et ils auront dire, je te garderai.»

Cependant le docteur, dont l'esprit actif avait déjà reconstitué la scène telle qu'elle avait dû se passer, lui donnait des explications qu'elle n'écoutait que d'une oreille.

«Voulez-vous savoir exactement, madame, comment la chose est arrivée? Pour être plus sûre de son fait, cette jeune folle avait fait son plan de se brûler d'abord la cervelle et de se noyer ensuite. Elle était venue se poster à l'extrémité du petit promontoire, dans l'espérance que, le coup parti, elle tomberait dans l'eau, et que les gens dont elle a peut-être à se plaindre auraient le plaisir de l'y chercher. Soit que son pistolet fût hors de service, soit qu'elle l'eût mal chargé, il lui a éclaté dans la main. Selon toutes les règles de la logique humaine et divine, elle aurait dû se mutiler horriblement; je vous l'ai dit, elle en est quitte pour une égratignure. Dans la surprise que lui a causée l'explosion, et qui lui a fait pousser un cri, elle a pivoté sur elle-même; au lieu de choir dans l'eau, ses pieds ayant glissé sur l'herbe humide, elle est tombée lourdement sur une des racines traçantes du saule et elle n'a point de plaie. Je vous répète qu'elle est bâtie à chaux et à ciment. La moralité de cette histoire est que lorsqu'on a la vie dure et qu'on veut se tuer, il faut se procurer des pistolets en bon état. Rien n'est plus désagréable que de se rater: il faut recommencer à vivre, et c'est une habitude qui se perd très vite, on ne sait plus comment s'y prendre.

—Théodore, disait Mme Sauvigny à son cocher, poussez donc vos chevaux, nous n'arriverons jamais.»

Elle ne craignait plus qu'ils se cabrassent, et six minutes lui parurent un siècle. Le docteur se moquait de son impatience, les docteurs seuls ne perdent jamais la notion du temps réel. On arriva bientôt, et ce fut assez d'un petit quart d'heure pour que Jacquine fût transportée dans une chambre vacante de la maison de santé, déshabillée par la religieuse de service, couchée dans un lit moelleux, examinée à nouveau par le docteur, qui à son diagnostic joignit un pronostic.

»Chère madame, dit-il, je vous affirme que durant deux ou trois jours cette jeune personne aura une forte fièvre, qui vous causera une mortelle inquiétude, que cette fièvre tombera brusquement et qu'avant la fin de la semaine, elle pourra retourner chez elle et s'y rendre à cloche-pied, si le cœur lui en dit.

—Retourner dans cette caverne! pensa Mme Sauvigny. Elle en est sortie, elle n'y rentrera pas.»

Jacquine avait rouvert les yeux. Elle les tint fixés un instant au ciel de son lit, puis les laissant vaguer dans la chambre:

«Où puis-je bien être?» murmura-t-elle.

Mme Sauvigny s'avança vivement, en disant:

«Vous êtes, mon enfant, dans un endroit où vous serez soignée et aimée.»

Elle n'en put dire davantage, le docteur lui avait saisi le bras droit dans l'une de ses grosses pinces de homard.

«Pour l'amour de Dieu, pas un mot et surtout pas de sentiment! Le sentiment et la médecine ne furent jamais bien ensemble.... Mais, vraiment, je ne vous reconnais pas. Il faut que cette scène ait terriblement pris sur vos nerfs, dont vous êtes d'habitude dame et maîtresse.... Allez-vous-en, je vous prie, allez-vous-en. Laissez-moi panser ma malade.»

Et il la poussait vers la porte. Elle consentit à se retirer, après avoir fait promettre à la sœur que, s'il survenait la moindre complication, on s'empresserait de l'en informer. Elle se mit au lit et ne tarda pas à s'endormir; elle dormait toujours, mais elle dormit mal. Elle se leva de très bonne heure et griffona en hâte un petit billet ainsi conçu: «Mlle Vanesse a tenté hier soir de se tuer; elle a été trouvée évanouie au bord de la rivière par M. le docteur Oserel et Mme Sauvigny, qui l'ont transportée dans la maison de santé, où elle recevra tous les soins qu'exige son état, qui pour le moment n'a rien de grave». Elle fit aussitôt porter ce billet à Mon-Refuge.

Mme Vanesse ressentit une vive surprise lorsqu'à son réveil, dont sa femme de chambre, vu la circonstance, se permit d'avancer l'heure, elle apprit l'escapade nocturne de sa fille et cette extraordinaire tentative de suicide, à laquelle rien ne l'avait préparée. Depuis leur violente querelle, promptement assoupie, tout était rentré dans l'ordre, la paix n'avait plus été troublée. Le comte Krassing, devenu circonspect, avait fait de prudentes réflexions; quoiqu'il fût très infatué de son mérite et de sa personne, et que la fatuité obscurcisse l'entendement, il avait fini par comprendre que Jacquine s'amusait à le mystifier: il s'était fait une loi de ne plus s'occuper d'elle, et elle-même ne s'occupait plus de lui. Ayant arrêté sa résolution, en se promettant d'attendre pour l'exécuter le jour où elle entrerait dans sa vingt-troisième année, dont elle entendait faire une page blanche, les choses de ce monde la laissaient dans la plus complète indifférence; elle était sortie du jeu; taciturne, mais souriante, elle semblait dire: «Rien ne m'est plus de rien». Qu'elle eût conçu pour sa mère un dégoût qui, par un choc en retour, lui inspirait le dégoût d'elle-même et de la vie, cette bonne mère était à mille lieues de s'en douter. Il manquait à Mme Vanesse un certain nombre d'idées, et partant, certains états d'esprit étaient pour elle d'incompréhensibles mystères.

Elle s'expliqua le coup de désespoir que lui annonçait Mme Sauvigny par un accès de folie, dont l'éclat de rire qui l'avait épouvantée avait été le signe précurseur. Peut-être y avait-il de l'hérédité dans cette affaire; elle se souvint qu'un de ses grands-oncles s'était tué sans qu'on sût pourquoi. Son étonnement était mêlé d'inquiétude et de chagrin. Elle pensait au bruit que cette sotte aventure allait faire dans le pays, et elle n'aimait plus le bruit: sa nouvelle philosophie lui enseignait qu'à son âge et déchue de ses grandeurs, elle devait se contenter désormais des bonheurs silencieux, que le silence a sa douceur. Mais ce qui la touchait encore plus, c'était la rente viagère laissée par Mlle de Salicourt à sa petite-nièce, et dont le capital, par la volonté expresse de la testatrice, devait, l'usufruitière venant à mourir, faire retour à un orphelinat. Elle voyait dans cette pension un précieux appoint à ses propres ressources: Jacquine s'était engagée à prendre à sa charge, tant qu'elle vivrait avec sa mère, la moitié de la dépense du ménage, et au risque d'enrichir des orphelins, cette folle venait d'attenter à sa vie! En vérité, cet incident était aussi désagréable qu'étrange.

Elle se livrait à ces réflexions chagrines, en se faisant coiffer à la hâte par sa femme de chambre, qu'elle accusa ce jour-là de n'être pas assez expéditive. À dix heures sonnantes, elle arrivait au parloir de la maison Oserel. Au moment ou elle y entrait, Mme Sauvigny se disposait à en sortir. Elle l'arrêta au passage pour lui demander des nouvelles de sa fille. On lui avait parlé de Mme Sauvigny comme d'une femme extraordinaire qui, par l'emploi qu'elle faisait de sa fortune, s'était acquis une grande considération, était devenue une puissance. Elle avait toujours posé en principe que les puissances se reconnaissent à un air de majesté répandu dans toute leur personne, et en ce qui la concernait, elle avait joint la pratique à la théorie. Mme Sauvigny, qu'elle voyait de près pour la première fois, lui sembla peu majestueuse. Il lui parut même qu'elle l'intimidait; elle en conclut que cette riche bourgeoise se sentait pénétrée de respect en présence de la fille d'un marquis.

«Je vous fais mille excuses, madame, lui dit-elle avec une politesse hautaine, pour tout le dérangement que vous a causé cette malheureuse enfant; mais permettez-moi de m'étonner qu'on l'ait transportée ici au lieu de la ramener chez moi.

—Le docteur était pressé de l'examiner à fond, et d'ailleurs où pourrait-elle être mieux soignée qu'ici?

—Rien ne remplace, madame, les soins d'une mère», répondit audacieusement Mme Vanesse.

Mme Sauvigny ne répliqua pas; mais le regard qu'elle lui jeta et qui venait de très loin la troubla un peu; c'était la bourgeoise qui à son tour intimidait la fille de marquis. Elle cacha son embarras d'un instant sous un redoublement de morgue.

«S'il tardait au docteur d'ausculter ma fille, reprit-elle, peut-être étiez-vous impatiente de vous faire expliquer par elle les raisons de son inexplicable coup de tête. Vous l'avez, sans doute interrogée? Que vous a-t-elle répondu?

—Hélas! je n'ai pu encore satisfaire, mon indiscrète curiosité. Mlle Vanesse a une forte fièvre, et M. Oserel a interdit l'entrée de sa chambre à toute autre personne qu'à la religieuse qui la soigne.

—Ainsi vous pensez que moi-même....

—Oui, je crains que vous-même, interrompit Mme Sauvigny en pesant sur ces deux derniers mots, ne vous heurtiez contre une impitoyable consigne. Le docteur est très autoritaire, et il n'a d'autre règle de conduite que l'intérêt de ses malades.

—Soit! j'attendrai que la consigne soit levée.... Mais si vous n'avez pas eu le plaisir de faire causer ma fille, vous avez sûrement formé quelque conjecture. Pensez-vous que cette tentative de suicide ait été bien sérieuse? Les jeunes filles aiment à se rendre intéressantes et elles sont quelquefois d'assez bonnes comédiennes.

—Ah! madame, quelle prévoyance vous supposez à Mlle Vanesse! Elle avait deviné que son pistolet lui éclaterait dans les mains et que, par un vrai miracle, elle en serait quitte pour une légère blessure et une syncope! Elle avait deviné aussi qu'un docteur passerait à point nommé sur la grande route, la chercherait à travers un épais brouillard et l'emporterait évanouie chez lui! Jamais comédienne ne fut si avisée.»

L'ironie était de toutes les figures de rhétorique celle qui plaisait le moins à Mme Vanesse; Jacquine en avait fait l'expérience, et la douceur de l'accent la lui rendait plus désagréable encore. On lui avait dépeint Mme Sauvigny comme une personne très débonnaire; sa bonté avait donc des griffes! Elle fut sur le point de se fâcher; toutefois la prudence prévalut sur l'indignation.

«Si, comme il vous plaît de le croire, Jacquine a sérieusement songé à se tuer, cela ne peut s'expliquer que par un accès d'aliénation mentale. Je dois avouer que j'avais cru découvrir en elle des symptômes de dérangement d'esprit.

—Et vous ne l'avez pas surveillée? demanda doucement Mme Sauvigny.

—Que vous êtes bonne de travailler à mon éducation, en me rappelant à mes devoirs de mère! Je veux en retour vous donner un petit conseil. Défiez-vous des histoires que pourra vous conter ma fille; nous avons tous nos défauts; le sien est d'aimer quelquefois à mystifier son prochain.... Puis-je espérer du moins, ajouta-t-elle, qu'il me sera permis de venir prendre de ses nouvelles?

—Soyez sûre que cette peine vous sera épargnée, je verrai à ce qu'un bulletin de sa santé vous soit envoyé chaque matin et chaque soir.

—Vous me comblez, madame», répondit-elle.

Et elle partit de son air le plus Salicourt, mais mécontente d'elle-même, furieuse de s'être laissé déconcerter par cette mince et insignifiante bourgeoise, de n'avoir pas su remettre à sa place cette puissance dépourvue de tout prestige.

Le pronostic du docteur se vérifia de point en point. Jacquine eut une forte fièvre, accompagnée d'un peu de délire, qui tomba le quatrième jour, et M. Oserel autorisa Mme Sauvigny à entrer dans la chambre de la convalescente, mais il la pria d'y rester peu et de ne pas la faire causer. En s'approchant du lit, elle constata que Jacquine avait déjà repris des couleurs, et comme pour l'en remercier, elle la regarda quelques instants en silence, le sourire aux lèvres. Jacquine parut étonnée; cette savante observatrice n'avait pas encore vu dans le monde quelque chose qui ressemblât à ce sourire; rien de pareil ne figurait dans ses amples collections de souvenirs ni dans son musée d'histoire naturelle: c'était une nouveauté, et cette nouveauté était une énigme dont elle ne trouvait pas le mot.

«Eh! oui, madame, dit-elle d'une voix âpre et sèche, je recommence à vivre. J'ai été une fière maladroite; tout métier demande un apprentissage, nous ferons mieux une autre fois.»

À ce propos malsonnant, Mme Sauvigny eut un tressaillement; mais, se rappelant la recommandation du docteur:

«Je vous répondrai plus tard, dit-elle; on m'a enjoint de ne pas vous fatiguer.»

Jacquine lui montra du doigt une chaise au pied de son lit, lui fit signe de s'y asseoir et se mit à la regarder fixement. Il sembla à Mme Sauvigny que ce regard perçant et dur pénétrait dans sa chair et jusque dans la moelle de ses os, furetait, fouillait dans son cœur. Elle ressentait un indéfinissable malaise; pour se donner une contenance, elle gratta une petite tache qu'elle venait d'apercevoir sur une des franges de la courtepointe. Quand elle releva les yeux, Jacquine ne la regardait plus et commençait à s'assoupir.

Elle se leva et à son tour se donna le plaisir de l'examiner à son aise. «Dès maintenant, pensait-elle, je la connais assez pour savoir qu'elle ne sera pas facile à apprivoiser; mais si je ne suis pas, moi aussi, une fière maladroite, un jour nous serons de bonnes amies.» Les femmes sont plus artistes que nous dans les choses de la vie; le fond ne leur fait jamais oublier la forme, et entre toutes les bonnes œuvres, elles ont une préférence secrète pour celles dont le visage est agréable à regarder. Mme Sauvigny se pencha sur cette jeune tête, dont elle admirait la finesse, et elle disait à ces cheveux d'un blond pâle: «Je remplacerai votre natte par une coiffure de mon goût». Elle disait à ces yeux clos, aux longs cils frisants: «Vous avez vu beaucoup de vilaines choses; nous veillerons à ce que vous n'en voyiez point chez moi», et à cette petite bouche contractée, qui semblait bouder la vie: «Vous avez prononcé tout à l'heure une mauvaise parole, nous vous apprendrons à mieux parler». Puis elle lui effleura le front de ses lèvres, et dans son sommeil Jacquine fut saisie d'un frisson: ce baiser lui semblait sans doute aussi nouveau que le sourire qu'elle n'avait pu déchiffrer.

Le jour suivant, le docteur dit à Mme Sauvigny:

«Cette petite fille n'a plus besoin de nous, et nous avons besoin de sa chambre. Demain elle sera sur pied; je l'enverrai se promener dans le jardin. Après-demain, nous lui donnerons la clef des champs et elle ira retrouver l'auguste sultane de Mon-Refuge.

—Oh! ceci est une autre affaire, pensa Mme Sauvigny, et une affaire qui ne regarde que moi.»

VI

Le soir de ce même jour, Mme Sauvigny eut à dîner le docteur Oserel, M. Saintis et M. André Belfons, ce jeune et riche propriétaire que Mme Leyrol avait signalé à son frère comme un rival dangereux. M. Belfons s'était destiné dès l'enfance au métier d'ingénieur. Entré en bon rang à l'École polytechnique, il en était brillamment sorti. Mais la mort subite de son père avait bouleversé ses plans; il s'était rendu aux instances de sa mère, qui désirait qu'il prît en main l'administration du grand domaine dont il venait d'hériter. Il avait un bon caractère, il s'était résigné, et fort intelligent, il était devenu en peu de temps un habile agriculteur. Il pensait que quelque métier qu'on fasse, c'est la sauce qui fait manger le poisson; il avait soigné la sienne, et désormais il y trempait volontiers son pain.

Ne payant pas de mine, maigrelet, de courte taille, mais souple et vigoureux, l'air éveillé, la physionomie mobile, le nez retroussé, de petits yeux gris tirant sur le rose comme ceux des furets, le regard tantôt très vif, tantôt doux et caressant, l'humeur franche, le cœur sur la main, il plaisait beaucoup. Mme Leyrol l'accusait, à tort et sans cause, d'avoir des vues sur Mme Sauvigny. Plus jeune qu'elle de sept ou huit ans, il lui avait voué la plus respectueuse affection, un vrai culte de dulie. Mais, quoi que pût lui dire sa mère, il était déterminé à ne faire qu'un mariage d'inclination passionnée, et il tenait que le respect n'a rien à démêler avec la passion, que l'amour est un accident déraisonnable et inexplicable, que du moment qu'il s'explique, ce n'est plus de l'amour. Il attendait le coup de foudre, et le coup de foudre s'était fait attendre jusqu'au jour où un concert, donné dans une grange, lui avait fourni l'occasion de rencontrer et de contempler de près Mlle Jacquine Vanesse. Il n'y avait sans doute rien d'étonnant à ce qu'un homme de goût s'éprît à première vue d'une aussi jolie fille; mais ce qui l'avait séduit, subjugué, ce n'était pas tant la merveilleuse finesse de son visage qu'une grâce étrange dont toute sa personne lui avait paru enveloppée. Pour la première fois, il s'était passé dans son cœur quelque chose d'inexplicable. Un mois s'était écoulé sans qu'il la revît; cependant il n'avait pu l'oublier, elle lui apparaissait sans cesse comme une figure de rêve, et en apprenant qu'elle avait tenté de se tuer, il s'était senti plus que jamais sous l'empire de l'inexplicable charme. Devenu malgré lui bon agronome, mais fidèle dans sa nouvelle vie à ses premiers penchants, il avait conservé le goût des mathématiques, et, sans en avoir l'air, les mathématiciens ont souvent l'esprit romanesque.

Le dîner fut agréable; on mangeait bien chez Mme Sauvigny, et en sa présence on ne se querellait jamais. Quelque antipathie qu'ils eussent l'un pour l'autre, le docteur Oserel et M. Saintis se faisaient bon visage, ne se montraient point les dents. Le docteur disserta savamment sur une question médicale qui le préoccupait, et M. Saintis parut l'écouter de toutes ses oreilles; M. Saintis raconta des commérages de théâtre, des anecdotes de coulisses, et le docteur sembla y prendre un extrême plaisir. Pour Mme Sauvigny, anecdotes et dissertations l'intéressaient également; cette abeille faisait son miel de tout. Selon la coutume, on prit le café dans la logette vitrée, qui servait de fumoir: la maîtresse de la maison exigeait qu'on fumât devant elle, et pour mettre ses invités à l'aise, elle allumait parfois une cigarette, dont elle tirait quelques bouffées.

Tout à coup le docteur s'écria:

«Nous sommes entre amis, nous pouvons parler librement. Je veux, messieurs, vous soumettre un cas encore plus bizarre, ce me semble, que la maladie dont je vous parlais à table, vous en serez les juges. Malgré son air de parfaite innocence, Mme Sauvigny, telle que vous la voyez, a formé le plus absurde, le plus extravagant, le plus chimérique de tous les projets. Elle ne m'a point mis dans sa confidence, mais il m'était venu des soupçons, qui se sont changés en certitude. Vous êtes au fait, comme moi, de l'aventure de Mlle Vanesse et du coup de pistolet qu'elle s'est tiré de l'autre côté de l'eau, juste en face de cette fenêtre. Je l'ai raccommodée, et je n'en fais point gloire, le dégât n'était pas grand. Demain je lui signerai sa feuille de route. Eh bien! messieurs, ou je suis un idiot, ou Mme Sauvigny s'est mis en tête de la garder chez elle. Ai-je raison, chère madame?»

Elle fut déconcertée par cette brusque attaque à laquelle elle ne s'attendait point.

«En quoi mon projet est-il absurde?» répondit-elle, rougissante et confuse comme une jeune pensionnaire qu'on a surprise lisant un mauvais livre ou écrivant une lettre amoureuse.

«Avant toute chose, reprit-il, soyez assez bonne pour répondre à la question que voici; que comptez-vous faire de cette demoiselle?

—Conjurer, s'il est possible, le malheur de sa naissance, répliqua-t-elle d'une voix plus ferme, l'arracher à sa triste destinée, à son vilain entourage, à ses dégoûts, à ses idées noires, mettre un peu d'ordre dans sa conscience, un peu de bonheur dans sa vie, la réconcilier avec ce pauvre monde et, le moment venu, la marier à un honnête homme.... Puisqu'on me met sur la sellette, ajouta-t-elle en se tournant vers M. Belfons, me trouvez-vous si extravagante?»

M. Belfons ne se prononça pas, mais il lui témoigna par une inclination de tête et un sourire velouté combien sa folie lui plaisait.

«Nous ne sommes pas ici pour nous faire des compliments, reprit M. Oserel en fronçant le sourcil. Une femme, à laquelle nous sommes profondément attachés, est près de commettre une grave imprudence; le meilleur de ses amis sera celui qui l'avertira du danger avec le plus de franchise. Je traite d'extravagante une entreprise qui peut avoir des suites funestes pour l'entrepreneur, lui causer de grands ennuis, de grands chagrins, sans aucun profit pour personne. Madame, si vous vous flattez de faire l'éducation de Mlle Vanesse, que n'ai-je la tête couverte, j'ôterais mon chapeau à votre démence!»

Elle se tourna vers M. Belfons, le seul de ses juges qui lui parût bien disposé, et elle lui dit:

«Vous voyez comme on me traite!»

Puis, s'adressant au docteur:

«J'avais un rosier qui ne fleurissait jamais. Je l'ai fait transplanter dans un endroit bien exposé, en pleine lumière, et dans une couche de pur terreau. Il m'a donné cette année vingt belles roses.

—J'en suis fâché, madame, votre comparaison boite. Les rosiers ont été faits pour donner des roses, mais Mlle Vanesse n'a rien de commun avec les plantes qui décorent votre jardin. Transplantez dans une couche de terreau une petite ortie, je ne doute pas qu'elle n'y prospère; mais elle ne deviendra jamais qu'une grande ortie, que vous ne pourrez toucher sans vous piquer les doigts.... Je l'ai étudiée quelque peu, cette jeune blonde, avant, pendant et après sa fièvre; mais vous récuserez mon témoignage. Vous avez longuement causé avec sœur Eulalie, qui, à votre demande, lui a prodigué ses soins. Que vous a dit sœur Eulalie?

—Je veux être tout à fait sincère. Sœur Eulalie n'a pas été encourageante: elle m'a confessé qu'elle avait eu beaucoup de peine à tirer trois paroles de sa malade, qu'elle la croyait hautaine, ingrate, méprisante, et pour citer ses propres expressions: «Cette jeune fille, m'a-t-elle dit, a le cœur haut, mais dur comme un caillou; en revanche, je suis persuadée qu'elle est restée pure et chaste.»

—Sœur Eulalie est une personne de grand sens. Eh! oui, je crois comme elle que cette araignée aquatique, cette argyronète, réfugiée sous sa cloche de plongeur, est restée propre sur elle au milieu des souillures de sa mare. Mais, de grâce, défiez-vous de son immaculée chasteté. J'ai soigné longtemps, moi qui vous parle, une vieille demoiselle qui avait vécu chastement et virginalement dans un monde où l'on s'amusait beaucoup. Bien qu'elle affectât de mépriser les plaisirs que sa pruderie lui avait interdits, elle éprouvait, j'imagine, une secrète envie pour les pécheurs et les pécheresses, et comme il faut que chacun ait son divertissement, le sien était de décharger sa bile sur tout le genre humain. Elle ne se contentait pas d'être méchante, elle était mauvaise.... Voulez-vous savoir, madame, qui est Mlle Vanesse? Écoutez-moi bien, c'est une vierge noire, et je n'aime les vierges que lorsqu'elles sont blanches.»

Ce mot, prononcé d'un ton doctoral, fit sensation, et il y eut un moment de silence. M. Belfons jeta à Mme Sauvigny un regard furtif et suppliant, comme pour lui dire:

«Ne vous laissez pas décourager; les arrêts de la Faculté ne sont pas infaillibles, et les vierges qui sont étranges ont tant de charme!

—Je ne sais, reprit-elle enfin, si Mlle Vanesse, qui a les cheveux d'un blond si doux, est une vierge blanche ou noire; mais je sais, docteur, que vous êtes un homme sans entrailles et sans miséricorde. Vous ne croyez donc pas aux métamorphoses? Vous tenez pour impossible la régénération d'une pauvre créature mutilée par la vie? Notez, que, comme moi, sœur Eulalie la croit très intelligente, et il y a toujours de la ressource avec les êtres intelligents.

—À quoi vous servent donc mes leçons? s'écria-t-il. Que vous êtes encore peu versée dans les lois et les secrets de la biologie! Vous vous imaginez que plus un être a d'intelligence, plus il lui est facile de se régénérer. Erreur grossière! La biologie nous enseigne qu'il ne tient qu'aux vers de terre de régénérer leur queue et quelquefois leur tête, que les escargots reproduisent à volonté leurs tentacules, les crabes leurs pattes, les myriapodes leurs antennes, que, quand on coupe le bras à un triton, ce bras repousse. Mais la biologie nous enseigne aussi que la régénération n'est une puissance active que dans les êtres inférieurs et très inintelligents, dans les mollusques, dans les infusoires, qu'elle est faible et presque nulle chez les poissons, les reptiles, les oiseaux, les mammifères. Un naturaliste parle à la vérité d'une cigogne qui avait régénéré son bec; j'attendrai de l'avoir vu pour le croire. Mais, dès aujourd'hui, je crois et j'affirme que, si Mlle Vanesse était une jeune holothurie et qu'elle eût perdu son tube digestif, neuf jours lui suffiraient pour s'en refaire un autre, et j'affirme aussi péremptoirement que, n'étant pas une holothurie, cette petite-fille d'un marquis aurait beau s'appliquer, aidée de vos conseils, à se refaire la conscience et le cœur qu'elle a perdus, elle échouerait misérablement dans son entreprise, avec cette consolation toutefois qu'il est plus facile de se passer de conscience que d'un tube digestif.

—Docteur, vous m'étourdissez de vos grands mots; je ne me connais ni en holothuries ni en tritons. Mais je sais par expérience que moyennant une opération très simple, qu'au besoin je me chargerais de pratiquer moi-même on transforme un poirier sauvage et on lui fait produire des poires savoureuses.

—Oh! les femmes, les femmes! ne leur demandez pas de résoudre les difficultés, elles les esquivent, en déplaçant le point de la question. Tout à l'heure Mlle Vanesse était pour vous une pauvre créature mutilée par la vie, qu'il s'agissait de régénérer; à présent ce n'est plus qu'une jeune sauvagesse, que vous civiliserez en la greffant. Eh bien! madame, je vous suis sur ce terrain, et de nouveau la biologie démontrera l'extravagance de votre projet. Mon Dieu! oui, la greffe fait des merveilles, puisqu'on a réussi à faire vivre et prospérer des queues de rat sous la peau d'un surmulot, et nous autres chirurgiens, nous obtenons d'assez beaux résultats par la greffe épidermique et la rhinoplastie. Mais tout biologiste sérieux vous dira que la greffe ne réussit qu'entre les variétés d'une même espèce, quelquefois aussi entre les espèces d'un même genre, que du genre à genre on n'obtient jamais qu'une soudure temporaire, mais que lorsque les deux sujets appartiennent à des familles différentes, le greffeur est condamné d'avance à un pitoyable et humiliant échec. Or Mme Sauvigny et Mlle Vanesse ne représentent pas deux variétés d'une seule espèce, ni même deux espèces d'un seul genre, elles diffèrent entre elles autant qu'une légumineuse peut différer d'une rosacée; je n'en dis pas assez, elles appartiennent à deux familles d'âmes et d'esprits aussi étrangères, aussi opposées l'une à l'autre que le blanc l'est au noir, et je vous défie, madame, de greffer sur ce sauvageon un seul de vos sentiments, une seule de vos idées, la moindre particule de votre être. Si, contre toute attente, le greffon prenait, il serait bientôt résorbé, éliminé, il ne tiendrait pas, ou ce serait un miracle, et si je crois à la greffe des queues de rat sur le surmulot, je ne crois pas aux miracles.

—Il s'en fait pourtant, docteur, il s'en fait, et sans sortir de mon jardin....

—Oh! de grâce, interrompit-il, sortez-en.

—Que voulez-vous? la botanique est la seule science que je possède un peu, et mon jardin est mon école; on apprend beaucoup de choses dans les jardins. Figurez-vous que, l'an dernier, je n'avais dans mes plates-bandes qu'une variété de pavots, une seule. Cette année, à ma vive surprise, j'en ai compté cinq. Mon jardinier, à qui j'exprimais mon étonnement, m'a répondu: «Eh! madame, c'est bien simple, vous les devez à la mouche à miel.» Et il a ajouté, je ne le lui fais pas dire, docteur, il a ajouté: «Madame ne sait donc pas que la mouche fait des miracles?»

—Le mysticisme, riposta-t-il en faisant une affreuse grimace, est pour moi un gaz irrespirable. Votre jardinier m'a toujours déplu, mais je ne le savais pas mystique, cela l'achève, et puisque ses décisions font autorité, je lui tire ma révérence et lui quitte la place.»

Là-dessus, il se réfugia dans le fond de la loge, pendant qu'elle lui disait:

«Un jour que vous ne grognerez pas, vous m'expliquerez pourquoi j'ai cinq variétés de pavots, et je vous promets de vous croire.»

Pendant ce débat, M. Saintis avait gardé le silence, mais il semblait fort ému et s'agitait beaucoup. Il tordait entre ses doigts le cordon de son monocle, il avait des inquiétudes dans les jambes, il étendait les bras, allongeait le cou comme si le col de sa chemise l'eût gêné, et dix fois il avait laissé s'éteindre son cigare et l'avait fiévreusement rallumé. Il traitait le docteur Oserel de vieux jaloux; pour être jeune, sa jalousie n'en était que plus féroce. Ce musicien, qui avait aimé bien des femmes, n'aimait véritablement que depuis un mois, et la parole qu'il n'osait prononcer, mais que murmurait sans cesse son âme d'artiste, était le mot de Jéhovah: «Tu n'auras pas d'autre Dieu devant ma face!» C'était lui faire outrage que de le préférer, il entendait régner seul, et les distractions étaient à ses yeux des crimes comme les infidélités. Il se sentait âprement jaloux de Mlle Jacquine Vanesse, jaloux de ses cheveux d'un blond que Mme Sauvigny trouvait si doux, jaloux du coup de pistolet qui l'avait métamorphosée en héroïne de roman, jaloux de la pitié qu'elle inspirait à une femme qui aurait dû ne s'occuper que de lui, jaloux de la place qu'un jour peut-être cette intruse usurperait dans un cœur qu'il voulait posséder tout entier. Il l'avait prise en grippe, en aversion; il y paraissait à son air, il y parut à son discours.

S'étant levé brusquement, ayant remis et assujetti son menaçant monocle dans le coin de son œil droit, il vint se poster devant Mme Sauvigny, et d'une voix vibrante:

«Eh! vraiment, madame, M. Oserel a mille fois raison et votre projet est insensé. À quoi bon compliquer encore votre vie déjà si occupée, si affairée? Gardez-vous d'ajouter à toutes vos tâches la plus laborieuse, la plus stérile, la plus ingrate des besognes, en vous chargeant d'élever une jeune fille qui ne vous est de rien, et que vous ne changerez pas, qui mourra dans sa peau. Elle est blonde et son visage vous a plu. Défiez-vous et de vos yeux et des entraînements déraisonnables de votre pitié. Il y a sous le soleil de très jolis petits monstres, et si jolis qu'ils soient, les monstres sont des monstres!... J'en conviens, je n'ai vu Mlle Vanesse qu'en passant; je ne la connais, je vous l'ai dit, que pour avoir autrefois dîné avec elle en grand gala chez sa mère. Cela m'a suffi, je la sais par cœur, et comme sœur Eulalie, je vous donne ma parole qu'elle n'en a point, que si elle n'est pas vicieuse, elle n'en vaut guère mieux, qu'elle a le caractère sournois, vindicatif, haineux. Vous vous attendrissez sur son sort; vous vous dites que pour qu'elle ait tenté de se tuer, elle doit avoir beaucoup souffert. J'admets qu'elle soit malheureuse. Croyez-moi, son principal malheur est d'être ce qu'elle est, et ce malheur, qui est entré dans ses chairs, elle le portera partout avec elle. Ah! madame, votre maison est pour vous et pour vos amis un lieu de paix; n'y installez pas le diable.... Franchement, vous vous sacrifiez trop, et votre altruisme dégénère en fureur. Soyez humaine, charitable, bienfaisante, mais, de grâce, vivez un peu pour vous. Comme la charité, l'esthétique est une science divine, et une voix d'en haut nous dit: «Cultive tous les goûts, les talents; ne laisse pas la vigne en friche et mange quelquefois de tes raisins; ordonne harmonieusement ton existence; qu'elle soit une belle statue, un beau tableau, une belle sonate!» Vous êtes née musicienne, madame; vous avez une voix charmante et très juste; vous ne chantez plus. Vous avez peint jadis de jolies et fines aquarelles, vous ne touchez plus à vos pinceaux, et, encore un coup, l'altruisme mange votre vie. Vous êtes, je le répète, trop sensible aux séductions du malheur et de la pitié. J'admire vos vertus, mais n'en soyez pas la dupe et la victime. Laissez cette jeune étrangère régler comme elle l'entend son procès avec la destinée, et pour l'amour de Dieu, qui nous commande d'orner sa maison et de fleurir ses autels, je vous en conjure....»

Il s'arrêta tout court; elle lui avait caressé la main du bout de son éventail, et en attachant sur lui des yeux encore plus doux à regarder que les cheveux de Mlle Vanesse, elle avait dit:

«Valery, je suis heureuse; ne faut-il pas que je paie mon bonheur?»

Cette parole, accompagnée d'un regard qui la traduisait et dont il démêlait seul le sens mystérieux, lui remua délicieusement le cœur et fit tomber en même temps son monocle et sa colère.

«Madame, dit à son tour M. Belfons, je veux, moi aussi, faire publiquement ma profession de foi. Je crois que la raison est une admirable chose, mais que l'instinct d'une femme aussi femme que vous l'êtes est une chose plus admirable encore. Je crois qu'on vous reproche à tort de ne pas cultiver vos talents et vos goûts, attendu que votre charité est un goût et un talent et qu'artiste à votre manière, non seulement vous faites le bien, mais vous avez l'art de le bien faire. Je crois que j'avais renvoyé de chez moi une ouvrière à la journée qui joignait à de bonnes qualités un faible trop prononcé pour l'alcool, que vous l'avez prise à votre service, que vous l'employez dans l'infirmerie de votre asile, et qu'elle n'a donné jusqu'ici aucun sujet de plainte à vos religieuses. Je crois que d'autres raisonnent, ou moralisent, ou grondent, ou se fâchent, que vous ne grondez point, que vous ne moralisez pas, que vous raisonnez rarement, mais que votre douceur et votre sourire ont une puissance secrète, à laquelle ne résistent ni les alcooliques ni les vierges noires. Je crois, madame, aux miracles de la mouche et je crois aux vôtres.

—Oh! vous, dit-elle en lui tendant la main, vous avez toujours été très gentil pour moi.

—Vil flatteur!» grommela M. Oserel, qui avait sauté sur ses pieds et venait de prendre son chapeau.

En sortant, il dit à Mme Sauvigny, sans la regarder: «Règle générale: dans la conduite de la vie, les nerveuses tranquilles sont de douces entêtées. Que le ciel bénisse votre jardin et votre jardinier!»

M. Saintis la regarda, et lui baisant le bout des ongles:

«Je vous admire, même quand je ne vous comprends pas.»

M. Belfons s'inclina devant elle, sans rien lui dire; mais il se disait à lui-même:

«J'ai beaucoup de plaisir à venir dans cette maison; elle me plaira davantage encore du jour où j'aurai quelque chance d'y rencontrer Mlle Vanesse.»

Restée seule, Mme Sauvigny alla se tapir dans l'angle le moins éclairé de son salon, elle mit devant elle un écran, et, assise sur un fauteuil à bascule, où elle se balança doucement, les yeux à demi fermés, elle se plongea dans une méditation. Elle voulait se rendre un compte exact des raisons qu'elle pouvait avoir de s'obstiner dans un projet qui contrariait vivement deux de ses amis, qu'elle n'aimait pas également, mais qu'elle tenait à ménager l'un et l'autre. La première de ces raisons était sans contredit la pitié qu'elle ressentait pour Mlle Vanesse; pourtant, comme le disait M. Saintis, il faut se défier quelquefois des séductions du malheur et réserver ses soins, ses secours aux misères qu'on est sûr de pouvoir guérir. Lui était-il vraiment possible de guérir cette jeune fille de son dégoût de la vie, de sauver du naufrage cette existence désemparée? Elle en doutait, mais elle se faisait un crime d'en douter.

Quelque respect qu'elle eût pour la science et les aphorismes biologiques du docteur Oserel, elle cherchait plus volontiers ses règles de conduite dans sa petite théologie particulière, dont elle ne parlait jamais à personne, et qui pouvait se résumer ainsi: Dieu est le grand inconnu, dont notre petitesse est incapable de prendre la mesure; il nous est facile de croire à sa sagesse, à sa puissance, à sa bonté, à toutes ses perfections, mais nous ne verrons jamais jusqu'au fond de cet abîme. Pascal, qu'elle vénérait beaucoup, lui avait appris «que Dieu est demeuré caché sous le voile de la nature qui nous le couvre, jusqu'à l'incarnation, et que quand il a fallu qu'il ait paru, il s'est encore plus caché en se couvrant de l'humanité». Mais si la nature, où il vit dans l'abaissement, dans une servitude volontaire, le cache et le déforme, si la religion révélée n'est elle-même qu'un voile à demi transparent, si l'être indéfinissable, que nous devons aimer sans le connaître, se refuse à notre intelligence, il se communique généreusement à notre cœur; il nous fait sentir son invisible présence en se mêlant à nos fêtes, qui sans lui seraient incomplètes, à nos douleurs, qui sans lui seraient inconsolables. Parfois il se manifeste à nos sens par de grands spectacles, des effets extraordinaires, des images symboliques. La splendeur et l'infini des nuits étoilées, la magnificence des levers et des couchers de soleil, les grâces pénétrantes du premier printemps, l'éclat et le parfum des fleurs, l'art aussi, et surtout la musique, cet art divin auquel les réalités de ce monde, qui sont des ombres et des songes, ont dit leur secret, tous ces véridiques témoins certifient qu'il y a dans l'univers quelque chose qui surpasse l'univers. Si, par ses prestiges, l'être sans visage et sans nom nous fait rêver de lui, il se découvre plus directement à chacun de nous par l'action de sa grâce sur nos consciences, par des avertissements intérieurs, par des désirs qu'il peut seul inspirer, par des idées qui ne viennent pas de nous, par de mystérieux appels auxquels nous ne saurions résister, sans nous exposer aux tourments d'une inguérissable inquiétude.

Ainsi raisonnait cette mystique, qui dans le détail de la vie n'avait d'autre guide que son bon sens exquis et tranquille, et qui toutefois ne se lançait jamais dans une entreprise avant que le grand inconnu lui en eût parlé. Or il venait de parler nettement. Après une tentative timide, elle s'était laissé décourager par le fâcheux rapport de l'abbé Blandès; elle avait résolu de se désister, de ne plus penser à Mlle Vanesse, d'effacer son souvenir, et un soir, au bord d'une rivière, un visage pâle, argenté par la lune, lui avait reproché son renoncement précipité et son criminel oubli. Décidément, il le voulait, et quand il veut, il n'y a pas d'objections qui tiennent; et il faut savoir au besoin contrarier ses amis.

C'était là, dans cette circonstance comme dans beaucoup d'autres, sa grande raison, son grand mobile; mais était-ce le seul? Comme elle ne se faisait point d'illusions sur elle-même, son examen de conscience la conduisit à reconnaître qu'à sa raison déterminante s'en joignaient d'autres, plus personnelles et plus humaines, que si Mlle Vanesse sortait des mains de sœur Eulalie, pour rentrer dans une maison impure et mal famée, Mme Sauvigny en éprouverait comme une douleur physique, qu'elle en serait malade, que cette bonne dormeuse ne dormirait plus, qu'elle était ainsi faite que tout désordre, une chambre en confusion, une armoire mal rangée, une fausse note, une porte qui grinçait ou qu'on claquait, une toilette aux tons criards, une tache de graisse sur une nappe.... Oh! les taches surtout lui étaient insupportables, et quelle tache sur la terre qu'une maison où vivaient côte à côte une mère, son amant et sa fille! Ces taches-là ne s'en vont pas avec de l'eau de javelle.

«Un poète n'a-t-il pas dit que quand Dieu fit la femme, il prit une argile trop fine? J'ai des nerfs trop sensibles, trop subtils, trop délicats, et ils jouent peut-être un rôle dans cette affaire; c'est par leur secrète instigation que j'apporte tant de zèle à ma louable, mais douteuse entreprise. Bah! ne médisons pas de nos nerfs lorsqu'ils nous poussent au bien. Selon les cas, ils sont une faiblesse et ils sont une force; ils nous aident à souffrir, ils nous aident à vouloir.»

Mais ce n'était pas encore tout. Quoiqu'elle aimât beaucoup son chalet, elle ne pouvait s'empêcher de trouver qu'il y manquait quelque chose. Elle s'était difficilement consolée de n'avoir point d'enfants. Maintenant encore, de loin en loin, il lui arrivait de regretter la fille qu'elle n'avait pas; elle la voyait en imagination, elle se la figurait jolie, mais surtout très élégante, et le jour qu'elle avait rencontré pour la première fois Mlle

Vanesse, avant de la comparer à une Diane, elle s'était dit: «Pourtant, si c'était elle!» Et dans ce moment, elle se disait:

«À la vérité, il faudrait lui ôter quelques années pour qu'elle pût être ma fille. Eh! qu'importe? Les femmes sont ingénieuses à tromper leurs regrets, et si Mlle Vanesse.... Oui vraiment, ce serait le plus joli meuble de ma maison, et il ne manquerait plus rien à mon chalet.»

Elle cessa de raisonner, dans la crainte de découvrir que ses petites raisons prévalaient sur la grande, que dans tout cela elle songeait surtout à elle-même, que le bonheur de Mlle Vanesse lui importait moins que le sien, qu'elle était une parfaite égoïste. Elle pencha la tête, et sans trop savoir ce qu'elle faisait, joignant ses deux mains en forme de coupe et les soulevant à la hauteur de ses yeux, elle dit mentalement à quelqu'un qui tour à tour se montre ou se cache, mais dont elle était sûre d'être écoutée:

«Sépare le grain de la paille; telle qu'elle est, je t'offre ma bonne action; elle vaut ce qu'elle vaut; tu es indulgent, bénis-la!»

Puis, tout à coup, une pensée lui vint, qui la fit sourire. Son La Fontaine, pour qui elle avait autant d'amitié qu'elle avait de respect pour Pascal, lui étant revenu en mémoire, elle récita gaiement ces quatre vers:

C'était le roi des ours au compte de ces gens,
Le marchand à sa peau devait faire fortune;
Elle garantirait des froids les plus cuisants;
On en pourrait fourrer plutôt deux robes qu'une.
«Mon Dieu, oui, il ne reste plus qu'à tuer l'ours, et les ours, comme dit la fable, ne se laissent pas toujours mettre par terre. Si Mlle Vanesse se doutait de mes projets, elle trouverait que je dispose cavalièrement de sa personne. Il se peut qu'elle refuse; cela prouvera que je m'étais trompée, et ils seront contents, le docteur et lui.»

VII

Le lendemain était le premier jeudi d'octobre, et le premier jeudi de chaque mois, Mme Sauvigny faisait l'inspection de la lingerie de l'Asile. La religieuse chargée de ce service constata que, contre sa coutume, elle se contentait d'un examen superficiel et rapide, qu'elle n'entrait dans aucun détail, qu'elle semblait distraite, que ses pensées étaient ailleurs. Au sortir de l'Asile, elle se dirigea vers la maison de santé, et comme elle allait y entrer, elle aperçut de loin Mlle Vanesse, qui était descendue au jardin et se promenait le long d'une avenue de tilleuls, déjà jaunis par l'automne. Elle marchait d'un pas languissant: ce n'était pas Diane, c'était une chevrette qui a reçu du plomb.

Mme Sauvigny arrivait-elle en temps opportun? Avait-elle bien choisi son moment pour réussir dans sa négociation? Les auspices étaient-ils favorables? Il y avait du pour et du contre. D'une part, Jacquine était depuis quelques heures mal disposée à son endroit. Sœur Eulalie, qui avait voué la plus chaude affection à cette fondatrice d'établissements de bienfaisance, et qui, plus coulante que l'abbé Blandès en matière de dogmes, l'admirait sans restriction et sans réserve, avait eu l'imprudence de faire son éloge ou plutôt son panégyrique à Mlle Vanesse. Elle avait conclu, en disant:

«Soyez sûre que c'est une sainte, que, quand elle sera morte, vous pourrez la prier.»

Mlle Vanesse, qui était payée pour ne croire ni aux saints ni surtout aux saintes, avait secoué les oreilles; il lui avait paru clair que Mme Sauvigny était une habile femme et sœur Eulalie une niaise.

Mais, d'autre part, elle se trouvait dans un de ces embarras d'esprit où les expédients sont les bienvenus, vous fussent-ils proposés par une habile comédienne. Le docteur Oserel venait de lui signifier d'un ton bourru qu'elle n'avait plus besoin de ses bons offices, qu'elle eût à s'arranger pour prendre dès le lendemain matin la clef des champs et céder sa chambre à une malade plus intéressante. Qu'allait-elle faire de sa triste personne? Elle balançait entre deux partis, presque aussi déplaisants l'un que l'autre: ou elle retournerait chez sa mère, qu'elle mettrait en demeure de renvoyer de Mon-Refuge le comte Krassing dans le plus bref délai, ou bien elle partirait pour le Brésil, où son père lui proposait d'aller tenir son ménage. Dans une lettre qu'elle avait reçue la veille, il lui fournissait quelques vagues renseignements sur le genre de vie qu'il menait près de Bahia, en face de la baie de Tous-les-Saints; pour l'allécher, il lui déclarait que le Brésil est la patrie des plus beaux papillons du monde, et il lui donnait à entendre subsidiairement que sa maison était propre, qu'elle n'y trouverait rien qui pût offusquer ses yeux.

«J'ai juste assez de confiance en lui, pensait-elle, pour croire que sa maison était propre le jour où il me l'écrivait; mais depuis? mais aujourd'hui? mais demain?»

Encore un coup, qu'allait-elle faire? à quoi se décider? Dans sa peine d'esprit, qui était presque une détresse, elle aurait voulu pousser le temps avec l'épaule, avoir au moins quelques jours à elle pour délibérer, pour fixer ses incertitudes, et c'est à cela qu'elle songeait en se promenant dans son allée de tilleuls. Arrivée au bout, elle se retourna et se trouva face à face avec Mme Sauvigny, qui lui dit, en lui tendant la main:

«Mademoiselle, voulez-vous me permettre de causer quelques instants avec vous?»

Dans le train ordinaire de sa vie, elle eut reçu froidement cette avance, se fût montrée avare de ses paroles; mais elle avait l'esprit perplexe, le cœur serré, et comme la joie, l'angoisse fait chanter l'oiseau.

«Vous êtes, madame, mille fois aimable d'avoir bien voulu venir me trouver; croyez que je ne serais pas partie d'ici sans m'être présentée chez vous pour vous remercier de vos bontés. Quoique je n'attache pas un très grand prix au service que vous m'avez rendu, je suis sensible à votre intention et aux peines que vous vous êtes données pour moi. C'est vous qui m'avez ramassée sous mon saule, et je ne sais ce qui serait arrivé si, au sortir de mon évanouissement, je m'étais trouvée toute seule, près d'une rivière.... Vous êtes sans doute curieuse de savoir à qui vous avez sauvé la vie et pour quelle raison j'ai essayé de me tuer. En deux mots, est-ce ma faute, est-ce la faute des autres? je suis ou je me crois très malheureuse. Un matin, en revenant de la forêt, comme je passais près d'un cimetière.... Eh! tenez, on l'aperçoit d'ici. Il y a dans ce cimetière une tombe qui porte cette inscription: «Rosine Cleydox, morte à vingt-deux ans.» Le sort de Mlle Rosine Cleydox me parut très enviable, et je décidai que le jour où j'entrerais dans ma vingt-troisième année....

—J'ose espérer, interrompit Mme Sauvigny, que désormais....

—Oh! madame, quand pour son coup d'essai on ne s'est tuée qu'à moitié, on ne se retue pas de sitôt. Le suicide demande un état d'esprit tout particulier, une exaltation de tête qu'on ne se procure pas à volonté, une sorte de fièvre, causée par le travail d'une idée fixe qui exclut toutes les idées de traverse. C'est un acte d'irréflexion, et d'habitude je réfléchis beaucoup, et dans le fond c'est une lâcheté, et je suis courageuse.... Mais je vous assure que j'ai besoin de tout mon courage pour recommencer à vivre. J'ai amèrement regretté, pendant mes jours d'hôpital, de n'avoir pas donné suite à un projet que j'avais formé, il y a quatre ou cinq ans: je voulais entrer en religion. Aujourd'hui, il est trop tard, j'ai changé d'humeur, tandis qu'alors.... Telle que vous me voyez, je suis une assez bonne garde-malade. J'ai très bien soigné les rhumatismes de mon grand-père, parce que je l'aimais, et la maladie de cœur de ma tante, Mlle de Salicourt, parce qu'elle m'avait promis une pension qui m'assurerait l'indépendance. Oui, j'aurais été une bonne sœur hospitalière, si je ne m'étais laissé détourner de mon idée par de sottes objections que je me suis faites à moi-même. Je n'avais pas la foi; la belle affaire! Je crois à l'empire des habitudes. Je serais devenue une petite machine marchant au doigt et à l'œil, ne pensant à rien, et je pense trop. Mon imagination, qui me tracasse, se serait assoupie, éteinte; quand on s'abêtit, on est heureux. En ce moment, je verrais devant moi mon chemin tout tracé, jusqu'au grand fossé où l'on fait la culbute, et je n'aurais pas à me demander ce que je dois faire. Je suis très embarrassée; de deux choses l'une, ou je retournerai chez ma mère....

À ce mot, Mme Sauvigny eut un sursaut.

«Je vois, madame, que ce parti vous agrée peu, il me déplaît encore plus qu'à vous. Je n'en ai pas d'autre à prendre que de partir pour le Brésil, où mon père m'engage à le rejoindre. Il désire m'avoir auprès de lui; il le désirait du moins le 20 septembre de cette année, c'est la date de sa lettre. Le désire-t-il encore? Je crois à sa sincérité, il dit toujours ce qu'il pense; le malheur est qu'il ne pense pas de même deux jours de suite; c'est un homme à lubies, qui vit de fumée. En tout cas, avant de m'embarquer, je voudrais savoir exactement quelle est sa situation là-bas, quelle vie m'attend dans sa maison, et il va sans dire que je lui ferai mes conditions. Tout cela demande du temps, et le docteur Oserel, qui est un brutal, ne veut m'accorder aucun sursis. Il a hâte de se débarrasser de moi, de me remplacer, dit-il, par une malade plus intéressante. Tout dépend du point de vue, je me trouve très intéressante; vrai, madame, je me ressens de mon accident, je ne suis pas dans mon assiette. Qu'il me laisse ma chambre pendant trois semaines encore; je la lui paierai aussi cher qu'il lui plaira. On m'a dit qu'il vous avait de grandes obligations, que vous étiez en droit de tout lui demander. Faites-moi la grâce d'appuyer ma requête.»

Dès ce moment, Mme Sauvigny fut convaincue que «le grand inconnu le voulait», puisqu'il se chargeait lui-même d'ouvrir et de dégager les voies. Elle représenta à Jacquine que la maison de santé était surtout destinée aux malades dont le cas exigeait un traitement chirurgical, que la place manquait, qu'elle craignait d'essuyer un refus.

«Heureusement, mademoiselle, j'ai autre chose à vous offrir.

—Quoi donc, madame?

—Ma maison n'est qu'un chalet, mais mon chalet est grand, et je serais charmée de vous y recevoir.

—En vérité! s'écria Mlle Vanesse, qui était loin de s'attendre à une telle proposition, c'est trop de bonté, et je vous suis très reconnaissante. Si vous consentiez à me donner l'hospitalité pendant quelques jours, je tâcherais de hâter les affaires, et je demanderais à mon père de me répondre courrier par courrier. À votre tour, vous seriez bientôt débarrassée de moi. Mais je ne sais si j'ose....

—Osez, interrompit Mme Sauvigny. Je veux être tout à fait sincère; je suis plus ambitieuse que vous ne le pensez; je souhaite que vous vous trouviez assez bien chez moi pour avoir envie d'y rester longtemps. Ce grand Brésil me fait peur.»

Jacquine, de plus en plus étonnée, lui jeta un de ces regards perçants qui fouillaient dans les cœurs. Puis, se mettant à rire:

«Vous avez peur du Brésil et vous n'avez pas peur de moi. Il faut pourtant que je vous mette au fait. Bien qu'en définitive je sois une assez bonne fille, on prétend que je n'ai pas le caractère commode, et je dois confesser que lorsqu'on m'exaspère, je deviens terrible.

—J'éviterai soigneusement de vous exaspérer», repartit Mme Sauvigny en souriant.

Mais elle cessa de sourire, quand Mlle Vanesse, le front plissé et d'une voix rêche:

«Non, je ne veux pas vous prendre en traître. Depuis que je suis au monde, je n'ai jamais aimé personne, à l'exception de mon grand-père, que j'adorais. Il en est de mon cœur comme de la maison Oserel, la place y manque, et il ne sera jamais habité que par un mort.

—Ah! mademoiselle, répliqua Mme Sauvigny avec un accent de douce ironie, vous vous défendez avant qu'on vous attaque. Il serait bien étrange que, dès notre premier entretien, j'eusse la ridicule prétention de me faire aimer de Mlle Vanesse.

—Mais enfin quelle raison pouvez vous avoir pour m'attirer chez vous?

—Chacune de nous a sa toquade. La mienne est un sot, mais obstiné regret de n'avoir pas d'enfants. Tout récemment, encore je me disais: «Si j'avais une fille, m'étant mariée très jeune, elle aurait peut-être dix-huit ans....»

—Je dois vous prévenir que je ne vous entends pas, que vous me parlez une langue étrangère, interrompit Jacquine d'un ton glacial.

—Vous vous méprenez sur ma pensée; Dieu me garde de faire du sentiment! J'allais vous dire, quand vous m'avez interrompue, que si j'avais une fille de votre âge ou un peu plus jeune, ce serait pour moi une agréable distraction. J'ai d'excellents amis, que je vois presque tous les jours, mais il est des choses qu'une femme n'aime à dire qu'à une femme, parce qu'elle est sûre d'être comprise à demi-mot et qu'il faut tout expliquer aux hommes, et encore ces malheureux ne comprennent-ils pas toujours ce qu'on leur explique.»

Jacquine s'était remise de son émoi.

«Il paraît, répondit-elle plus gaiement, que vous aimez les menus propos, les ragots, les potins.... Je ne les déteste pas.»

En ce moment, elle aperçut, traversant l'allée, une belle chenille verte, aux anneaux noirs ponctués de rouge. Elle s'arrêta pour la regarder, et changeant de ton:

«Madame, je vous prie, vous connaissez-vous en chenilles? Celle-ci est une larve de papillon machaon ou grand porte-queue. Elle a résolu de faire sa retraite, et elle cherche son endroit.... Aimez vous les chenilles, madame?

—Franchement parlant, je les crains plus que je ne les aime.»

Elle partit d'un éclat de rire.

«Vous êtes donc comme ma tante de Salicourt? Le Brésil, les chenilles, vous avez peur de tout. Et pourquoi vous font-elles peur?

—J'ai une répulsion naturelle pour tout ce qui rampe.

—Elles ne rampent pas, elles marchent, elles ont jusqu'à quatorze ou seize pattes.

—Je ne sais que vous dire, elles m'ont toujours fait l'effet d'êtres immondes.

—Immondes! les chenilles!... Je ne connais pas d'autres animaux immondes que l'homme.

—Vous ne nierez pas du moins qu'elles ne soient venimeuses.

—Autre calomnie. Voulez-vous que je vous explique ce qui leur a valu cette réputation? Vous n'ignorez pas qu'elles se dépouillent plusieurs fois avant de se changer en chrysalides.

—Je l'ignorais. Vous voyez que quand nous ne potinerons pas, il ne tiendra qu'à vous de m'apprendre beaucoup de choses. Je suis curieuse.

—Oh! pas autant que moi. Mais, de bonne foi, est-ce leur faute si leurs vieux poils, secs et fins, s'envolent à tout vent et, nous entrant dans la peau, y déterminent une cuisson? Là, est-ce un crime? Et plût à Dieu qu'il n'y eût pas dans la vie de maux plus cuisants!»

Elle se baissa, ramassa délicatement cette larve de machaon, qui, fort intimidée, se pelotonna dans le creux de sa main.

«Nigaude, on ne veut point te faire de mal. Je tenais à prouver que tu n'es pas venimeuse.»

Cette fille si mûre, désabusée du monde, revenue de tout, avait subitement rajeuni. Dépouillant ses années comme les chenilles dépouillent leur peau, elle n'avait plus que vingt-deux printemps, dont elle ne sentait guère le poids. Elle venait de découvrir dans ce laid univers quelque chose qui l'enchantait, et elle avait oublié tout le reste, Mon-Refuge, sa mère et le comte Krassing, sa tentative de suicide, le vieux pistolet de son grand-père qui lui avait éclaté dans la main, la violence qu'elle se faisait pour recommencer à vivre, les offres de Mme Sauvigny et les perplexités de Mlle Vanesse. Son visage s'était transformé; elle n'avait plus le teint brouillé, ses joues avaient repris leur fraîcheur, le pli creusé entre ses deux sourcils s'était évanoui, son front rayonnait, ses yeux couleur de nuage avaient l'éclat, la gaîté, la jeunesse, le sourire d'un joli ciel d'avril.

Et pendant qu'elle contemplait sa chenille, Mme Sauvigny lui disait à part soi en la regardant:—Me voilà rassurée, tu as beau traiter tous les humains d'animaux immondes, tu as beau me dire insolemment que lorsque je t'offre mon amitié, je ne te parle pas français, tu as beau prétendre qu'il n'y a de place dans ton cœur que pour le mort qui l'habite, en dépit de la farouche misanthropie, tu es restée jeune. Si c'est à ce mort que tu le dois, qu'il soit béni! Oui, tu es fière, tu es franche, tu es pure, tu es jeune, et on ose me soutenir qu'il n'y a plus de ressource!

Jacquine avait posé la chenille à terre.

«Va ton chemin, petite, lui dit-elle. Tu sais où tu veux aller, tu es plus savante que moi, qui ne sais pas ce que je veux faire.»

Et après un court silence:

«Mon Dieu! oui, je le sais. J'accepte votre offre, madame. Après tout, nous ne nous engageons à rien; c'est un essai que nous ferons. Puisque vous voulez bien m'assurer que je serai pour vous une agréable distraction, je ne me presserai pas d'écrire à mon père. Si nous venons à découvrir qu'il y a entre nous une incompatibilité d'humeur, j'aurai bientôt fait de plier mon paquet.... Une fois décidée, j'aime à aller vite en besogne. Quand pouvez-vous me recevoir?

—Mais tout de suite, dès aujourd'hui, il y a dans mon chalet un appartement réservé aux amis en demeure; ce sera jusqu'à nouvel ordre l'appartement de Mlle Vanesse. Il se compose d'un vestibule, d'un petit salon, d'une chambre à coucher et d'un cabinet de bains. Il est au second étage et ses fenêtres donnent sur la campagne. J'espère qu'il vous plaira.»

Comme Mme Vanesse, Jacquine prenait dans l'occasion de grands airs, que son père, qui en avait pâti, appelait les airs Salicourt. Dressant la tête:

«Il est bien convenu, madame, que vous me prenez en pension; j'entends payer ma dépense et celle de Rosalie, ma femme de chambre. Vous me taxerez d'office, je suis solvable.»

Elle ajouta sur un ton de royale condescendance:

«Cela n'ôtera rien aux sentiments de gratitude que je vous dois.»

Mme Sauvigny lui signifia par une légère inclination du menton qu'elle en passerait par où il lui plairait.

«Il ne me reste plus qu'à m'habiller pour aller annoncer à ma mère....»

Mme Sauvigny eut un nouveau sursaut.

«Comme le Brésil, comme les chenilles, elle vous fait peur?

—Vous vous trompez, mademoiselle. Vous m'avez dit tout à l'heure que vous ne vous sentiez pas dans votre assiette, et si vous m'y autorisez, j'irai voir moi-même Mme Vanesse et lui expliquer l'accord que nous venons de conclure. Je désire qu'elle ne me prenne pas pour une voleuse d'enfants.... Mais peut-être est-il trop tôt pour me présenter chez elle.

—Soyez sûre qu'elle se dérangera pour vous, que vous serez reçue; mais soyez sûre aussi qu'elle vous recevra mal. Je vais bien vous étonner, figurez-vous que tout compté, tout rabattu, elle tient à me garder. Elle a découvert que sa villa était logeable, et elle se propose d'y passer l'hiver: mais elle n'y peut rester décemment seule à seul avec le comte Krassing. J'étais leur chaperon, j'étais aussi sa pensionnaire, et je payais grassement. Ne vous apitoyez pas sur son sort; je suis au courant de ses petites affaires, sa pauvreté est plus cossue qu'elle ne le dit. Elle a ses morceaux taillés, mais il ne tiendrait qu'à elle de se les tailler moins courts. Dites-lui, je vous prie, que j'enverrai chercher tantôt mon petit bagage qui n'est pas bien lourd, mon linge, mes robes, l'armoire qui contient mes vitrines à papillons.... Non, ne lui dites rien. Rosalie est venue prendre de mes nouvelles, elle est encore ici. Je lui donnerai mes ordres; c'est une fille de tête, elle veillera au grain.»

Et tout à coup, laissant là ses grands airs, elle lui tendit les deux mains, en lui disant avec un sourire bon enfant:

«Merci, madame. Vous m'avez rendu ce matin un plus précieux service que le soir où vous m'avez sauvé la vie.»

Le visage de Mme Sauvigny, qui s'était contracté, s'épanouit, et elle s'empressa de partir sur cette bonne parole.

«Après la pluie le beau temps, pensait-elle; c'est, je le prévois, un proverbe que je me répéterai souvent. Quand l'averse m'aura trempée, je croirai au soleil et je l'attendrai.»

Mais avant tout, puisqu'elle l'avait voulu, elle devait s'acquitter d'une mission qui lui était amère, aller en visite dans une maison qu'elle comparait à une caverne. Entre deux maux, elle avait choisi le moindre. Mlle Vanesse pouvait-elle sans danger revoir, sitôt après l'évènement, l'endroit où elle avait conçu son sinistre dessein? N'était-il pas à craindre qu'elle n'y fût reprise de ses visions noires, ressaisie par son passé, que son cœur ne se retrouvât le même dans les mêmes lieux? Mme Sauvigny s'était sacrifiée pour la soustraire à cette épreuve. Aussi bien elle avait une affaire à traiter avec Mme Vanesse. Elle songeait à l'avenir. Ne croyant qu'aux leçons de choses, elle comptait sur l'influence bienfaisante d'un milieu tout nouveau pour renouveler et assainir l'âme si jeune et si vieille qu'elle avait prise sous sa garde. Elle aurait voulu éloigner de sa pensionnaire tout ce qui pouvait réveiller de fâcheux souvenirs; elle souhaitait ardemment que, dans ses promenades, Jacquine pût espérer de rencontrer sur son chemin des chenilles vertes ou brunes, mais fût certaine du ne rencontrer jamais ni sa mère, ni le comte Krassing. Elle se flattait d'en avoir trouvé le moyen.

L'abbé Blandès s'était introduit à Mon-Refuge par la petite porte: elle y entra par la grande, traversa une cour dallée et, en arrivant sous la marquise, au moment de franchir le seuil, elle ressentit le malaise que peut éprouver une hermine, condamnée à promener la blancheur de sa robe dans une soute au charbon. Dès qu'elle se fut annoncée, Mme Vanesse la fit prier de l'attendre un instant, et on la conduisit au salon où, pour son malheur, le premier objet qu'elle aperçut fut le comte Krassing, occupé à lire un journal scandinave. Il se leva précipitamment, bruyamment, il aimait le bruit, courut à sa rencontre, lui avança un fauteuil, s'assit en face d'elle, la contempla un quart de minute sans mot dire, car, s'il aimait le bruit, il connaissait le prix du silence, et après l'avoir suffisamment contemplée, il lui fit la sanglante injure de la trouver fort à son goût.

«Ah! madame, s'écria-t-il, soyez la bienvenue, et croyez que je m'estime heureux d'être dans ce salon juste à point pour avoir l'honneur de vous y recevoir. Vous nous apportez sans doute des nouvelles de la malheureuse enfant qui cause à sa mère de si mortels chagrins. Quel coup de tête! quelle aberration! comment peut-il se faire qu'un soir, sans motif, sans prétexte, une jeune fille entourée d'égards, des plus tendres soins.... Elle vous a sûrement expliqué à sa façon son inconcevable équipée. Ne l'écoutez que d'une oreille, elle est sujette à de véritables hallucinations et prend ses chimères pour des réalités.»

Mme Sauvigny demeurait immobile et silencieuse comme une souche. Il pensa qu'il lui imposait; pour la mettre à l'aise, il adoucit sa voix, emmiella ses regards, et passant ses deux mains sur sa barbe noire, qu'il aimait à caresser:

«Madame, reprit-il, je bénis l'occasion qui s'offre à moi de vous témoigner mon respect et mon admiration. Je sais qui vous êtes, il n'est question dans ce pays que de votre incomparable charité, de vos œuvres, de votre vie de sacrifices et de dévouement.»

Puis, s'exaltant:

«Vous pratiquez, madame, le véritable amour qui est l'aspiration au bien des autres et le renoncement à son propre bien. Qui de nous ne connaît, pour l'avoir éprouvé au moins une fois, surtout dans notre enfance, ce sentiment de félicité et de tendresse qui nous pousse à tout aimer, et nos proches, et nos frères et les méchants eux-mêmes, et le chien et le cheval, et le brin d'herbe? C'est là le véritable amour, et l'amour vrai est la vraie vie de l'homme.—Ah! répondra-t-on, vivre d'amour est absurde, impossible, c'est de la sentimentalité.—Malheureux qui ne savez pas qu'aimer, c'est vivre, et qui jouissez d'une vie qui est une mort, vous découvrirez un jour que vos plaisirs sont un pur néant, qu'en vain vous les multipliez, tout le bien que peut produire l'existence charnelle est égal à zéro, et qu'un zéro multiplié par cent, multiplié par mille, reste toujours égal à n'importe quel autre zéro!»

Il continua longtemps sur ce ton. Mme Sauvigny croyait se souvenir vaguement d'avoir lu quelque part les sentences qu'il lui débitait, en les déclamant comme des tirades de tragédie. Elle ne se trompait pas: il lui récitait du Tolstoï; les meilleurs maîtres sont exposés à avoir des disciples compromettants.

«Cet homme, pensait-elle, me fera prendre la charité en horreur.»

Il avait tout ce qu'il fallait pour lui déplaire. Il était trop beau et trop certain de l'être, sa barbe noire comme du jais était trop soignée, ses ongles étaient taillés avec trop d'art, il portait trop de bagues, qu'il étalait avec ostentation comme des trophées amoureux, et, ce qui était pire encore, il exhalait une forte odeur de musc, parfum qu'elle détestait. Si elle avait de l'aversion pour les serpents, c'est qu'ils sont des animaux rampants et musqués; mais elle leur trouvait en ce moment une grande qualité: ils ne prêchent pas. Son long tête-à-tête avec ce filandreux prédicateur, qu'elle avait défini un fat ténébreux, la mettait au supplice, et comme tout est relatif dans ce monde, lorsqu'elle vit enfin paraître Mme Vanesse, son carlin sous son bras, elle lui montra un visage ami, l'accueillit comme une libératrice. Toutefois, sa délivrance fut incomplète; le comte Krassing ne sortit point du salon, il se retira dans l'embrasure d'une fenêtre, où, armé d'une petite brosse de poche, il s'occupa de lustrer sa barbe, qu'il polissait et repolissait.

«Je crains, dit d'entrée Mme Vanesse, que vous n'ayez une mauvaise nouvelle à me donner, puisque vous l'apportez vous-même.»

À ce propos d'une bienveillance équivoque, Mme Sauvigny répondit, avec un peu d'embarras, qu'elle n'apportait que de bonnes nouvelles, que Mlle Vanesse, sans être entièrement rétablie, allait aussi bien qu'on pouvait le souhaiter, que le docteur Oserel, dont la maison était comble, ne pouvant la garder plus longtemps chez lui, Mme Sauvigny avait proposé à cette convalescente de venir passer quelques jours dans un chalet où elle jouirait du précieux avantage d'avoir son médecin sous la main, que Mlle Vanesse avait accepté cette proposition et avait chargé Mme Sauvigny d'en informer sa mère. Ce n'était ni toute la vérité ni rien que la vérité, et en prononçant son petit discours, elle avait changé de couleur, comme il lui arrivait lorsqu'elle se voyait contrainte de déguiser un fait ou de gauchir dans une de ses réponses. Hélas! quoiqu'on aime à aller droit, le monde est ainsi bâti qu'il faut biaiser quelquefois. Mme Vanesse avait peu d'idées générales; mais dès que ses intérêts et sa personne étaient en jeu, elle avait l'esprit fort alerte. Elle devina sur-le-champ la gravité du cas.

«Vous ne doutez pas, répliqua-t-elle, qu'en une pareille circonstance, il ne me soit dur et amer de me séparer de ma fille et de la savoir soignée par d'autres que moi. J'espère que cette séparation sera de courte durée.

—Libre à Mlle Vanesse, repartit Mme Sauvigny en raffermissant sa voix, de rester chez moi aussi longtemps qu'elle s'y plaira, je ne la renverrai point; mais vous pouvez être certaine que du jour où elle sera disposée à me quitter, je ne chercherai pas à la retenir. Dès maintenant je la connais assez pour savoir qu'il n'est pas facile de contraindre son humeur et sa volonté.»

«C'est évidemment une conspiration», pensa Mme Vanesse.

Et montant sur ses ergots:

«Ce qui m'étonne dans cette affaire.... Oui, madame, j'ai peine à m'expliquer l'intérêt si tendre, si extraordinaire que vous portez à ma fille. Il y a quelques jours encore, elle n'était pour vous qu'une jeune inconnue, et je ne pense pas qu'elle vous ait séduite à première vue par l'angélique douceur de son caractère.

—Quoique le hasard ait tout fait, elle prétend que je lui ai sauvé la vie; mais elle ne m'en sait aucun gré et ne me remercie que du bout des lèvres. Cela me désole, je me pique au jeu. Je voudrais que le jour où nous nous quitterons, elle me confessât de bonne foi qu'elle est heureuse d'être encore au monde. Ne pensez-vous pas comme moi que, pour changer le cours de ses idées, il lui sera bon de vivre quelque temps avec des visages étrangers? La jeunesse a l'esprit mobile et vit d'impressions. Mon remède vous semble peut-être anodin. Jadis mon médecin m'a guérie d'une gastrite invétérée, que je croyais incurable, en me prescrivant une simple cure de petit-lait. C'est une cure de petit-lait que mademoiselle votre fille fera chez moi.»

Le carlin de Mme Vanesse s'était accroupi sur le bord de sa robe; elle le prit sur ses genoux, et caressant ce museau noir et écrasé:

«Vous aurez un moyen bien simple de vous concilier l'affection de Jacquine; vous la plaindrez d'avoir eu tant à souffrir des brutalités du sa mère.»

Mme Sauvigny la regarda fixement:

«Ah! madame, personne, que je sache, ne vous a accusée de brutaliser mademoiselle votre fille.»

Mme Vanesse perdit un instant contenance; elle constata, une fois encore, que cette timide était intimidante; elle n'en avait pas les gants, d'autres avant elle avaient fait cette découverte. Son usage étant de déguiser son trouble sous des dehors arrogants:

«En voilà assez sur ce sujet, dit-elle avec hauteur. J'interrogerai ma fille; vous ne m'en voudrez pas si, avant d'ajouter foi à l'étrange nouvelle que vous avez mis un si gracieux empressement à me communiquer, j'attends qu'elle me l'ait confirmée de sa propre bouche. Et vraiment je m'étonne qu'elle ait chargé une étrangère....

—Elle voulait venir, interrompit Mme Sauvigny; mais je tenais à vous voir, madame; j'ai à cœur de vous entretenir d'une affaire dont nous avons traité autrefois, qui à mon vif regret n'a pas abouti... et qui ne concerne que vous et moi», ajouta-t-elle en regardant le comte Krassing, dont la présence lui était d'autant plus insupportable qu'à plusieurs reprises, par-dessus l'épaule de Mme Vanesse, il lui avait témoigné par des gestes, pendant qu'elle parlait, la profonde admiration qu'il ressentait pour son éloquence et ses vertus.

Au mot d'affaire, Mme Vanesse avait tressailli, et sa physionomie s'était adoucie; elle avait compris tout de suite qu'elle allait conclure avec une femme qui avait quelque chose à se faire pardonner un marché avantageux, que ce serait pour elle, faute de mieux, une fiche de consolation. Comme on change! durant de longues années les affaires et les marchés lui avaient paru si peu intéressants! Elle tourna majestueusement la tête, ses yeux d'impératrice notifièrent au comte Krassing qu'il était de trop. Elle lui passa le carlin, qu'il emporta, et dès qu'il fut sorti, il sembla à Mme Sauvigny qu'elle avait un poids de moins sur la poitrine, que le salon avait changé d'aspect.

On commença à débattre la grande affaire, qui ce jour-là devait aboutir. Elle s'était dit en venant: «Je lui achèterai sa maison, et je m'imposerai un sacrifice pour l'obliger à s'en aller au plus vite». La chose se trouva plus facile qu'elle ne pensait, elle arrivait dans un moment propice, Mme Vanesse était disposée à vendre. L'esclandre causé par ce qu'elle appelait la frasque de sa fille, les commentaires, les réflexions qu'on avait faites, un commencement d'enquête ordonnée par le maire, les informations prises par des gendarmes trop curieux, l'avaient dégoûtée du pays et de Mon-Refuge. Ce n'était pas tout, elle aspirait à se débarrasser de son aventurier, cause première de tout le mal. Prompte à s'engouer, prompte à se déprendre, elle était la plus fantasque des femmes, et on pouvait prévoir que d'inconstance en inconstance, de lassitude en lassitude, elle chercherait jusqu'à la fin et ne trouverait jamais. La ténébreuse fatuité d'un bellâtre l'avait subjuguée quelque temps; s'étant imaginé que sa fille projetait de le lui ravir, elle avait défendu du bec et de l'ongle le bien qu'on disputait à sa jalousie; mais à peine s'était-elle avisée que Jacquine s'amusait d'elle et de lui, le comte Krassing avait perdu subitement tout son prestige; elle avait percé ce masque de théâtre, reconnu que son idole sonnait creux. Bref, elle guettait l'occasion d'éconduire, de renvoyer à sa besace un hôte indiscret, qui depuis quelques jours l'ennuyait mortellement; Mme Sauvigny la lui offrait.

On ne disputait plus que sur le prix. Le vendeur, pour prouver à l'acheteur que ses prétentions n'étaient pas exorbitantes, lui fit faire le tour de la maison, dont le gros œuvre, il faut en convenir, était intact; on visita aussi le parc, le jardin, qui n'avaient rien d'attrayant.

Après quelques dits et contredits:

«Je serais charmée de pouvoir m'arranger avec vous, conclut Mme Sauvigny. Je vous avais fait offrir dans le temps soixante mille francs, et ce prix me semblait avantageux pour vous. Je consens à en donner dix mille de plus, mais à une condition. Je me propose, en acquérant Mon-Refuge, d'en faire une annexe de la maison Oserel, qui regorge; avant que je puisse livrer à mon locataire le terrain et la maison, je devrai faire de grands travaux d'aménagement et de réparation. Nous sommes très pressés; nous désirons que notre architecte et nos ouvriers puissent se mettre sans retard à l'ouvrage.»

Elle éprouva une agréable surprise, quand Mme Vanesse, faisant la moitié du chemin, l'interrompit pour lui dire:

«Qu'à cela ne tienne, j'aurai vidé les lieux dans quatre ou cinq jours, et j'espère que les malades qui guériront ici me sauront gré de la facilité d'humeur dont je fais preuve aujourd'hui. Les paroles sont échangées, madame; nos notaires feront le reste.»

Puis, lui montrant l'avenue qui conduisait à la petite porte par où l'abbé Blandès était entré: «Voilà votre plus court».

Elle se disposait à la reconduire; Mme Sauvigny la pria de s'épargner cette peine et ne tarda pas à s'en repentir, car à peine avait-elle fait cent pas qu'elle vit sortir de derrière un buisson le comte Krassing qui, la happant au passage et se collant à sa jupe:

«Ah! madame, s'écria-t-il, il y a longtemps que je vous admire, et je croyais savoir tout ce que vous valez; je ne le sais que d'aujourd'hui. S'il est beau d'assister des vieillards dans leurs besoins, il est encore plus beau de sauver des âmes. C'est un art où vous excellez. Soyez bénie, madame! Vous avez formé le noble dessein de rendre la paix et le repos à l'âme tourmentée d'une jeune fille qui nous intéresse également, vous et moi.»

Si modeste qu'elle fût, ce nous lui parut insolent, l'exaspéra, la suffoqua. Le comte Krassing et Mme Sauvigny faisant un nous!

«J'avais tenté moi-même, poursuivit-il, d'initier au culte de l'idéal ce jeune cœur impatient de toute règle, fermé jusqu'ici à toutes les inspirations d'en haut. Vous serez plus heureuse que moi; il y a en vous une céleste douceur, capable d'attendrir les cœurs les plus durs. Et que sait-on? votre sublime entreprise sera peut-être moins laborieuse que nous ne le pensons. Qui pénétrera le mystère des âmes? Notre vie terrestre m'apparaît comme un segment de cône, dont je n'aperçois ni le sommet ni la base, et j'en conclus que notre vie visible n'est qu'une portion de notre véritable vie, laquelle a commencé avant notre apparition dans ce monde et se prolongera après notre mort. Ne croyez-vous pas comme moi, madame, que Mlle Vanesse a vécu avant sa naissance charnelle? Peut-être ses existences antérieures ont-elles laissé dans son âme des prédispositions, des virtualités secrètes qui ne se sont pas encore révélées, et qui vous faciliteront votre tâche. Quand je vois passer un homme sous ma fenêtre, je sais incontestablement, quelle que soit son allure, qu'il existait avant de se montrer à moi, qu'il continuera d'exister après que je l'aurai perdu de vue. Nous voyons Mlle Vanesse telle qu'elle est dans cet instant si court que nous appelons follement notre vie, nous ne savons pas ce qu'elle fut avant de naître, nous ignorons ce qu'elle sera. Ah! madame, nous le savons, puisque, par une dispensation providentielle, ce sont vos blanches mains qui façonneront cette cire. Oui, vous déciderez de ses éternelles destinées. J'ai en vous une confiance absolue; vous n'êtes pas de ces femmes qui font les choses à demi. Vous êtes divinement bonne, vous serez divinement patiente. Vous n'abandonnerez votre ouvrage qu'après l'avoir parachevé. Vous ressemblerez au forgeron qui brise et rejette au feu le fer de cheval, jusqu'à ce qu'il soit à point.»

C'était encore du Tolstoï. Heureusement Mme Sauvigny avait tant pressé le pas qu'elle venait d'atteindre la petite porte, et elle se hâta de prendre le large. Hélas! elle emportait avec elle, comme souvenir du comte Krassing, un odieux parfum de musc, qui la poursuivit pendant plusieurs heures. Sa seule consolation était de penser que, si elle avait été contrainte de l'entendre, elle était partie sans lui avoir une seule fois adressé la parole; elle se flattait que sa taciturnité méprisante lui aurait fait sentir la répulsion qu'elle éprouvait pour un homme qui offensait également sa conscience, ses yeux, ses oreilles et son odorat. Elle se trompait; ce grand fascinateur, certain de lui avoir jeté un charme, attribuait son obstiné silence à une de ces fortes émotions qui paralysent la langue. En la regardant s'éloigner, il se disait qu'il n'avait pas perdu sa journée, que cette guérisseuse d'âmes, qui lui avait paru fort attirante et qu'il savait très riche, serait, le cas échéant, sa ressource, son suprême recours. N'avait-il pas, lui aussi, une âme digne d'être sauvée? Peut-être pressentait-il vaguement que Mme Vanesse ne tarderait pas à le débarquer. Les sots ont quelquefois des lueurs.

VIII

Mme Vanesse achevait de déjeuner quand elle vit arriver Rosalie, qui, assistée de deux déménageurs, venait chercher le bagage de sa maîtresse. Hors d'elle-même, elle déchargea sa colère sur le comte Krassing. Il n'opposa à ses virulentes sorties que la résignation d'un juste méconnu. Plus d'une fois on s'était brouillé et rapatrié; plus d'une fois la longanimité de cette enclume avait usé les fougues de ce marteau.

Quoiqu'elle désespérât de faire revenir Jacquine sur sa résolution, Mme Vanesse pensait au lendemain et tenait à la voir, à s'assurer des chances qui lui restaient de la regagner un jour. Elle la trouva traversant le parc pour aller prendre possession de son nouvel appartement, et l'aborda le sourire aux lèvres. Depuis la tentative de suicide, elle la considérait comme une toquée, comme un cerveau détraqué, dont l'inquiétante démence demandait des ménagements. Contenant son indignation, ce fut d'une voix dolente que cette mère outragée, mais miséricordieuse, remontra à sa fille l'injure qu'elle lui faisait.

«Que voulez-vous? répondit Jacquine. J'ai grand besoin de repos, pour quelque temps du moins, et confessez, chère maman, que vous n'êtes guère reposante.»

Mme Vanesse n'eut garde de s'engager dans une discussion où elle était sûre d'avoir le dessous. Elle se contenta de dire:

«Tu as un étrange caractère, et tu m'as souvent étonnée, mais je te croyais trop fière pour accepter l'hospitalité d'une inconnue.

—Vous n'êtes pas au fait: il a été convenu entre Mme Sauvigny et moi que je payerais pension, et je me propose d'acquitter dès demain par anticipation le premier quartier.»

Le coup fut cruel à Mme Vanesse, qui dut se faire violence pour dissimuler son dépit.

«C'est donc une affaire qu'elle fait avec toi? Elle en fait, paraît-il, avec tout le monde, avec le docteur Oserel, à qui elle loue des maisons, avec moi à qui elle vient d'acheter Mon-Refuge.

—À un bon prix?

—À un prix dérisoire, mais j'étais résolue à m'en défaire coûte que coûte. Comment ne prendrais-je pas en dégoût un pays où ma fille a voulu mourir?

—Je ne vous comprends pas: vous vous êtes plainte quelquefois que c'était un pays trop tranquille, qu'il ne s'y passait jamais rien, j'ai voulu vous prouver qu'il pouvait s'y passer quelque chose.

—Mais enfin que te veut cette femme? reprit Mme Vanesse en froissant les brides de son chapeau. Quelles sont ses intentions sur toi? Sans doute elle avait besoin d'une demoiselle de compagnie, et elle a si bien manœuvré qu'elle ne la paie pas, c'est la demoiselle qui paie. Elle est vraiment très forte. Je te croyais aussi fine que fière; comment t'es-tu laissé prendre aux paroles sucrées de cette enjôleuse?

—Vous savez que la curiosité est mon péché mignon; je désire savoir qui elle est, comment est fait le fond de son cœur, quelles raisons elle a pu avoir de renoncer à la jouissance d'un beau château et d'un parc de cinq cents arpents, à la seule fin de se rendre agréable à des vieillards et d'obliger un docteur, que je vous donne pour un vrai fagot d'épines. Avouez que c'est un cas qui mérite d'être étudié.

—Bah! tu découvriras bien vite que les femmes qui affectent de s'adonner aux œuvres de miséricorde sont ou des intrigantes qui aiment à tracasser ou des pécheresses repenties.

—Oh! bien, les pécheresses qui se repentent sont une variété de l'espèce humaine que je ne connaissais pas encore. Cela me changera.»

Mme Vanesse s'était promis de ne pas se fâcher: elle ne se fâcha pas. Après un court silence:

«J'ai une proposition à te faire, dit-elle, et tu l'accepteras, s'il t'est possible d'être raisonnable une fois dans ta vie. Mme Sauvigny, qui décidément est une forte tête, a obtenu de moi que je lui remettrais au premier jour les clefs de ma maison, et dès après-demain, je serai de retour à Paris. Tu es une honnête fille, et tu as je ne sais comment une imagination dévergondée, qui voit partout des mystères et des noirceurs. Quelque absurdes, quelque extravagantes que soient certaines idées que tu t'étais fourrées dans la cervelle, si tu me promets de partir avec moi, tout à l'heure, en rentrant, je donnerai son congé au comte Krassing.»

Jacquine la regarda dans les yeux; ce regard et le sourire qui l'accompagnait disaient avec une suffisante clarté: «Lui avez-vous trouvé un remplaçant?»

«Je suis touchée, chère maman, répliqua-t-elle, du sacrifice que vous voulez bien me faire; mais, je vous le répète, c'est la curiosité qui me retient ici, et je ne m'en irai qu'après avoir terminé le cours de mes études. Le voyage de découvertes que je vais entreprendre dans le pays du bleu aura pour vous cet avantage qu'il purifiera mon imagination dévergondée; quand nous nous reverrons, j'aurai le cœur d'un innocent agneau, et je ne vous chagrinerai plus par mes soupçons injurieux et téméraires.

—Soit! fais ce qu'il te plaira», lui repartit sa mère, qui avait hâte de la quitter, se sentant, malgré ses résolutions, sur le point de se fâcher. «Je ne te dis pas adieu; il n'est pas besoin d'être grand sorcier pour prévoir que tu t'ennuieras à la mort dans ce lieu de délices, que tu me reviendras et que je serai assez bonne pour te recevoir.»

Pendant deux heures, Jacquine vaqua aux soins de son emménagement. S'étant fait une loi de prendre en toute chose le contre-pied des us et coutumes de son père et de sa mère, dont on pouvait dire que le désordre était leur élément, elle poussait jusqu'à la minutie l'amour de l'ordre et de la tenue, et elle avait dressé, stylé à sa mode sa femme de chambre, qu'elle s'était attachée par ses générosités et à qui elle imposait beaucoup. Quoiqu'elle la traitât civilement, elle lui inspirait une admiration craintive. Cette Bretonne d'humeur grave et d'esprit crédule tenait sa jeune maîtresse pour un être à part; elle trouvait quelque chose de redoutable dans le mystère de ses yeux de teinte indécise, qu'elle soupçonnait de jeter des sorts, et elle respectait aveuglément ses moindres volontés comme les arrêts d'une sagesse supérieure, qu'il était dangereux de discuter. Lorsqu'elle eut vidé les malles, serré le linge et les robes, placé en un lieu convenable et à leur jour les vitrines et leurs papillons, tout épousseté, tout rangé comme l'entendait mademoiselle, qui exigeait qu'on fit bien et qu'on fit vite, Jacquine la renvoya en lui disant qu'elle éprouvait le besoin de se reposer et la priant de ne pas revenir avant qu'elle l'eût sonnée.

Restée seule, elle s'installa dans un fauteuil, promena son regard autour d'elle, décida que son salon lui plaisait, que le rose très pâle de la tenture se mariait bien avec le blanc crémeux d'un ameublement laqué et réchampi, avec les teintes moelleuses des étoffes, du tapis, des rideaux, que par son élégante simplicité et ses tons clairs qui caressaient les yeux, ce salon ressemblait à la personne qui l'avait habillé et dont les qualités apparentes étaient la douceur, la grâce et la distinction. Mais que cachaient cette distinction, cette grâce, cette douceur? C'était là ce qu'il s'agissait de savoir. Toutes les âmes sont des bottes à double fond, et il ne faut jamais être dupe des apparences.

Elle avait peine à admettre que, comme le prétendait sa mère, Mme Sauvigny fût une pécheresse repentie ou une vulgaire intrigante, une tracassière. Non, ce n'était pas là ce que disaient sa figure et son sourire. Toute réflexion faite, elle inclinait à croire que ce mystérieux sourire, qu'elle n'avait pas encore déchiffré, était un appât destiné à prendre les cœurs, un attrape-nigaud; que cette charmeuse, qui s'attribuait le don d'attraction magnétique, se servait de sa grâce pour exercer sur ses crédules et heureuses victimes un irrésistible empire, que son visage exprimait sa pleine confiance dans la vertu de son fluide et la certitude d'une prompte et facile victoire. Elle avait appris de sœur Eulalie que Mme Sauvigny était protestante, et elle croyait savoir que les protestantes sont souvent d'intrépides convertisseuses, que ces femmes qui ne se confessent pas aiment à confesser, qu'elles prennent plaisir à manipuler, à gouverner les âmes, que les joies que procure à leur orgueil le métier de directrices de consciences leur tiennent lieu des friandises mondaines qu'elles se refusent.

«Elle a su couvrir son jeu; mais sûrement son offre aussi obligeante qu'imprévue cachait un piège, et en m'attirant chez elle, elle avait une arrière-pensée. Mon cas lui a paru intéressant; ma mère lui aura dit que j'avais «un caractère indomptable», c'est son mot sacramentel, et elle s'est promis de me dompter.... Ah! madame, vous trouverez à qui parler!»

Une fois entré dans sa cervelle, ce soupçon n'en devait plus sortir, et, se raidissant d'avance contre la charmeuse, elle la mettait au défi; le porc-épic hérissait tous ses piquants.

Elle se leva, ouvrit une porte-fenêtre; elle voulait savoir ce qu'on voyait de son balcon, elle alla prendre l'air. Il avait fait très beau ce jour-là, et quoiqu'on fût en octobre, il soufflait un vent tiède. Elle regarda tour à tour en haut et en bas. Le ciel lui montra de petits nuages floconneux, que le soleil couchant teintait de rose, la terre un pré clos de haies vives, où une jument, qui avait cessé de paître, folâtrait avec son poulain, un noyer au front dépouillé, autour duquel tournoyaient deux corbeaux, dans la vaine espérance d'y découvrir une noix oubliée; plus près d'elle, une rivière lente, traînant si paresseusement ses eaux verdâtres qu'elle semblait, en s'en allant, avoir regret à quelque chose; parmi les roseaux un râle brun fauve, qui, sa journée faite, regagnait son nid; plus loin, dans le fond, une des arches d'un pont de pierre et une petite île où croissaient de grands peupliers, auxquels une vigne de Canada suspendait ses draperies d'un rouge d'écarlate. Quel éclat! quelle splendeur! dans quel ironique dessein la nature se mettait-elle en frais pour parer notre demeure, pour embellir par la pompe de ses spectacles cette sotte rapsodie qu'on appelle la vie humaine? C'était se moquer de nous, insulter à notre misère. Un si riche décor pour une si pauvre pièce!

Les nuages roses, les cabrioles de la jument et de son poulain, la rivière, le râle, la vigne et ses taches rouges, elle ne regarda plus rien, sauf une petite fumée grise qui s'échappait d'un toit voisin, pointait un instant vers le ciel et se dissipait bientôt, s'évanouissait dans l'air. Que cette fumée lui parut heureuse! et qu'elle enviait son bonheur! S'évaporer et disparaître à jamais, quelle félicité! Ô délices de ne plus être!... Où est-elle? Ne la cherchez pas: elle s'en est allée en fumée, vous ne la reverrez point.... Mais elle fit la réflexion que, pour jouir du bonheur de n'être plus, il faudrait être; que dans ce misérable monde, la mort elle-même est une duperie. Elle ne voulut plus voir ni la terre ni le ciel, et elle rentra dans son salon clair, que la nuit commençait à envahir.

Son entretien avec sa mère l'avait profondément irritée, avait exaspéré ses nerfs, ravivé ses vieilles haines, ses vieux dégoûts, ses vieilles rancunes contre la vie; elle avait senti se remuer au fond de son cœur toute cette lie qui lui empoisonnait le sang, et elle était entrée dans une maison de paix la bouche amère, le défi aux lèvres, la guerre dans l'âme.

Pour soulager ou tromper son fiévreux chagrin elle voulut ne penser, pendant quelques instants du moins, qu'au seul être qui l'eût aimée, à ce mort qu'elle avait comme embaumé dans son souvenir. Elle tira ses rideaux; sa cheminée était ornée de deux beaux candélabres de cristal, dont elle alluma toutes les bougies pour faire fête à l'image qu'elle évoquait. Elle s'assit devant une table ovale, couverte d'un tapis de velours, elle y allongea ses bras, y posa sa tête, qui était lourde, ferma les yeux, et le fantôme lui apparut.

Son imagination l'avait transportée dans une salle d'un vieux château, où tout était vieux, hormis le cœur d'un beau vieillard propret, doux et frais, vêtu de gris, dont l'haleine avait une agréable odeur de luzerne coupée. Il avait eu de grands ennuis, des soucis cuisants, et il avait employé sa vive intelligence à se distraire et à se consoler. Au moment où elle l'aperçut, il était à demi couché sur un sopha quelque peu dépenaillé; un chien de chasse édenté, décrépit, dormait à ses pieds; un peu plus loin, lui faisant face, une petite fille travaillait à une tapisserie destinée à remplacer la brocatelle usée du sopha; il désirait que les petites filles fussent toujours occupées, que tour à tour elles fissent travailler leur esprit ou leurs mains; rien n'était plus propre, selon lui, à les préserver des tentations. Ce soir-là, il venait d'entamer un discours en trois points, et tout en parlant, il croquait des talmouses; il aimait presque également les talmouses et les longs discours. Parfois le mot ne lui venait pas, il se penchait sur son chien, lui tirait paternellement les oreilles, et le mot venait comme par miracle.

Il était en train d'expliquer à sa petite-fille que sans doute il y avait dans ce monde de grands désordres et de grands fléaux, que le pire de tous était la femme impudique qui enlace les cœurs et déshonore les maisons, qu'en tolérant le mal, la Providence avait sûrement ses intentions secrètes qui nous échappent, que nous devons tenir pour des épreuves salutaires les souffrances qu'elle nous inflige, que, dans le fond, quoi qu'il nous en semble, Dieu est infiniment bon et veut le bien de ses créatures. Elle avait peine à l'en croire; dès sa plus tendre jeunesse, le peu qu'elle connaissait du monde, tout ce qu'elle avait vu autour d'elle la disposait à croire que Dieu est un grand indifférent, qui laisse aller les choses, ou qu'il a trop d'affaires sur les bras pour se mêler des nôtres: quand on a des soleils hors de service à raccommoder, a-t-on le loisir de s'occuper des petites filles et d'écouter leurs innocentes prières? Peut-être était-il appelé à voyager souvent dans son immense univers; on croyait le tenir, il était absent, il était en courses. Peut-être aussi faisait-il de longs sommes et, avant de s'endormir, défendait-il qu'on le réveillât.

Depuis ce temps, toutes les expériences qu'elle avait faites l'avaient confirmée dans ses opinions d'enfant. Quelle grâce lui avait accordée ce Dieu infiniment bon? Il l'avait laissée choir dans une mare, en lui disant: «Nage, tire-toi d'affaire comme tu pourras». Et elle avait nagé au milieu des crapauds, des têtards et des couleuvres. À la vérité, il avait inspiré à Mlle de Salicourt l'heureuse idée de léguer une pension à sa petite-nièce; elle lui avait su gré de ce bon mouvement, elle lui avait marqué une bonne note. Mais jusqu'ici, à quoi avait servi cette pension? À gorger de faisans et de perdreaux un comte Krassing, à l'abreuver de vins fins et à lui payer des épingles de diamant. Ô dispensations providentielles!

De réflexion en réflexion, elle avait oublié qu'elle se trouvait dans un vieux château. Elle y retourna. Passant au second point de son sermon, le marquis de Salicourt s'appliquait à démontrer que, l'infinie bonté étant le principal attribut de Dieu, nous sommes tenus d'être bons, très bons si nous voulons lui ressembler, et pour prêcher d'exemple, il partagea une talmouse avec son vieux chien. Il ajouta que non seulement le pardon des injures nous est commandé par l'Évangile, que c'est de toutes les vertus celle qui ennoblit, honore le plus l'homme qui la pratique et qu'elle donne à la femme une grâce céleste, et il exhorta sa petite-fille à avoir toute sa vie l'horreur du mal et une grande pitié des pécheurs, lesquels sont toujours malheureux.

Ce qu'il lui avait dit alors, il le lui répétait en cet instant. Il était sorti de son tombeau pour venir la trouver. Elle sentait qu'il était là, derrière son fauteuil; mais elle n'avait garde de se retourner et de rouvrir les yeux; on ne voit les fantômes que les yeux fermés. Il était si près d'elle qu'elle respirait son haleine; pouvait-elle en douter? elle avait reconnu la douce odeur de luzerne coupée. De son vivant, il lui imposait tant de respect qu'elle l'écoutait sans contester. On prend plus de libertés avec les morts; on a avec eux un commerce plus intime; on ose leur dire tout ce qu'on a sur le cœur. Elle osa lui représenter que les haines vigoureuses sont nécessaires à la santé de l'âme, que ce sel divin les empêche de se corrompre, que la loi du talion est sainte, qu'en rendant le mal pour le mal, on remplit une mission sacrée, qu'on travaille au rétablissement de l'ordre, qu'on remet les choses à leur place, que s'il y a une justice céleste, on devient son instrument et l'ouvrier de ses vengeances.

Il répliquait, elle ripostait; mais craignant de le chagriner, elle couvrait de baisers ses longues mains pâles de vieillard. Elle lui disait: «Ce n'est pas Dieu qui est infiniment bon, c'est vous. Je vous ai aimé dès le premier jour, et toujours je vous aimerai. Mais on ne se refait pas, on ne violente pas ses penchants, ses instincts. On a été dur pour moi, je serai dure pour les autres. Vous ne savez pas quelle fatalité s'est appesantie sur votre petite-fille. Je veux vous conter tout ce que j'ai souffert, je veux tout vous expliquer. Et d'abord....»

«Mademoiselle, vous avez bien dressé votre femme de chambre, dit en souriant Mme Sauvigny, qui, avant d'entrer dans un salon, qu'elle s'étonnait de trouver si brillamment illuminé, avait frappé deux fois à la porte. Quoi que j'aie pu lui dire, exécutant vos ordres à la lettre, elle attendait que vous l'eussiez sonnée pour venir vous avertir que le dîner était servi. N'avez-vous pas entendu la cloche?

—Excusez-moi, madame, répondit Jacquine d'un ton cérémonieux, je m'étais endormie.»

Mme Sauvigny remarqua qu'elle avait les yeux rouges. Peut-être avait-elle pleuré. C'était la première fois qu'il lui arrivait pareille aventure.

IX

Dès le jour où son château s'était converti en hospice, Mme Sauvigny avait tenu un journal quotidien et circonstancié de tout ce qui s'y passait. Elle y consignait, avec les menus détails qu'elle craignait d'oublier, un résumé de ses expériences heureuses ou fâcheuses et des remarques sur le caractère de ses quatre-vingts vieillards des deux sexes, valides ou infirmes, payants ou non payants, qu'elle connaissait tous et avec qui elle avait de fréquents entretiens. Son journal leur était exclusivement consacré; mais cette année-là, à partir du mois d'octobre, il lui arriva de loin en loin d'y insérer des notes et des réflexions qui ne les concernaient point, et qui prouvaient que leur bonheur n'était plus son unique souci, qu'une complication survenue dans sa vie l'occupait beaucoup.

Elle écrivait, par exemple, le 5 novembre:

«Quand Doubleix, ancien couvreur, soixante-seize ans, est entré à l'asile, il avait été convenu qu'il paierait la demi-pension de 250 francs. L'une de ses brus est venue crier misère et m'a demandé de le recevoir parmi les non-payants. Informations prises, il se trouve que son fils aîné, mécanicien à Paris, gagne dix francs par jour, que le cadet, coquetier à Nemours, a récemment acheté un jardin. Après avoir consulté notre trésorier, j'ai refusé et je tiendrai bon. Il ne faut pas dispenser facilement des enfants de contribuer à l'entretien de leur père. Ce serait d'un mauvais exemple, et dispenser les hommes de leurs devoirs, c'est leur ôter l'honneur....

«Ce soir, pour la première fois, le docteur m'a parlé d'elle:

«Avouez que vos amis avaient raison et que vous regrettez de n'avoir pas suivi nos conseils; que cette demoiselle répond mal à vos avances, qu'elle vous désole par ses froideurs, que vous ne dégèlerez jamais ce glaçon. Mais vous n'avouerez rien; les femmes n'avouent jamais qu'elles se sont trompées.»

«En effet, je n'ai rien avoué. Je lui ai dit: «Convenez de votre côté que si elle s'en allait, mon chalet perdrait son plus bel ornement; elle est si jolie, si élégante!

«—Eh! oui, c'est une jolie diablesse, qui se fera une joie de vous tourmenter. Quand on a une maladie chronique, il faut la prendre en patience; mais s'en donner une de propos délibéré, de gaîté de cœur, pour le seul plaisir de l'avoir, c'est un excès de déraison dont vous êtes seule capable.

«—Ne me plaignez pas, lui ai-je répliqué, j'aime mon mal.»

«J'en disais trop, mon mal me fait souffrir, et il est certain qu'elle me désole par ses froideurs.

«Il faut pourtant qu'elle se trouve bien chez moi, puisqu'elle ne parle point de s'en aller.

«Espérons et patientons. Le monde est aux patients, disait mon père. Je n'aspire pas à conquérir le monde; mon ambition se borne à vouloir forcer l'entrée d'un cœur qui se garde et se ferme. La sentinelle crie: «Passez au large!» Que sait-on? je finirai peut-être par entrer.»

16 novembre.
«Loquerol, pour qui sœur Agnès me reproche d'avoir un faible inexplicable, est un alcoolique imparfaitement corrigé. Il m'est revenu qu'il médisait de mon vin, qui est pourtant bon, qu'il le qualifiait d'eau rougie. Le docteur m'a conseillé de lui octroyer de temps à autre un petit grog au rhum; il m'a cité ce mot d'Hippocrate: «Il faut avoir des égards pour les habitudes, surtout quand elles sont mauvaises.» Loquerol aura ses grogs lorsqu'il aura fait réparation à mon vin....

«Elle m'étudie, elle m'analyse, elle m'épluche, elle veut savoir qui je suis. Dans la meilleure intention, sœur Eulalie m'avait rendu un mauvais service, en lui faisant mon éloge; c'était le plus sûr moyen de la prévenir contre moi. Elle a trop de monde pour me poser des questions indiscrètes; ce sont ses yeux qui m'interrogent, et dans ces moments-là, ils sont gris, luisants et froids comme la peau d'une couleuvre.

«Nous avons passé la soirée tête à tête; nous brodions, assises en face l'une de l'autre. Elle m'a conté gaiement quelques épisodes de son séjour chez sa tante, qui était craintive et qui, à force de craindre, tombait quelquefois de la poêle dans la braise. Je ne l'avais jamais vue si expansive, si bonne fille. J'étais ravie; je me disais: Les glaces fondent. J'ai laissé trop paraître mon contentement, son visage s'est assombri et, changeant de ton, elle m'a débité un long réquisitoire contre le genre humain, dont la conclusion était qu'il n'y a sur la terre que des coquins et des coquines.

«Les présents exceptés, lui ai-je dit.

«—On les excepte toujours», m'a-t-elle répondu.

«Long silence. Tout à coup j'ai éprouvé un secret malaise: il m'a semblé que son regard, posé sur moi, descendait jusqu'au fond de mes entrailles et fouillait partout. C'était une véritable visite domiciliaire.

«J'ai pensé que, pour fléchir mon juge intraitable et effacer les déplorables impressions qu'une amie trop zélée lui avait données de moi en faisant mon panégyrique, je devais lui confesser mes faiblesses, et je me suis exécutée galamment.

«Comme Mlle de Salicourt, lui ai-je dit, je ne suis pas une coquine, mais je suis fort peureuse, et ce ne sont pas seulement les chenilles qui m'effraient.»

«Son visage s'est détendu, ses yeux gris de couleuvre ont repris leur couleur de nuage, son regard m'a paru moins dur et plus chaud. Elle se sentait supérieure à moi, j'avais la tête de moins qu'elle, et dans cet instant du moins, elle me pardonnait mes pauvres petites vertus, imprudemment exaltées par sœur Eulalie. Elle m'a fait énumérer toutes les choses qui me font peur; j'ai tout dit, les serpents, une maison où j'entre pour la première fois, un cheval qui se cabre, les promenades sur l'eau, la solitude et le silence des bois.

«Que craignez-vous dans les bois?

«—Les mauvaises rencontres.

«—On n'en fait que dans les salons.

«—Je gagerais, mademoiselle, que vous n'avez peur de rien.

«—C'est une sensation que je n'ai pas encore éprouvée.»

«Je voulus aller vite en affaire, et ma témérité ne fut pas heureuse.

«Le courage se communique, repris-je; quand il vous plaira de vous promener à pied dans la forêt, emmenez-moi, et vous verrez que sous la conduite d'un tel chaperon, je n'aurai peur de rien.»

«Je secouais trop tôt le prunier; la prune ne tomba pas. Ma pensionnaire fronça légèrement ses blonds sourcils; jamais pouliche ne fut si ombrageuse. Cependant, tout à l'heure, en me quittant, elle m'a presque serré la main; jusqu'ici elle se contentait de me toucher le bout des doigts. Oh! je ne me fais point d'illusions; nous ne nous embrasserons ni cette semaine ni la semaine qui vient.»

25 novembre.
«Je suis sortie mélancolique de la lingerie. J'ai acheté; il y a un an, pour quatre mille francs de linge, et il commence à s'user. C'était de la marchandise d'occasion; je m'étais

flattée d'avoir fait une bonne affaire. On a raison de dire que rien n'est plus ruineux qu'une économie mal entendue....

«Ce désolant pessimisme, cette implacable misanthropie, cette impossibilité de croire au bien, d'expliquer une action humaine par un motif noble et désintéressé.... Les plus généreuses, celles qui se présentent le mieux, qui ont le meilleur visage, lui sont suspectes: ouvrez la pomme, vous trouverez le ver. Si elle écrivait des romans ou des pièces de théâtre, elle excellerait dans la littérature cruelle. Qui la guérira de sa maladie d'esprit? Il faudra que le bon Dieu s'en mêle.

«Elle m'a procuré cet après-midi une agréable surprise en me proposant de faire avec elle une promenade à pied, en forêt. J'ai accepté de bonne grâce, sans y mettre trop d'empressement: elle fait mon éducation, j'apprends à doser mes pilules. Le temps était presque doux, la forêt sentait bon; j'aime beaucoup l'odeur des feuilles mortes. Nous avions emmené mon gros bon loulou; elle a folâtré avec lui, elle avait douze ans; pourquoi donc en a-t-elle si souvent soixante? Nous avons fait une halte dans une clairière, au pied d'un éboulis. Assise sur un bloc de grès, elle a observé quelque temps un pic, qui, après avoir grimpé en spirale le long du tronc d'un vieux chêne, en trouait l'écorce à grands coups de bec. Elle m'a expliqué que c'était un épeiche et en quoi il différait d'un pivert. Tout en l'écoutant, je me disais que cette jeune fille, le rocher de grès où elle était assise, et cet épeiche qui cherchait des insectes ou des larves étaient tous les trois également indifférents à tout ce qu'on pouvait penser d'eux, qu'ils n'avaient cure de mon opinion, que ma pensionnaire était beaucoup plus près de la nature que moi. C'est une étrange demoiselle. Aussi raffinée de ton et de manières qu'on peut l'être, cette petite-fille de marquis est dans le fond une vraie sauvagesse. Comme les sauvages, elle n'a d'autre règle de conduite que des sensations, des images et un petit nombre d'idées très simples, qu'elle prend pour des vérités évidentes et qui lui tiennent lieu de raison et de conscience.

«Valery, à qui je faisais part de ma réflexion, m'a dit:

«Défiez-vous! cette sauvagesse est pour moi la preuve qu'on peut avoir à la fois l'âme pure et perverse.»

«Je me suis récriée.

«Eh! oui, chère madame, elle a horreur du péché de la chair; mais amusez-vous à lui chercher noise, faites-lui la plus légère offense, tous les moyens lui seront bons pour se venger de vous. Les sauvages empoisonnent leurs flèches.»

«Nous étions seuls; il a ajouté de sa voix caressante, qui me plaît autant que sa musique:

«Quiconque n'aime pas Charlotte est à mes yeux un être pervers.»

«Il m'a reproché de trop la ménager, d'être beaucoup trop indulgente.

«Que voulez-vous? lui ai-je dît, je ne peux m'empêcher de l'admirer. Si Charlotte avait vécu dans un vilain monde et s'y était rempli les yeux de vilaines choses, je doute que, comme Mlle Vanesse, elle eût l'âme pure.»

«Il m'a défendu d'en dire davantage et s'est mis au piano. Elle a de l'éloignement pour lui et il ne peut la souffrir. Me voilà bien embarrassée. Je tâche de les rapprocher, j'espère qu'ils finiront par s'entendre. Elle a tant de naturel! Ne m'a-t-il pas dit un jour, pour me faire un compliment, qu'il n'avait de goût que pour les femmes qui lui faisaient l'effet d'un morceau de nature?»

12 décembre.
«Longue conférence avec notre jardinier en chef. Désormais, dans le jardin de l'hospice, les légumes et les arbres fruitiers, dont les racines s'étendent de plus en plus, sont en guerre. Il faut opter entre les uns et les autres, et il m'engage à sacrifier une partie des légumes. «Le fruit est cher, m'a-t-il dit, et vous achèterez à bon compte des pommes de terre et des fèves.» Il en parle à son aise. J'ai remarqué que nombre de mes bons vieux et de mes bonnes vieilles s'intéressaient beaucoup à leur jardin, qu'ils aimaient à voir fleurir leurs fèves, qu'ils disaient volontiers: nos pommes de terre; et leurs pommes de terre ne seront plus à eux si je les achète: j'aurai appauvri leur vie et leur imagination. Ne serait-il pas possible de trouver dans le voisinage un terrain bien exposé où nous transporterions notre potager? Ce serait pour les plus valides un but de promenade. C'est une question à étudier....

«Trouvez-vous, madame, que ma petite Diane de bronze me ressemble?»

«Et elle m'en faisait les honneurs. Assurément la ressemblance est frappante: c'est la même finesse de traits, la même rondeur charmante des joues et du menton; c'est aussi la même petite bouche pincée, pareille à une fleur en bouton qui ne s'épanouira jamais.

«Il y a toutefois entre vous, lui ai-je dit, une grande différence: elle se coiffe autrement que Mlle Vanesse, elle a un chignon.

«—Et vous n'aimez pas ma natte qui me bat les talons?

«—Il me semble qu'elle n'est pas de votre âge.

«—Oui, vraiment, c'est une natte de petite fille, et c'est pour cela que j'y tiens; tant que je la porterai, il ne viendra à l'esprit d'aucun jeune homme de me faire la cour. Il n'y a que les vieillards qui s'amourachent des petites filles, et on les soufflette.»

«Je connais pourtant un jeune homme qui tourne beaucoup autour d'elle; c'est un de mes voisins, qui s'appelle M. André Belfons; elle ne daigne pas s'apercevoir de ses petits manèges.

«Ah! c'est pour cela que tu tiens à ta natte! Tu n'avais pas besoin de me le dire, j'avais deviné ton beau secret. C'est égal, s'il ne tenait qu'à moi, j'enterrerais ta déesse au fond d'une armoire; elle est exquise, mais je la crois dangereuse; je soupçonne cette vierge noire d'être ta confidente et de te donner de mauvais conseils.»

1er janvier.
«Il y a eu hier soir du désordre dans le quartier des femmes. Selon la coutume, elles avaient fêté la Saint-Sylvestre, en mangeant de la dinde aux marrons et en buvant du vin de ma cave. Elles en ont trop bu et ont gâté leur joie. Après le dîner, dans la salle de lecture et de récréation, la veuve Pricard, qui jouait au bésigue avec Mlle Maillet et qui perdait, s'est consolée de sa malechance en faisant une allusion détournée à un enfant qu'aurait eu cette pauvre créature à l'âge de seize ans. Mlle Maillet l'a sommée de s'expliquer, la querelle s'est échauffée, toute l'assistance a pris parti. Les religieuses de service, impuissantes à mettre le holà, ont menacé ces folles de venir me chercher, et peu à peu tout est rentré dans l'ordre. Ce matin, je me suis fait envoyer Mme Pricard et je l'ai vertement semoncée. Je ne sais pas si Mlle Maillet a fait une faute à seize ans, mais je sais qu'elle en a soixante-sept, qu'elle a toujours vécu honnêtement de son métier de ravaudeuse, qu'une affection des yeux, qui l'empêchait de coudre, l'avait réduite à la misère, qu'elle n'a point de famille pour la soutenir. Pauvre innocente brebis! Depuis longtemps la paix du ciel est descendue sur son péché....

«Jacquine aime les dentelles. J'en possédais de superbes, que mon père avaient eues dans la liquidation d'un débiteur insolvable. Je mourais d'envie de les lui donner; je n'osais pas et j'avais tort. Vers neuf heures du matin, elle est entrée dans ma chambre pour me souhaiter une heureuse année. Elle tenait à la main un écrin. Sa tante lui a laissé tous ses bijoux de famille, parmi lesquels il en est de très beaux, entre autres un camée antique sur pierre dure que j'avais admiré. Elle venait me l'offrir, et je lui ai offert mes dentelles, en l'assurant que je ne les avais jamais mises.

«C'est dommage, m'a-t-elle dit d'un air de reine affable, elles n'en auraient que plus de prix.»

«Voilà, ce me semble, une année qui s'annonce bien.»

17 janvier.
«La bonne, la charmante journée! Et tout d'abord, sœur Agnès m'a dit un mot qui m'est allé au cœur. Notre buanderie demande à être entièrement refaite et le dallage de la chapelle a besoin d'une réparation sérieuse. Je disais à sœur Agnès que j'avais dressé mon budget, que je désirais renvoyer à l'an prochain l'une ou l'autre de ces deux dépenses extraordinaires. Par laquelle devais-je commencer? Elle m'a répondu sans hésiter:

«Commencez par la buanderie. Il ne faut pas prendre aux pauvres pour donner à Dieu; cela ne lui ferait pas plaisir et je le connais assez pour savoir qu'il attendra volontiers.»

«Nous nous faisons la même idée du grand inconnu.

«Une heure plus tard, je conduisais Jacquine à l'étang de Serly qui depuis huit jours est entièrement gelé. Elle m'avait dit qu'elle patinait; elle ne s'était pas vantée d'être une virtuose, que dis-je? une grande artiste, une étoile; enveloppée dans mes fourrures, assise sur une planche, oubliant le froid qui pinçait et mes pieds morts, je me suis délectée à la voir partir comme un trait, fendre le vent, la tête haute, l'air aisé et vainqueur, plus déesse que sa Diane, puis s'arrêter brusquement, faire une double pirouette, décrire des ronds, des huit, des entrelacs, et ce qui me touchait davantage, me chercher quelquefois des yeux, et quand elle se rapprochait de la berge, me lancer un regard où je croyais découvrir une joie de vivre. Il y avait beaucoup de monde, on était venu de Paris; on l'observait, on l'admirait, on ne voyait qu'elle, on disait:—Savez-vous qui c'est? Et je me rengorgeais, mon cœur se gonflait d'orgueil, comme si je l'avais inventée. Où l'amour-propre va-t-il se nicher?

«Je causais un instant avec Mme Potier, qui m'est fort obligée d'avoir procuré à son mari une place de garde champêtre, quand je vis arriver la déesse, remorquant un petit traîneau, où elle me somma de m'installer.

«Je vous pousserai par derrière, me dit-elle, cela m'amusera beaucoup.

«—Je n'en doute pas, lui dis-je: mais m'amuserai-je?»

«Je lui reproche son caractère soupçonneux, et dans ce moment j'étais moi-même fort méfiante; je lui attribuais de mauvaises intentions, j'aurais juré qu'elle tramait quelque perfidie. Je me défendis quelque temps, mais je me fis honte de ma pusillanimité, et je m'embarquai.

«N'allez pas me l'endommager! lui cria Mme Potier. Quel malheur!

«—Bah! répondit-elle, les morceaux en seront bons.»

«Je m'abandonnai à mon destin, intimement persuadée que je touchais à ma dernière heure, que j'allais disparaître dans un gouffre. Il y avait au milieu de l'étang un endroit où la glace moins épaisse portait mal, et que les patineurs évitaient avec soin. J'avais prévu que c'était là qu'elle me conduirait. Je fermai les yeux; quand je les rouvris, nous étions à deux pas de l'endroit dangereux; je ne pus retenir un cri d'effroi, et mes ongles s'enfoncèrent dans les bras du traîneau; charmée de m'avoir fait peur, elle le détourna adroitement et me débarqua saine et sauve.

«Nous avions apporté dans le caisson du break un panier couvert; je fis servir notre déjeuner dans une cantine improvisée, que chauffait un grand feu de coke. J'ai souvent des appétits de paysanne, des faims de loup, de vraies fringales, surtout quand je viens de faire quelque chose que je ne fais pas tous les jours. Lorsque je vis s'étaler sur mon assiette une large tranche de pâté de faisan, mon cœur se dilata, et je m'écriai sur un ton lyrique, prétend-elle:

«Il faut avouer qu'il y a de bons moments dans la vie.»

«Elle partit d'un éclat de rire, elle se disait sans doute: Ils sont tous à l'encenser; elle n'est à tout prendre qu'une bonne petite femme bien ordinaire.

«Quel enthousiasme, fit-elle, pour une tranche de pâté!»

«Elle a raison, je ne suis qu'une femme bien ordinaire. Cependant, si elle me connaissait mieux, elle saurait que mes plaisirs de gourmande affamée sont plus compliqués qu'elle ne le pense, qu'il y entre d'autres ingrédients qui les ennoblissent, je m'en flatte du moins. Il m'arrive d'éprouver des sensations très agréables et très vives, qui en réveillent d'autres, et il s'y joint des sentiments, des idées, fort disparates en apparence, qui ne laissent pas de former un ensemble indivisible. Tout cela se mélange, s'amalgame, se combine, et il en résulte une grosse joie, qui me fait croire et dire que la vie est bonne. Tandis que je caressais des yeux mon assiette, je songeais au plaisir que j'avais éprouvé en regardant patiner Jacquine, à l'admiration qu'elle s'était attirée sans le savoir, à certains regards qu'elle m'avait lancés et qui semblaient dire que désormais j'étais quelque chose pour elle, au grand effort que j'avais dû faire sur moi-même pour m'embarquer dans le traîneau, au gouffre où je n'étais pas tombée, au soin qu'une déesse avait eu de ma fragile personne, et pour brocher sur le tout, je me souvenais que ce matin-là, à mon réveil, j'avais reçu d'un grand compositeur un petit billet où j'avais lu ceci: «Vous êtes très réservée, très avare de vos démonstrations, et vous avez au plus haut degré la pudeur du sentiment. Ce qui est délicieux, c'est que les gens qui vous aiment se sentent aimés sans que vous preniez la peine de le leur dire.»

«Est-il donc faux qu'il y ait de bons moments dans la vie? Et n'y avait-il pas là de quoi ennoblir ma gourmandise et donner quelque gloire à ma tranche de pâté?»

24 janvier.
«Nous avons enterré ce matin Louis Frivaz. Il est mort d'une embolie à l'âge de quatre-vingt-deux ans, trois semaines et deux jours. Je ne dirai pas que, de tous mes vieillards, c'était celui que je préférais; je ne dois préférer personne, mais je lui étais fort attachée. Cet ancien terrassier, qui ne savait ni lire ni écrire, avait une remarquable netteté dans les idées et dans son sourire une secrète et innocente malice qui me plaisait. Avec cela, beaucoup d'usage, des raffinements de savoir-vivre; je connais des gens du monde à qui il aurait pu en donner des leçons. Il s'affaiblissait depuis peu, sans qu'on le crût en danger. Il avait senti venir sa fin; il m'avait fait demander, il désirait que je fusse là. On m'a avertie trop tard; quand je suis arrivée, il n'était plus. Valery, à qui j'ai dit que je regrettais beaucoup cet octogénaire, a voulu tenir l'orgue. Il a prouvé qu'il n'est pas de mauvais outils pour un grand ouvrier: il m'a profondément émue.

«Je me suis souvent demandé pourquoi j'aimais tant la musique. À l'ordinaire, je l'aime parce que je l'aime, parce qu'elle me délasse, me détend, me repose, me rajeunit; c'est un bain rafraîchissant.

«Vous êtes la femme, me disait Valery, qui aime le plus passionnément les bains de son.»

«Mais, dans la triste cérémonie de ce matin, son orgue a rafraîchi mon esprit plus encore que mes nerfs. Il m'a paru que la musique était une sœur de la mort, qui lui a fait ses confidences et dont elle nous révèle les secrets. Qu'est-ce que la mort? un divin distillateur, qui fait tomber au fond de l'alambic les principes lourds qui doivent y rester, et en dégage ce qui doit s'envoler, cette huile subtile qui est notre vrai moi, notre moi complet, sans les altérations que lui font subir les hasards de la destinée. Par ses soins, par son mystérieux travail, nous devenons tout ce que nous pouvons être; ce n'est plus le romarin, c'est son essence. Nous savons ce que la mort nous ôte, nous sommes incapables de savoir ce qu'elle nous donnera; ce matin, j'ai cru le deviner en entendant chanter cet orgue, je me suis dit que la musique est un art céleste, qui s'entend comme la mort à distiller, et qui, réduisant nos sentiments à l'état d'essences, nous initie ici-bas aux joies, aux mystères, aux visions de la vie d'outre-tombe.

«Jacquine m'a confessé qu'elle aimait beaucoup la musique, mais elle l'aime autrement que moi.

«Quand j'entends un air qui me plaît, me disait-elle, je me sens transportée dans un paradis terrestre, où les hommes sont des êtres aériens, aussi beaux et aussi estimables que des papillons. Les grands musiciens sont pour moi de délicieux imposteurs, qui me débitent des contes bleus, et qui savent si bien mentir que, dans le moment, je crois à tout ce qu'ils me disent. Ce qui me gâte le plaisir que je leur dois, c'est que je sais d'avance que je le paierai; plus le rêve est beau, plus le réveil est triste.»

«La musique est sa morphine, qui engourdit ses chagrins; lorsque Valery se met au piano, elle a beau ne pas aimer l'homme, elle dit au musicien:

«Mon bon docteur, faites-moi ma piqûre.»

«Je lui avais confié que, quoique la faute n'en fût pas à moi, je m'en voulais de n'avoir pu me rendre à l'appel d'un mourant, qui désirait que je le visse mourir. Tout le jour, elle m'a beaucoup ménagée. Elle me disait tout à l'heure:

«Puisque aimer, c'est souffrir, ne pourriez-vous pas vous arranger pour aimer un peu moins?»

2 février.
«À qui donnerons-nous le lit de Louis Frivaz? J'ai déjà reçu plusieurs demandes....

«Depuis une semaine, elle est insupportable; elle me tracasse, elle me chagrine à ce point que je tâche désormais d'éviter les tête-à-tête. Je m'étais imaginé que les glaces fondaient, j'avais vu monter le thermomètre, il est redescendu à zéro. Ce qui m'agace le plus, c'est le ton débonnaire et placide sur lequel elle me récite des aphorismes qui m'exaspèrent. On lui avait vanté ma douceur; elle a juré d'en avoir raison, de voir le bout de ma patience. Elle n'aura pas le plaisir de fâcher Mme Sauvigny; je suis sûre de moi.

«Elle m'a dit ce soir que si, dans le paradis terrestre créé par les musiciens et les poètes, dans ce monde enchanté où les hommes ressemblent à des papillons, l'amour nous apparaît comme une chose noble, charmante, délicate ou sublime, il n'est, dans la vie réelle, qu'un vil appétit, un sentiment bas et grossier, une souillure de l'âme, que c'est l'opinion bien arrêtée de sa Diane. Oh! madame Vanesse, mademoiselle Brehms, monsieur Lunil, que ne peut-elle vous oublier! Vous êtes pour elle tout l'univers et elle juge de la pièce par l'échantillon. Je donnerais beaucoup pour lui faire dégorger ses souvenirs et son passé.

«Elle m'a dit aussi qu'il n'était point d'hommes ni de femmes qui n'eussent quelque chose à cacher, que toutes les âmes ont leur tare.

«Je croyais, lui ai-je dit, que vous aviez toujours tenu votre grand-père pour un homme irréprochable, pour un diamant sans paille.

«—Mon grand-père était un être exceptionnel, unique. Il avait cependant une regrettable faiblesse: il pardonnait.

«—Mademoiselle votre tante avait-elle sa tare?

«—Un vieux monsieur qui l'avait beaucoup connue m'a assuré que sa jeunesse s'annonçait mal, que, comme toutes les Salicourt, elle était de garde difficile et semblait née pour mener une existence orageuse, qu'a vingt ans elle fit une maladie grave et vit la mort de près, que dès lors l'amour de la vie, accompagné d'une prévoyance inquiète de tous les accidents, devint sa passion dominante, qui peu à peu tua toutes les autres.

«—Et vous, mademoiselle, peut-on savoir....

«—Je me pique de n'avoir point de vices: mais on n'est pas parfaite, j'ai du penchant pour le crime, et quand le diable me berce.... Vous voilà prévenue, prenez vos précautions.

«—Et moi-même enfin, qui suis-je?

«—Mon père, a-t-elle répondu de l'air bénin d'une chatte qui mange de la crème, mon père, qui deux ou trois fois chaque année se souvient qu'il a une fille, m'a envoyé six magnifiques papillons du Brésil, ce sont les plus beaux de ma collection. Malheureusement, il avait négligé de les étiqueter, et il en est un dont je n'ai pu trouver le nom dans mes livres. Vous êtes, chère madame, un papillon exotique comme je n'en ai jamais vu; je vous admire beaucoup, mais je n'ai pas encore mis l'étiquette.»

«Je l'aurais souffletée, si ce talent ne me manquait, mais je cassai mon aiguille.

«Quand vous aurez découvert, lui-dis-je, mon nom et ma tare secrète, je vous serai fort obligée de me faire part de votre science; j'aime à m'instruire.»

«Bon Dieu! j'ai comme tout le monde mes faiblesses, mes inconséquences, mes petites misères; mais là, franchement, je n'ai pas de tare. À la vérité, depuis quelques mois, ma vie a son mystère; il est bien innocent; une femme doit-elle rougir de vouloir épouser un musicien qu'elle aime? Il faut que ma conscience se soit endurcie, je ne sens pas ma souillure.

«J'ai des heures de profond découragement. Le jour du patinage, je croyais l'avoir gagnée; il me semble aujourd'hui qu'après trois mois de vie commune, je lui suis plus indifférente que le soir où, l'ayant ramassée sous un saule, je l'emportai à demi morte sur mes genoux.»

Mme Sauvigny se trompait. Le charme commençait à opérer. Jacquine sentait son cœur se prendre, et elle se débattait avec fureur comme un fauve qui a donné dans un piège.

X

Dans les derniers jours de l'automne, M. Saintis, qui était un habile tireur, avait trouvé à louer près de son ermitage une petite chasse assez giboyeuse, moitié plaine, moitié bois, où il avait tué nombre de perdrix et de lapins. Il aurait voulu tuer aussi quelques lièvres. Son rabatteur lui expliqua que jadis ils foisonnaient dans le pays, que les lapins les en avaient délogés, que ces deux espèces de léporidés ont l'une pour l'autre une inimitié héréditaire et se livrent, partout où elles se rencontrent, des combats acharnés, que le lièvre a toujours le dessous et ne tarde pas à disparaître. M. Saintis avait des idées nettes, l'esprit lucide dans les affaires de ce monde comme en musique. Dès la première soirée qu'il avait eu le chagrin de passer au Chalet avec Mlle Vanesse, il lui avait paru clair comme le jour que cette jeune personne lui était aussi antipathique que peut l'être un lièvre à un lapin; qu'elle était de trop dans la maison qui lui était chère, qu'il la forcerait à déloger; qu'il serait le lapin, que, quoiqu'elle n'eût pas l'âme timide, elle serait le lièvre.

Cette créature énigmatique, qu'il déclarait inexplicable, lui déplaisait souverainement. Il était si prévenu contre elle qu'il contestait son évidente beauté. Ni la finesse de ses traits, ni les charmantes rondeurs de son visage, ni l'éclat de son teint, ni ses cheveux abondants, qui avaient l'agréable pâleur du vieil or éteint, ne trouvaient grâce devant lui. Tout cela lui paraissait gâté par les inquiétantes métamorphoses d'un regard, tantôt vague et fuyant comme une fumée, tantôt fixe, acéré et pointu.

Rien n'est plus propre qu'une aversion commune à rapprocher deux hommes qui ne s'aiment pas. Il dit un jour au docteur Oserel, qui depuis peu lui agréait par comparaison, et à qui il faisait des confidences:

«Cette petite fille et sa longue natte me donnent sur les nerfs. Mme Sauvigny s'extasie sur sa figure. Tout bien considéré, elle n'a qu'un joli minois et la beauté du diable.

—Eh! eh! la beauté du diable! répondit le docteur. Dites plutôt qu'elle a une beauté diabolique. Je plains de tout mon cœur le pauvre fou qui s'en coiffera.

—C'est un accident qui ne m'arrivera jamais, repartit M. Saintis. Elle n'a rien de ce qui prend les hommes.»

Il avait une autre raison de ne pas l'aimer: il s'était aperçu tout de suite qu'elle l'aimait peu. Elle avait pour le musicien une grande admiration, qu'elle témoignait rarement, et pour l'homme une médiocre estime. Elle avait rencontré chez ses parents beaucoup d'artistes et d'écrivains connus, et elle s'était convaincue, en observant leurs manèges, que, si admirables que fussent leurs œuvres, ils avaient l'âme petite, qu'ils calculaient toutes leurs démarches, toutes leurs paroles, que l'intérêt et la vanité étaient les seuls mobiles de leurs actions, que le génie se développe aux dépens du caractère, que, comme les perles, les grands talents sont le produit d'une affection morbide, que plus l'huître est malade, plus la perle est d'un bel orient. Au reste, eût-elle fait à M. Saintis l'honneur de le regarder comme une huître saine, il n'aurait pu lui pardonner d'être une intruse fort gênante, de le déranger souvent dans ses entretiens particuliers avec Mme Sauvigny, de tenir trop de place dans une maison où il prétendait régner et dans un cœur qu'il voulait à lui. Je l'ai dit, il avait l'humeur, les susceptibilités et les rancunes d'un dieu jaloux.

Il essayait de se consoler en caressant l'espoir qu'il ne tarderait pas à être débarrassé de son ennemie, que l'ennui la ferait partir ou que la patience de Mme Sauvigny se lasserait, qu'un mariage si mal assorti finirait par un divorce. Mais les mois s'écoulaient, et Mlle Vanesse ne partait pas. Le ciel ne l'aidant pas, il résolut de s'aider, de faire naître quelque incident qui mettrait Mme Sauvigny dans la nécessité de sacrifier à l'homme qu'elle aimait son ingrate pensionnaire. Il entendait toutefois ne rien précipiter, cacher son jeu, sauver les apparences; il voulait que Mlle Vanesse eût tous les torts, et tout en guettant l'occasion, il la traitait avec une irréprochable courtoisie, dont Mme Sauvigny lui était reconnaissante, et pour ne pas être en reste, Mlle Vanesse, de son côté, ne se départait jamais dans leurs fréquentes rencontres d'une civilité froide, mais correcte, qui le désolait, tant il était désireux d'avoir une affaire avec elle et des griefs à redresser. Il semblait qu'elle eût pénétré son dessein et se fît un plaisir de le déjouer.

Depuis le commencement du mois de novembre, deux soirs par semaine, de six à sept heures, dans un grand kiosque construit à cet effet et chauffé dès le matin, M. Saintis, fidèle à sa promesse, enseignait le chant à vingt jeunes villageoises. Que la nuit fût claire ou obscure, qu'il ventât, qu'il plût ou qu'il neigeât, qu'une bise perçante lui cinglât la figure ou que le grésil lui raidît la moustache, il enfourchait sa bicyclette ou son cheval blanc, et on le voyait arriver gaillard et dispos, sans que ses élèves pussent se plaindre que jamais il les eût fait attendre. En vain Mme Sauvigny, confuse de lui imposer une telle corvée, avait voulu le délier de son vœu; il avait répondu à Rachel que sa corvée lui plaisait, qu'il ne s'exemptait que des devoirs désagréables.

Tout d'abord, on avait témoigné peu d'empressement à suivre ses leçons; c'est une entreprise laborieuse que d'introduire des nouveautés dans un village. Plusieurs mères, moins convaincues que Mme Sauvigny de l'utilité de l'inutile, se demandaient si, pour avoir appris d'un compositeur d'opéras à roucouler des romances, leurs filles en auraient la jambe mieux faite ou seraient plus faciles à caser. L'abbé Blandès et M. Moron, l'instituteur primaire, l'un par reconnaissance, l'autre par entraînement de dilettante, secondèrent les désirs de Mme Sauvigny et firent campagne pour l'inutile; c'était la première fois qu'ils se trouvaient d'accord. Ils remontraient aux mères récalcitrantes que, depuis la création de l'homme, on n'avait jamais vu un grand musicien daignant initier de petites villageoises aux rudiments de son art, qu'il avait fallu pour cela un concours de circonstances extraordinaires, que c'était un événement unique qui ne se reverrait pas et une gloire pour la commune, qu'elles seraient inexcusables de refuser la manne qui tombait sur elles. Ils parlèrent si bien qu'on courut se faire inscrire; ce fut une fureur, on dut refuser du monde. M. Saintis avait déclaré qu'il n'accepterait que vingt élèves, choisies, sur la présentation de l'institutrice, parmi les plus douées. La liste fut bientôt close, les retardataires furent éconduites, ce qui donna lieu à des mécontentements, à des zizanies, que Mme Sauvigny tâcha d'apaiser, en se disant que les meilleures choses ont leurs inconvénients et qu'il est dangereux de trop réussir.

Plein d'ardeur, de feu, et sûr de sa méthode, M. Valery Saintis était un admirable maître. Il s'expliquait avec tant de clarté, il possédait à un si haut point l'art de simplifier les questions, de débrouiller les écheveaux emmêlés, qu'il faisait vraiment des prodiges. Il prouvait que, comme on l'a dit, les grands savants sont seuls capables d'enseigner les éléments de leur science. Ce maître ingénieux était aussi le plus véhément, le plus terrible, le plus absolu des despotes. Il menait son troupeau à la baguette; rencontrait-il quelque résistance, lui disait-on: «Je ne peux pas», il sautait au plafond, il bondissait, il tempêtait; il bouleversait ses écolières par ses virulentes sorties, par les éclats de sa voix, par les éclairs de ses yeux. Il ne s'emportait pas toujours, il affectait quelquefois un profond découragement, se laissait couler à bas de son tabouret, et les épaules pliées, tout courbé, l'air aussi douloureux que si on l'eût meurtri de coups, il gagnait la porte, en disant que puisqu'on prenait plaisir à l'abreuver de chagrins, de dégoûts, il s'en allait, qu'on ne le reverrait plus; mais il ne faisait jamais que de fausses sorties, il ne tardait pas à se rasseoir devant son piano, et d'une voix mourante se déclarait prêt à vider son calice jusqu'à la lie; ce n'était plus un Jupiter tonnant, ni le Jéhovah du Sinaï, c'était un Christ portant sa croix; et, pour lui adoucir son supplice, ces demoiselles faisaient l'impossible. Elles tremblaient devant lui; prenait-il l'une ou l'autre à partie, elle perdait contenance: Colette devenait rouge comme braise, Zoé était aussi pâle qu'une morte, Germaine voyait tout danser autour d'elle, Céline sentait la terre s'entr'ouvrir, Marthe ne savait que faire de ses mains et Gervaise de ses yeux, la blonde Gertrude cherchait sa voix et ne pouvait la retrouver, Catherine éperdue fondait en larmes. Constatant d'un air de satisfaction l'empire qu'il exerçait sur ces âmes obéissantes, il s'amusait à les mettre en émoi, et les contorsions de ces petites mouches, comme il les appelait, le payaient de ses peines.

Elles tremblaient devant lui et elles l'admiraient; elles le tenaient pour un être extraordinaire, descendu du ciel à la seule fin de leur procurer des sensations qu'elles n'avaient jamais éprouvées, de leur infliger des tourments dont elles aimeraient à se souvenir. Quelques-unes mêlaient à leur culte superstitieux un sentiment plus tendre: les femmes ont un faible pour les despotes intelligents, et au village comme ailleurs, il y a des imaginations romanesques. La fille du maréchal ferrant, Catherine, cette grosse Catau qui avait la larme facile et la sensibilité exaltée qu'ont souvent les laiderons, s'était avisée de découvrir dans un journal illustré un portrait de l'être extraordinaire. Elle l'avait découpé avec soin, encadré tant bien que mal, accroché au fond d'un placard, dont elle s'était approprié la clef, et avant de se coucher, elle le contemplait longuement, son bougeoir à la main, jusqu'à ce que cette figure céleste lui fût comme entrée dans les chairs. Lorsqu'on fait des entreprises, on ne songe pas toujours aux conséquences; Mme Sauvigny n'avait pas prévu celle-là; mais elle pouvait se rassurer: Catherine aurait mieux aimé se casser bras et jambes ou commettre un crime, comparaître en cour d'assises, que de confesser au dieu sa folie et les rites que célébrait chaque soir, dans un placard transformé en chapelle, une rousse sans beauté, sans grâce et sans tournure. Si Catherine était laide, plusieurs de ses compagnes étaient jolies ou avenantes. Quand elles l'auraient osé, l'idée ne leur serait pas venue de coqueter avec leur maître; elles devinaient instinctivement qu'elles n'avaient pas pour lui de visage, qu'elles étaient des gosiers rustiques, qu'il avait juré d'assouplir et de discipliner. Quelques mois plus tôt, il se serait peut-être humanisé, peut-être eût-il daigné s'apercevoir que Gertrude était une blonde fort agréable. Désormais une image, incrustée dans ses yeux et dans son cœur, le préservait de toutes les surprises des sens; cette amulette, qui le rendait invulnérable aux tentations, l'accompagnait partout. Que lui importait le reste de la terre?

Quoiqu'il prit plaisir à malmener ses écolières, à leur faire des scènes, à leur prouver qu'il excellait dans le tragique, il était content d'elles. L'instituteur et l'institutrice primaires, qui, à la demande de Mme Sauvigny, leur avaient enseigné à lire la musique et à solfier couramment, les avaient bien commencées. Sous la rude et savante discipline de leur nouveau professeur, leurs progrès furent si rapides qu'il les jugea bientôt dignes de passer à des exercices plus relevés. Il avait formé un projet. Il savait que le 3 août Mme Sauvigny entrerait dans sa trente-septième année, et dix ans auparavant, c'était au mois d'août qu'elle avait ouvert son asile. Il voulait fêter ce double anniversaire, excellente occasion de produire ses élèves en public et de montrer quels miracles peuvent opérer une bonne méthode et un maître expert en son métier. Il venait de composer à cette fin une cantate d'un style clair, simple, facile; dès le commencement de février, il la mit à l'étude. De ce jour, il devint plus impérieux encore et plus rigide; il exigeait qu'on respectât religieusement son écriture, il déclara à ces demoiselles qu'elles n'auraient l'honneur de chanter sa cantate que s'il était sûr de la parfaite justesse de l'exécution. Jusqu'alors, Mme Sauvigny assistait aux leçons; il entendait lui ménager une surprise, l'entrée du kiosque lui fut interdite, il lui défendit même d'en approcher.

Mme Sauvigny était convaincue que toute occupation qui aiderait Mlle Vanesse à s'oublier lui serait salutaire, que son malheur était de vivre repliée sur elle-même, sur ses souvenirs, sur ses chagrins, tristes œufs que cette poule couvait avec amour. Les papillons étaient sa seule distraction: on ne les chasse pas en hiver. Elle avait autrefois joué du piano et chanté; Mme Sauvigny cherchait à lui persuader de se remettre à la musique. Jacquine consentit un soir à lui chanter une romance de Schubert. Elle fut frappée de la pureté, de l'éclat et de l'étendue de sa voix d'un timbre exquis. M. Saintis entra sur ces entrefaites. Jacquine, qui était dans un de ses bons jours, lui fit la grâce de recommencer sa romance. Quand elle eut fini:

«L'instrument est admirable, dit le grand juge; mais Mlle Vanesse ne sait ni émettre, ni poser le son.... Qui vous a appris à chanter?

—Mon institutrice, Mlle Brehms.

—Mlle Brehms était une oie.

—Croyez, monsieur, que c'était son moindre défaut.

—Ne pensez-vous pas, Valery, demanda Mme Sauvigny, qu'elle se trouverait bien de suivre votre cours, ne fût-ce que comme simple assistante?»

Et comme il ne répondait mot, se tournant vers Jacquine:

«Cette proposition vous sourit-elle?

—J'attendrai pour l'accepter, répliqua Jacquine, que M. Saintis me la fasse lui-même.

—Mademoiselle, dit-il d'un ton glacial, me ferez-vous l'honneur d'assister dès demain à mon cours?»

Évidemment il désirait qu'elle refusât; elle s'empressa d'accepter.

Le lendemain, son arrivée imprévue dans le kiosque fit une grande sensation. On avait souvent glosé sur elle, on l'avait surnommée dans le village «la demoiselle qui a voulu se détruire». On était infiniment curieux de la contempler de près. Était-il bien certain qu'elle eût le nez au milieu du visage? Gertrude, qui ne l'avait jamais rencontrée, constatait avec étonnement que cette héroïne était une blonde aux yeux gris; elle ne se représentait pas ainsi les demoiselles qui veulent se détruire. Zoé ne cessait de l'examiner dans l'espoir de découvrir quelque part une cicatrice de sa tragique blessure. Accablée de mélancolie, la bonne et romanesque Catherine lui enviait sa beauté et se disait: «Si j'étais faite comme elle, que sait-on?»

M. Saintis, pour la première fois, sentit qu'il ne tenait plus son monde, que Marthe, Céline et Germaine avaient l'esprit partagé entre leur professeur et la nouvelle venue, qu'elles ne l'écoutaient que d'une oreille. Pour ramener à leur devoir ces attentions envolées, il lui aurait suffi de se fâcher. Il ne se fâcha point, ne fit point gronder son tonnerre, n'exécuta aucune fausse sortie. Durant un quart d'heure, il eut l'air de se résigner, de prendre son mal en patience. Tout à coup on le vit se lever et s'approcher de Mlle Vanesse, qui était seule avec lui sur l'estrade où il avait installé son piano. Il lui parla à voix basse, mais avec animation. Gertrude, qui se targuait d'avoir du coup d'œil, remarqua que Mlle Vanesse avait paru un instant interloquée, qu'elle avait légèrement rougi, froncé le sourcil, s'était mordu les lèvres, mais que, commandant à son dépit, elle avait réussi à sourire agréablement et s'était inclinée en signe d'adhésion. On sut bientôt de quoi il retournait. Elle s'avança jusqu'au bord de l'estrade et dit en souriant de nouveau:

«Mesdemoiselles, on me représente que je suis une bête curieuse, qui vous cause de grandes distractions. Je me fais un devoir de rendre les élèves à leur professeur, le professeur à ses élèves, et je m'en vais.»

Puis les ayant saluées du menton, elle partit.

«Il a voulu me faire un affront, pensait-elle en s'en allant. Il se flattait de me mettre en colère; il ne sait pas que je ne me pique jamais quand on veut me piquer. Mais quelles sont ses intentions? Que me reproche-t-il? Qu'y a-t-il là-dessous? Il y a sûrement quelque chose.»

Elle se rappela qu'à plusieurs reprises elle l'avait dérangé dans ses entretiens particuliers avec Mme Sauvigny, et que, ne sachant pas comme elle maîtriser ses émotions, il avait laissé percer une vive contrariété. Elle se remémora plusieurs incidents, auxquels elle avait attaché peu d'importance. Prompte à conclure, elle se persuada qu'elle tenait le fil d'une intrigue et se promit de le suivre jusqu'au bout. Eh! oui, il y avait sûrement quelque chose. Son imagination chercheuse avait désormais de quoi s'occuper. En arrivant au Chalet, elle raconta gaîment à Mme Sauvigny que M. Saintis l'avait mise sans façons à la porte d'un kiosque, où son arrivée subite avait apporté autant de trouble qu'en pouvait causer l'apparition d'une pie dans un colombier. Elle ajouta qu'il avait eu raison, que chacun doit se tenir à sa place.

Dans la seconde quinzaine de mars, Mme Sauvigny et Mlle Vanesse s'étaient rendues un matin à Paris. Elles avaient toutes deux besoin de robes et plus d'une emplette à faire. L'une aimait à consulter, elle était bien aise qu'on approuvât ses choix; l'autre ne demandait jamais de conseils, mais il ne lui déplaisait pas d'en donner. Après une longue séance chez la couturière, elles coururent les magasins; puis elles dînèrent au Grand-Hôtel, et allèrent finir leur journée à l'Opéra-Comique, où Mme Sauvigny avait fait retenir une loge. On donnait Don Juan, et elle adorait Mozart: c'était pour elle celui des grands musiciens qui s'entend le mieux à dégager la pure essence des choses, à nous révéler les délices que peuvent savourer des ombres bienheureuses dans des prés blancs d'asphodèles et cette éternelle jeunesse qui est le partage des morts. Mais, ce soir-là, elle ne se sentait pas portée au mysticisme, et Mozart lui procura des joies plus terrestres. Elle était très contente de sa journée; Jacquine avait eu l'œil et l'esprit gais, avait paru se plaire dans sa compagnie. Elle désirait compléter et fêter son bonheur en prenant «un bain de son». Qui pouvait mieux le lui servir que Mozart?

Ce qui diminua son plaisir, c'est qu'à peine le rideau se fut-il levé, le visage de Jacquine s'allongea, elle devint grave et taciturne. L'irrésistible magicien l'avait prise dans son filet, et elle s'indignait de s'être laissé prendre, séduire; elle se défendait, elle protestait; elle était sous le charme, et à son front crispé, à son regard sombre, on aurait pu croire qu'elle subissait une opération douloureuse. Dans les courts instants où elle parvenait à se ressaisir, à rompre l'enchantement, elle disputait avec Mozart; elle lui disait: «Tu es un divin imposteur. Tu t'amuses à glorifier l'amour, la passion; tu promets à notre cœur des monts d'or; ceux qui t'en croiront seront bien attrapés. Je connais la vie, moi qui te parle, et je sais comment les choses s'y passent et le peu qu'elle vaut. Tu enrichis de broderies magnifiques une vile étoffe, une misérable guenille achetée dans la boutique d'un fripier. Langue dorée, tu ne me persuaderas pas, je ne suis pas dupe de tes mensonges.»

D'acte en acte, de tableau en tableau, elle prenait tous les personnages à partie, leur disait mentalement leur fait.

«Elvire, vous vous moquez de nous. Le divin imposteur vous représente comme une folle sublime, comme une céleste furie. Vous n'êtes ni céleste, ni sublime: je vous connais, je vous ai rencontrée un jour chez mes parents. Tu es, ma chère, la vieille maîtresse abandonnée, qui a l'impudeur de réclamer son bien et de raconter sa honte à l'univers. De quoi te plains-tu? Qui a fait la faute doit la boire, se cacher et se taire... Vous, donna Clara, je n'ai pas eu le bonheur de vous rencontrer, et vraiment votre cas est rare; les hommes, j'imagine, n'essaient de faire violence aux femmes que lorsqu'ils ont de bonnes raisons de croire qu'elles prendront cette aventure en douceur. Je devine votre secret: vous regrettez amèrement de vous être trop bien défendue, il vous est venu à l'esprit que le noble cavalier, «qui vous tenait les bras en croix», était fort beau, et vous mourez d'envie de le voir à la lumière du soleil. Il a tué votre père, dites-vous, et vous avez soif du sang de l'assassin. Non, ce n'est pas là ce qui vous occupe, vous ne songez qu'à satisfaire votre curiosité malsaine, et il se pourrait qu'une autre fois vous fussiez d'humeur plus facile.»

Zerline eut son tour:

«Tu es unique dans ton espèce; tu es une grande artiste et le ciel t'a comblée. Ta voix est une merveille; on dirait un clair ruisseau coulant sous de frais ombrages, entre des rives fleuries, et qui dans ses crues soudaines répand au loin son eau débordée. Comme les oiseaux, tu es née pour chanter; c'est ton parler naturel. Mais tu ne m'abuses point, et je sais qui tu es. Tu te vantes de posséder un doux remède, qui guérit tous les maux:

C'est un baume
Ou quelque arome,
Plein de douceur.
C'est mieux encore,
Car c'est mon cœur.
Tiens, le voilà!
Oh! comme il bat!
«Tu dis cela si bien qu'on passerait sa vie à te l'entendre dire. Mais tu mens, le cœur n'a rien à voir dans cette sorte de plaisirs, et, au surplus, es-tu bien certaine d'en avoir un? Ne t'en déplaise, tu es une de ces effrontées à qui les préliminaires paraissent si doux qu'elles se fâchent contre les séducteurs qui veulent aller trop vite: elles les prient de ne point se hâter; qu'ils attendent! ils sont sûrs de leur affaire, au bout du fossé la culbute. Zerline à la voix d'or, Mazetto t'a appelée de ton vrai nom: tu es une coquine.... Pour vous, noble cavalier, qui l'honorez de vos attentions et daignez la trouvez désirable, vous êtes le plus grand menteur de la bande. Vous avez la prestance et les attitudes d'un héros d'épopée, et vous espérez que nous vous prendrons pour un dieu tombé du ciel. Triste dieu, fait de boue et de crachat! Quoi qu'en disent les airs que vous roucoulez à vos maîtresses, vous n'êtes, don Juan, qu'un plat et grossier libertin et, comme l'affirme avec raison le fastidieux Ottavio, un insupportable fat. Ce qui me chagrine, c'est qu'on vous fera mourir avant l'âge, dans la fleur de votre insolente jeunesse, sans que vous ayez connu les amers regrets, les mortels ennuis, les désolations d'une vieillesse froide et languissante. La terre vous fera trop d'honneur en s'ouvrant pour vous engloutir dans ses étangs de feu et de soufre, c'est une trop belle fin pour vous, et le Commandeur est un imbécile: il se vengerait plus sûrement en vous condamnant à vivre. J'avais dix-huit ans, monseigneur, quand je vis se promenant dans le parc d'une villa un petit vieillard usé, décrépit, racorni, qui était toujours en pantoufles de lisière, seule chaussure que pût supporter sa goutte. Sec et jaune, il marchait appuyé sur une béquille; il avait un visage de parchemin, un faux toupet et des yeux morts, qui ressuscitèrent un instant en contemplant ma jupe. Et mon père me dit: «Tel qu'il est, ce fut un don Juan, qui passait pour n'avoir point trouvé de cruelles. Le voilà bien décati; il se console, dit-on, avec sa cuisinière.» Héros de la vile débauche, puissiez-vous vivre tous jusqu'à cent ans! Ô poésie de l'amour! ô mensonges de l'art!... Vous me demandez, madame, si je m'ennuie? Non, certes, je ne m'ennuie pas, mais les mascarades m'ont toujours attristée. Ce que j'entends me ravit, ce que je vois m'exaspère; cette musique est divine, mais je voudrais l'écouter de mon lit, les yeux fermés, sans penser à rien.»

Il y avait au troisième rang des fauteuils d'orchestre deux artistes de grand renom, MM. Siral et Landaigue, l'un sculpteur, l'autre paysagiste, pour qui Mme Sauvigny était une connaissance de vieille date.

«Comment appelez-vous la jolie blonde qui est avec elle? demanda M. Siral à son ami.

—Ce ne peut être que Mlle Vanesse», répondit M. Landaigue.

Il savait toutes les histoires et s'était fait conter celle-là par M. Saintis. Il expliqua à M. Siral dans un entr'acte par quel bizarre concours de circonstances Mlle Jacquine Vanesse, dont on disait plus de mal que de bien, était devenue en quelque sorte la fille adoptive de Mme Sauvigny.

«Ces deux visages font contraste, dit M. Siral, après avoir braqué sa lorgnette sur la loge. Mlle Vanesse est une beauté; mais, si vous me demandez mon avis, ce n'est pas à elle que je donne la préférence, et la tutrice de cette jeune désespérée ferait mieux mon affaire. Il faut absolument que Mme Sauvigny vienne poser un jour dans mon atelier. C'est une vraie tête de madone tranquille et sérieuse, un charmant type de vierge-mère.

—À cela près qu'elle n'a pas d'enfants, repartit M. Landaigue. En ce qui me concerne, sa figure me fait penser à ces paysages dont le premier plan très agréable et très écrit semble tout proche, et dont les fonds, qui baignent dans la vapeur, sont très lointains. Je veux revoir de près ce paysage.»

Ils montèrent saluer Mme Sauvigny, et l'entretien qui s'engagea parut intéresser Jacquine, qu'il tira de sa rêverie. Elle oublia qu'elle était en querelle avec Mozart, elle ouvrit l'oreille. Elle était si attentive qu'elle ne s'aperçut pas que M. Siral la regardait souvent en coulisse: ce n'est pas seulement au village qu'on est curieux de savoir comment sont faites «les demoiselles qui ont voulu se détruire».

«Pour l'amour de Dieu, s'était écrié M. Landaigue, que devient notre ami Saintis? L'avez-vous nommé économe de votre asile, et est-il retenu là-bas par les fonctions de son nouvel état? Je ne le plains pas, puisqu'il a le bonheur de vivre dans votre voisinage; mais personne ne l'avait jamais soupçonné de chercher la retraite, et sa disparition subite a fait jaser ses belles amies, qu'il néglige. Il ne reparaît plus à Paris qu'à de longs intervalles, il touche barres et décampe. Je l'ai rencontré par hasard l'autre jour, j'avais été cinq mois sans le voir. Donnez-moi le mot de cette énigme. A-t-il fait un vœu ou un pari? Je croirais plutôt.... Et d'abord vit-il seul dans son trou? Il n'a jamais aimé la solitude qu'à la condition d'y être en douce compagnie. Chère madame, les vieux paysagistes sont secrets comme la tombe, c'est une de leurs vertus professionnelles.

Convenez qu'il y a une femme dans cette affaire et dites-moi à l'oreille comment elle se nomme.»

Mme Sauvigny avait eu un instant de grande confusion. Jacquine constata que, selon sa coutume en pareil cas, elle avait légèrement pâli et tordu doucement dans sa main droite deux doigts de sa main gauche. Elle se remit très vite et répondit gaiement:

«Je veux vous révéler le grand secret: elle s'appelle la Roussalka. C'est une nymphe des eaux, une sirène du Nord. Malheur aux hommes qui ont l'imprudence de l'aimer! Elle les croque.

—Quoi donc, madame, vous prétendez que Saintis s'est enterré tout vif pour travailler d'arrache-pied à son opéra! Je le déclare incapable d'un tel acte d'héroïsme.

—Vous avez tort, il est plus héroïque que vous ne le pensez, et il ne retournera à Paris qu'après en avoir fini avec la Roussalka. Il a bien voulu me la présenter; elle a tant de charmes que ses belles amies doivent l'excuser de les négliger un peu.

—Excusez-moi, madame, je ne vous crois pas. Je connais le pèlerin; il a toujours mené de front le travail et le plaisir, et les nymphes des eaux n'ont jamais suffi à son bonheur. Parlez-nous franchement. M. Siral vous comparait tout à l'heure à une madone. Est-ce vrai, Siral?

—À une madone tranquille et sérieuse, répondit le sculpteur, et si vous me faisiez un jour la grâce de venir poser dans mon atelier....

—Ceci est une autre affaire, interrompit M. Landaigue, ne sortons pas de la question. Les madones se font une loi de dire toujours la vérité, et quelque indulgence qu'elles puissent avoir pour les fredaines de leurs amis.... Voyons, chère madame, soyez bonne: comment se nomme-t-elle?»

En ce moment on frappa les trois coups, et les deux artistes durent prendre congé pour regagner leurs places, sans savoir comment elle se nommait. Que n'avaient-ils interrogé Mlle Vanesse? Elle le savait, elle s'en flattait du moins. Elle eut des distractions pendant le dernier acte; à peine écouta-t-elle le terrible, l'infernal finale, «avec ces gammes tranquilles, a dit un excellent critique, ce rythme impassible comme une loi qui s'accomplit, cette marche harmonique sans relâche et sans colère, sans bruit, sans hâte surtout, où paraît quelque chose de l'éternité, quelque chose d'invariable et de calme comme elle».

«Non vraiment, pensait Jacquine, il ne méritait pas une fin si tragique et ce châtiment à grand orchestre. Faut-il que le ciel et la terre se dérangent pour faire justice d'un fat? Que la goutte le travaille! Ce supplice obscur et lent est digne de lui.... Mme Sauvigny, pensait-elle un instant après, a été sérieusement embarrassée; elle s'est assez bien tirée d'affaire, elle est fine et adroite. Il n'est que de savoir attendre; tôt ou tard le pot aux roses se découvre.»

Et elle s'applaudissait de sa clairvoyance. À vrai dire, elle n'avait encore que des soupçons; un incident les changea en de quasi-certitudes. Vingt minutes plus tard, Mme Sauvigny, suivie de sa pensionnaire, traversait le quai de la gare de Lyon. Doublant le pas comme si elle avait eu peur de manquer le train, elle se dirigea vers un compartiment dont la portière était ouverte. Un voyageur venait de s'y installer: c'était M. Saintis. Ayant une affaire importante à traiter avec sa sœur, il avait, lui aussi, passé sa journée à Paris. En apercevant Mme Sauvigny, il poussa un cri le joie.

«Vous ici, Charlotte! Quelle bonne fortune! Le train des spectacles est aussi lent qu'une limace, je vous aurai à moi tout seul pendant plus de deux heures.»

Au même instant, il vit paraître une tête blonde qu'il croyait à douze lieues de là, et il se mordit la langue. Mme Sauvigny savait que Mlle Vanesse avait l'ouïe très fine et ne douta pas qu'elle n'eût happé au passage l'imprudente parole. À son air, on aurait pu en douter. Elle salua gracieusement M. Saintis, lui dit sur un ton de parfaite innocence:

«Il y a des jours où les montagnes se rencontrent.»

Et elle se disait à elle-même: «C'était un cri du cœur; les amis d'enfance n'ont pas de tels accents». Quoique le train des spectacles chemine comme une limace, elle ne trouva pas le temps long. Le juge travaillait à l'instruction du procès, relevait impitoyablement tous les faits à la charge de l'accusée. Quelques jours auparavant, M. Saintis, qui venait de terminer les trois premiers actes de sa Roussalka, avait voulu que Mme Sauvigny en eût l'étrenne; il l'avait fait venir dans son ermitage pour les lui chanter à demi-voix, en s'accompagnant sur le piano. Elle était restée toute une après-midi dans ce lieu suspect; on peut faire bien des choses en quatre heures! Autre circonstance grave: depuis quelque temps Mme Sauvigny rendait de fréquentes visites à une vieille aveugle, qui était une proche voisine de M. Saintis. Quel endroit propice aux rendez-vous que la maison d'une vieille aveugle! Quoiqu'elle n'eût gardé qu'un souvenir confus des dernières scènes de Don Juan, deux exécrables vers chantés par le Commandeur lui étaient restés dans l'oreille:

À quoi sert la substance mortelle
Pour qui vit de la manne éternelle?

Elle pensait que ce sot Commandeur ne connaissait guère le monde, qu'on peut vivre de la manne céleste sans refuser certaines douceurs à sa substance mortelle.

Lorsqu'elle se mit au lit vers quatre heures du matin, elle n'avait pas encore formulé ses dernières conclusions. Il lui restait un doute: M. Saintis était-il l'amant de Mme Sauvigny, ou en étaient-ils encore au simple flirtage? Il importait peu, ce n'était qu'une question de temps. Un point lui paraissait bien établi; elle tenait pour constant qu'il y a des madones qui s'amusent et se servent de leur angélique sourire pour cacher leur jeu, que telle femme allie des vertus austères aux faiblesses du cœur, emploie les œuvres de miséricorde à acheter du ciel et des hommes le pardon de ses pêchés mignons.

M. Saintis vint trouver un matin Mme Sauvigny pour l'entretenir de la question d'intérêt qu'il débattait depuis quelque temps avec sa sœur, sans réussir à lui faire entendre raison. Une parente éloignée, morte récemment, les avait institués ses héritiers, en leur laissant le soin de se partager également sa succession, qui avait quelque importance. Très coulant en affaires, M. Saintis avait chargé Mme Leyrol et son mari de régler ce partage avec leur notaire. Ils s'étaient fort bien traités, s'adjugeant les meilleures valeurs, lui en passant de douteuses. Il avait refusé de souscrire à cet arrangement: il se souciait peu, disait-il, de vingt mille écus, mais il se souciait beaucoup de la justice, il n'entendait pas qu'on le volât. Sa sœur avait mal accueilli sa plainte, il était déterminé à défendre son droit.

«Soit! s'écriait-il, nous plaiderons.»

Mme Sauvigny se récria. Un frère plaidant contre sa sœur! Elle s'efforça de le calmer, lui rappela toutes les occasions où Mme Leyrol lui avait rendu service. Il n'en démordit pas, s'emporta, allégua que cette question d'intérêt était pour lui une question d'honneur, qu'on le prenait pour un niais, qu'il prouverait qu'il avait bec et ongles. Comme il lui arrivait quelquefois, il outrait ses sentiments, affectait de se montrer plus raide et plus violent qu'il ne l'était. Quand on compose des opéras, on est sujet à transporter dans la vie réelle les exagérations de l'optique théâtrale et à mêler aux entretiens familiers des couplets bons pour être chantés. Il avait un autre motif de forcer ses effets et de paraître intraitable. Résolu d'avance à suivre les conseils de Mme Sauvigny, il désirait s'en faire un mérite auprès d'elle, lui persuader qu'en lui sacrifiant sa colère, il faisait un prodigieux effort sur lui-même, dont elle était tenue de le récompenser. Il avait en poche le projet de partage; elle l'examina avec soin, lui soumit les termes d'une transaction, qu'il repoussa, la déclarant trop désavantageuse pour lui, et il déclama de plus belle, tempêta. Elle le prêcha longtemps, lui répéta vingt fois qu'un médiocre accommodement vaut mieux que le meilleur procès, et qu'on ne plaide pas contre sa sœur. Il partit sans avoir dit son dernier mot, se donnant l'air de ne pas savoir quel parti il prendrait, quoiqu'il le sût fort bien.

En traversant le vestibule pour descendre au jardin, Jacquine entendit des éclats de voix; elle reconnut sans peine le timbre métallique et le tonnerre de M. Saintis. Elle aurait bien voulu savoir ce qu'il disait, mais elle passa son chemin: elle se respectait trop pour écouter aux portes, sa fierté méprisait les moyens bas, elle ne goûtait que les ruses savantes et les trahisons qui ont grand air.

«Il avait le ton d'un amant qui fait une scène à sa maîtresse, pensait-elle en s'éloignant. Que peut-il lui reprocher? Elle est si bonne pour lui!»

Et comme elle voyait tout à travers ses souvenirs et son passé, elle se rappela avoir entendu dire à son père qu'aussi vrai que la gelée blanche brûle et fait tomber les feuilles des arbres, le meilleur moyen de réduire une femme qui vous résiste est de lui faire une injuste querelle et de la forcer à se justifier, qu'une femme qui s'explique s'attendrit, et qu'une femme qui s'attendrit est perdue.

Elle eut tout le long du jour un air de triomphe et le regard provocant. Elle trouva son moment pour dire à Mme Sauvigny d'un ton compatissant et superbe:

«Je ne sais quel grief M. Saintis peut avoir contre vous; mais vous devriez l'engager à modérer ses emportements. Je me promenais dans le jardin et les éclats de sa foudre arrivaient jusqu'à moi. Qu'il bourre Gertrude et Catherine, je n'y vois pas d'inconvénient, mais comment pouvez-vous souffrir qu'il vous parle si haut?

—Les artistes, répondit-elle tranquillement, ne sont pas toujours maîtres de leurs nerfs, et ils exagèrent souvent les choses, soit en bien, soit en mal.»

Elle avait deviné sa pensée, et tout ce qui se passait dans la tête de cette ingrate, dans l'imagination de cette folle, et que ses yeux lui disaient: «J'ai découvert votre tare, et me voilà délivrée de l'onéreuse obligation de vous respecter.» Pour la première fois, elle sentait peser sur elle d'injurieux soupçons. Elle avait le cœur gros et lourd et renfonçait des larmes. Il y a quelque chose de plus dur que l'ingratitude, c'est la méconnaissance. Elle était profondément découragée. Que n'avait-elle écouté les conseils de ses amis! Elle s'était imposé une tâche au-dessus de ses forces; le cœur qu'elle avait entrepris de guérir était incurable; cette jeune fille qui avait le génie des interprétations malignes et malsaines était condamnée à jeter toute sa vie son venin; cette âme pure, mais perverse, croyait invinciblement et passionnément au mal. Il fallait se rendre à la vérité, le cas était désespéré, et pourtant, malgré tout, elle espérait encore.

Le lendemain matin, comme elle était seule dans son salon, occupée à dépouiller son courrier et à reviser des comptes, elle vit entrer Jacquine, qui lui remit une lettre, en disant:

«Le valet de chambre de M. Saintis vient de l'apporter.»

Elle gagnait déjà la porte; Mme Sauvigny la rappela et lui demanda pourquoi elle s'en allait.

«Je veux vous laisser lire votre lettre», répondit-elle avec un mauvais sourire.

Mme Sauvigny prit incontinent un grand parti, paya d'audace.

«Si vous n'avez rien de mieux à faire, dit-elle, rendez-moi un service, en me lisant cette lettre. J'en ai tant lu tout à l'heure que les yeux me cuisent. M. Saintis écrit comme un chat; vous vous êtes vantée un jour de déchiffrer couramment toutes les écritures; je ne serai pas fâchée de vous mettre à l'épreuve.»

Elle osait beaucoup, elle jouait gros jeu. Quoique M. Valery Saintis, fidèle à sa parole, s'abstînt de faire dans ses lettres aucune allusion à la promesse qu'il lui avait arrachée, il y glissait parfois des expressions fort tendres. Cela ne l'arrêta point: s'il se trouvait dans celle-ci un mot qui demandât explication, quoi qu'il lui en coûtât, elle s'expliquerait. Elle avait résolu d'en finir à tout prix, de sortir d'une situation qui lui était insupportable. Le vilain abcès était mûr, elle voulait le percer.

Jacquine, fort étonnée, hésitait à prendre sa proposition au sérieux.

«Y pensez-vous, madame? M. Saintis ne serait pas content s'il se doutait que vous me chargez de vous lire ses lettres.

—Une fois n'est pas coutume, répliqua-t-elle, et je vous sais très discrète. Il m'écrit sans doute au sujet d'une affaire d'héritage, qu'il a prise à cœur et qui a mis quelque froid entre sa sœur et lui; si désintéressé qu'il soit, il ne souffre pas qu'on lui fasse tort. Il était venu hier me raconter ses griefs; je l'ai exhorté à transiger, et il me tarde de savoir s'il a suivi mon conseil.... Lisez, mais lisez donc.»

À l'étonnement qu'éprouvait Jacquine se mêlait un peu d'émotion. Elle se piquait de connaître à fond le cœur humain, d'en avoir sondé les plis et les replis, et un tel acte de confiance bouleversait toutes ses idées. Quelque haut que remontassent ses souvenirs, elle n'avait jamais rien vu de pareil, et ce fait unique dans sa vie y faisait événement. Son grand-père lui-même qui n'avait rien à cacher, prenait plus de précautions, ne laissait pas voir si facilement le dessous de ses cartes: quelque lettre qu'il reçut, il ne l'aurait pas montrée avant de l'avoir lue. Il y avait dans la généreuse imprudence de Mme Sauvigny quelque chose de surnaturel que sa vieille expérience du monde renonçait à expliquer. Elle déchiffra sans trop de peine le griffonnage de M. Saintis, dont le billet fort court, qu'elle lut à haute voix, était ainsi conçu:

«Chère madame, ma sage et bonne Charlotte, je suis retourné hier soir chez ma sœur, qui n'a pu refuser son assentiment à une transaction minutée et conseillée par vous; il y a des conseils qui sont des arrêts. Cette transaction me plaît, parce que vous la trouvez bonne, et je renonce au procès, parce que vous aimez la paix. Quand on a le privilège d'avoir une sainte pour amie, on doit tirer parti d'un avantage si extraordinaire. J'entends que vous soyez à jamais ma conscience, et je ferai tout ce que ma chère conscience ordonnera à celui qui a pour vous autant de respect que de chaude affection.»

«N'avais-je pas raison de vous dire que les artistes exagèrent toujours? murmura Mme Sauvigny, en rougissant de confusion et de plaisir. Quoi qu'il en dise, je crains que ma canonisation ne souffre de grandes difficultés.»

Le visage de Jacquine s'était transformé.

«Dans ce cas-ci, M. Saintis n'exagère point, répondit-elle d'un air pénétré et d'une voix douce, caressante. Oui, madame, vous êtes une sainte, et si je connaissais une jeune fille qui se permît d'en douter, je lui déclarerais tout net qu'elle est une imbécile.»

XI

Elle confessait son erreur, dont elle était honteuse, et pourtant elle ne se rendait pas encore, tant il lui répugnait de se donner, de faire cette violence à sa nature.

«Oui, se disait-elle, j'avais fait des suppositions en l'air, mes conjectures étaient absurdes et ridicules. C'est entendu, elle n'a jamais péché et selon toute apparence elle ne péchera jamais. Elle a pour M. Saintis une pure et tranquille amitié, et dans la simplicité de son âme, cette colombe ne s'aperçoit pas que l'épervier la regarde amoureusement, car je ne m'en dédis pas, il est amoureux d'elle. Il lui fait l'honneur de la prendre pour son oracle, pour sa conscience, mais sa chère conscience a un visage, et ce visage est de ceux qu'on peut ne pas aimer, mais qu'il est impossible de n'aimer qu'à moitié. Pourquoi ne se déclare-t-il pas? Pour la posséder, il faudrait l'épouser, et ce grand coureur de femmes pense sans doute que la liberté est l'état naturel de l'homme, le mariage lui fait peur. Peut-être aussi a-t-il reconnu qu'elle a trop de bon sens pour consentir à se remarier; quand on est raisonnable, on n'aime pas à courir deux fois de périlleuses aventures. Quoi qu'il en soit, elle n'a point de tare elle est sans tache et sans reproche. Mon Dieu, a-t-elle grand mérite à être une sainte? La blancheur des lis est une vertu dont la nature fait tous les frais. Si elle est restée chaste, c'est qu'étant née avec une imagination calme et froide, elle n'a pas connu les tentations. Si elle n'a pas le cœur haineux et vindicatif, c'est qu'elle n'a jamais eu d'ennemis. Si elle a du charme et beaucoup d'aménité, cela prouve qu'elle n'eut jamais à se plaindre de la vie et des hommes. Si sa douceur ne se dément jamais, il faut s'en prendre à la pâte dont elle est faite. Si elle est charitable, regardez le fond de ses yeux, vous y lirez qu'elle a du plaisir à donner et le goût de s'occuper: ses bonnes œuvres lui procurent d'agréables passe-temps, qu'elle ne peut demander aux passions qu'elle n'a pas. Pour savoir exactement ce qu'elle vaut, il faudrait l'éprouver, la placer dans une de ces situations critiques et délicates où il y a quelque danger à s'acquitter de son devoir. Quelle figure y ferait-elle? Peut-être découvrirait-on que ce diamant a une faille. C'est vraiment une expérience à faire. Le hasard nous aide quand nous l'aidons, il m'a parfois bien servi. Provisoirement j'aurai pour elle les meilleurs procédés, de grands égards, et je l'admirerai comme j'admire la blancheur immaculée du lis».

Cette vierge noire, passionnée pour la méthode expérimentale, avait raison de compter sur la complaisance du hasard; cette fois encore, il la servit bien; lui facilita les moyens de satisfaire sa curiosité.

Le comte Krassing, à qui Mme Vanesse avait signifié son congé, était revenu depuis peu dans le pays. Un jour que Mme Sauvigny était allée prendre des nouvelles d'un malade qui l'intéressait, elle eut le désagrément de rencontrer sur son chemin l'homme qu'elle se souciait le moins de revoir. À peine l'eut-il aperçue, il vint se poster au milieu de la route, et il l'attendait, chapeau bas, dans une humble contenance. La voiture l'eut écrasé, si le cocher n'avait vivement détourné ses chevaux. Le soir même, elle recevait de lui une longue lettre, par laquelle il lui demandait une audience. Elle n'alla pas jusqu'au bout de cette épître écrite d'un style échauffé et alambiqué; elle hésitait sur le sens qu'elle devait donner à ce prétentieux tortillage. Était-ce une déclaration ou une simple demande de secours? Après lui avoir exposé en termes aussi vagues que pathétiques «les mortelles détresses contre lesquelles il se débattait héroïquement», le comte parlait «de l'ineffaçable souvenir que lui avait laissé sa première rencontre avec la seule femme qui eut assez d'âme pour le comprendre et la main assez douce pour panser la profonde blessure de son cœur». Elle ne répondit pas. Le surlendemain, seconde lettre plus courte, mais fort pressante, destinée à lui représenter qu'elle tenait dans ses blanches et adorables mains le sort d'un homme qui s'était promis de vivre pour elle, et qui souhaiterait la mort s'il venait à découvrir que ses espérances n'avaient été qu'un beau rêve.

Elle montra les deux lettres à Jacquine en lui disant:

«J'avais vu jusqu'ici bien des sortes de mendiants, je ne connaissais pas encore le mendiant amoureux.»

Jacquine se mit à rire:

«Ne vous laisserez-vous pas toucher, madame? Il est si beau et si parfumé!

—Le comte Krassing, répondit-elle, fait sur moi la même impression que les serpents; j'éprouve en le voyant un dégoût mêlé d'une insurmontable angoisse que je ne puis définir.

—C'est de fait un homme dangereux, repartit Jacquine, qui n'avait garde de la rassurer. Ce joueur décavé, ce chevalier d'industrie, ce pique-assiette apocalyptique est un sot doublé d'un fou, dont il faut se défier. Quand ses quintes le tiennent, il devient capable de tout. Si vous m'en croyez, vous ferez bien de le ménager, de lui accorder l'audience et l'aumône qu'il sollicite; je crains seulement qu'il n'ait de grands besoins et de grandes exigences.

—Grandes ou petites, je ne lui accorderai rien, répliqua résolument Mme Sauvigny. Donner aux chevaliers d'industrie, c'est voler les bons pauvres, et quand il m'écrirait cent lettres, je me suis fait une loi de ne jamais céder à l'obsession.

—C'est une chose à voir», pensa Jacquine.

Le jour suivant, par une douce matinée d'avril, elle était sortie de bonne heure, pour prendre l'air dans la partie du parc que Mme Sauvigny s'était réservée. Assise sur un banc, elle relisait Don Quichotte. C'était de tous les livres celui qui l'amusait le plus, parce que les récits de mystifications y abondent et que les coups de bâton y pleuvent. Elle tournait un feuillet et levait un instant le nez, lorsqu'elle vit venir le comte Krassing, qui se dirigeait vers le Chalet. Elle se dressa aussitôt sur ses fines jambes, et son livre à la main, elle fit quelques pas au-devant de lui. Il sembla marri de cette rencontre; ce n'était pas Mlle Jacquine Vanesse qu'il cherchait. La saluant sans la regarder, il se détourna de son chemin pour l'éviter.

«Voilà donc comme vous traitez vos amis! lui dit-elle en lui barrant le passage. Mais je ne vous en veux pas, je vous plains de toute mon âme. Vous avez l'air triste et minable d'un chien qui a perdu son maître et n'est pas sûr d'en trouver un autre. Vous avez sans doute commis quelque imprudence. Ne saviez-vous pas que ma mère est inconstante, qu'elle guettait le moment de se brouiller avec vous? Le malheur vous rend maussade et impoli.... Parlez-moi donc! Je suis dans le fond une bonne fille, dont vous avez tort de vous méfier. Je veux vous épargner une inutile démarche, l'humiliation de frapper à une porte qui ne s'ouvrira pas. Mme Sauvigny est décidée à ne pas vous recevoir. Elle m'a montré vos lettres. Si vous aviez daigné me consulter, je vous aurais averti que vous faisiez fausse route, qu'il fallait lui écrire dans un autre style. Mais vous avez voulu vous passer de moi. Vous suis-je donc devenue si étrangère? Il fut un temps où vous m'honoriez de vos plus flatteuses attentions.»

Il consentit à desserrer les dents et répondit d'une voix caverneuse:

«À qui parlez-vous, mademoiselle? Le comte Krassing que vous avez connu n'existe plus.

—Tant pis, répliqua Jacquine. Je m'intéressais à lui, je lui voulais du bien, je lui aurais donné des avis utiles à ses affaires. Je lui aurais dit qu'il faut savoir varier ses moyens, que, dans le cas présent, il ne pouvait rien espérer de son irrésistible beauté, que la reine et maîtresse de ce parc est rebelle à ce genre d'arguments, que c'est sottise de lui parler d'amour, mais que je la crois facile à intimider, et le comte Krassing qui n'est plus n'était pas seulement le plus beau des hommes; quand il voulait s'en donner la peine, il était terrible.»

Il affectait de ne pas l'écouter, il ne perdait pas un mot.

«Mon cher comte, poursuivit-elle d'un ton débonnaire, vous donneriez beaucoup pour avoir accès auprès de Mme Sauvigny, pour l'entretenir un instant tête à tête de vos petites et grandes misères. Nous nous proposons, elle et moi, de profiter de ce beau jour de printemps pour aller cet après-midi nous promener à pied en forêt. Je la conduirai dans un endroit fort solitaire que vous connaissez bien; vous y avez fait jadis un faux pas, vous en faites quelquefois, et peu s'en faut que vous ne vous soyez rompu le cou. Voyez comme je suis bonne! Je m'arrangerai pour la laisser un moment seule. Tâchez de lui arracher une promesse, elle la tiendra, elle est esclave de sa parole. À bon entendeur salut!»

Elle s'en allait; elle se retourna pour lui crier:

«Soyez farouche, soyez sinistre, soyez terrible, mais ne touchez pas à un seul de ses cheveux, ou vous aurez affaire à moi.»

Il était trois heures environ quand Mme Sauvigny et Jacquine atteignirent le lieu solitaire où le comte Krassing avait failli se casser le cou. À l'extrémité d'une crête dénudée, premier contrefort d'un vaste plateau rocheux, une sorte de promontoire en surplomb domine une pente abrupte, où s'entassent en désordre d'énormes blocs de grès éboulés, dont quelques-uns ont des figures d'animaux, d'ours, d'éléphants, de mandrilles ou de mammouths. Par endroits, des coulées de sable fin, d'une éblouissante blancheur, sillonnent un sol rugueux; ça et là croissent de maigres bouleaux. Au bas de la pente, s'arrondit une combe herbue, fraîche, boisée; si abritée qu'elle soit, une échancrure des coteaux qui l'enferment lui procure une échappée de vue sur la vallée, où serpente une rivière et que terminent à l'horizon des collines d'un relief fortement accusé, qui se donnent des airs de montagnes. Mme Sauvigny avait pris en goût cette combe; elle avait une préférence pour les lieux tranquilles et à demi clos, d'où le regard embrasse de grands espaces: c'était ainsi qu'elle entendait la vie.

Elle contempla tour à tour le panorama qui se déployait sous ses yeux, le cours sinueux de la rivière bordée de peupliers et le long de laquelle une locomotive promenait son panache de fumée, une plaine qui semblait dormir, ses champs, ses villages, ses clochers, se chauffant à un soleil doux, et du côté opposé, la grande forêt sévère et recueillie, où régnaient cette paix profonde qui surpassent l'homme et les longs silences qui l'étonnent. Ils n'étaient interrompus que par le gémissement lointain d'un chêne qu'abattait la cognée d'un bûcheron, et par le cri rauque d'un geai se chamaillant avec des ramiers. L'hiver avait été rude et tenace; la nature était en retard, la feuillaison commençait à peine. C'était le premier printemps, celui qui fait sortir les bourgeons et ne fleurit pas encore les jardins et les déserts, le printemps qu'on ne voit pas, mais qu'on devine, qu'on sent, qu'on respire, qu'on hume, dont on se grise, qui entre dans la peau, réchauffe le sang, comme une espérance, chatouille le cœur et l'incline à croire que la mort est un rajeunissement, dont Dieu seul a le secret.

«Qu'on est bien ici! s'écria-t-elle, en s'asseyant sur un rocher bas, qui ressemblait à un morse rampant, au gros museau renflé, armé de défenses. Quelle fête pour les yeux! Et quelle délicieuse odeur! On dirait le fin parfum d'un baume à la violette.

—Mais quelle solitude! dit Jacquine. Quel endroit perdu! pas un être vivant, sauf cet invisible bûcheron qui cogne contre son arbre. Si quelqu'un nous attaquait, madame, qui viendrait à notre secours?

—Je croyais vous avoir dit qu'en votre compagnie je n'avais peur de rien.

—Vous avez donc une grande confiance en moi? Vous pensez que j'ai la figure et la poigne d'un bon gendarme?

—Je pense, ma chère, que vous m'aimez assez pour ne pas souffrir qu'on attente à ma vie.

—C'est la seule marque d'affection que vous attendez de moi?

—Eh! c'est bien quelque chose, dit en riant Mme Sauvigny; c'est un bon commencement.

—Permettez à votre gendarme, reprit Jacquine, de vous quitter une minute, j'ai aperçu en venant ici un amas de mousses et de feuilles mortes, sous lesquelles je suis sûre que je trouverai des chenilles et des chrysalides.... Vous me promettez de n'avoir pas peur en mon absence?

—Je vous le promets; allez chercher vos chrysalides.»

Cependant elle la vit partir à regret et fut prise d'une vague inquiétude. Comme M. Saintis, mais pour une autre raison, elle n'aimait que les lieux solitaires où l'on n'est pas seul. Elle la chercha des yeux et lui cria:

«Ne vous éloignez pas trop.

—Soyez tranquille, répondit-elle, je reviens à l'instant.»

Mme Sauvigny oublia bientôt son inquiétude; elle venait d'apercevoir au pied du rocher où elle était assise une pâle violette des chiens, la première qui se fût épanouie. Les fleurs étaient pour elle des personnes, et elle leur trouvait une physionomie rassurante. Elle se pencha pour cueillir sa violette, gratta la mousse dans l'espoir d'en découvrir une autre. Comme elle se redressait, elle vit s'avancer vers elle l'homme qui lui avait demandé une audience. Le moyen de l'éviter! Il lui coupait le chemin, et elle était au bord d'un précipice. Pour surcroît de malheur, plus de Jacquine! Le bon gendarme avait disparu. Un frisson la saisit. Elle avait retenu ce mot: «Quand ses quintes le tiennent, il est capable de tout».

Après l'avoir saluée avec une politesse révérencieuse, s'étant assis en face d'elle sur le tronc d'un bouleau que le vent avait déraciné et couché en travers du sentier:

«Il est, madame, dit-il, des hasards providentiels. J'avais sollicité en vain l'honneur d'être reçu par vous, mes lettres étaient restées sans réponse. Je m'étonnais de votre silence; je sais combien vous êtes bonne, miséricordieuse, et que les malheureux qui frappent à votre porte ne l'ont jamais trouvée close. Vous refusiez de m'entendre, et pourtant j'étais sûr qu'après m'avoir entendu, vous vous seriez intéressée à mes souffrances. Tout à l'heure je me promenais tristement dans la forêt; je vous aperçus de loin, de très loin, et je vous ai aussitôt reconnue. Vous êtes si facile à reconnaître! Quelle femme pourrait se vanter de vous ressembler?»

Il avait commencé sur un ton très doux, il ménageait ses effets. Aussi bien, le sermon que lui avait fait Jacquine ne l'avait convaincu qu'à moitié, tant il avait peine à admettre qu'un cœur de femme pût résister à sa faconde, à sa beauté et à la puissance magnétique de son regard.

«J'ai toujours cru, madame, reprit-il, aux avertissements intérieurs, vous m'avez prouvé que j'avais raison d'y croire. J'ai fait un triste emploi de ma jeunesse, j'ai connu le désir de la chair, la convoitise des yeux et l'orgueil de la vie, et entraîné par mes passions, étourdi par mes plaisirs, j'ai laissé en friche les talents que j'avais reçus du ciel. Le pis est que dans cet état honteux ma conscience me laissait parfaitement tranquille; je n'éprouvais aucun remords ni même aucune inquiétude. J'étais heureux; il n'est pas pour l'homme de plus grand danger que le faux bonheur; le mien me plaisait, et m'arrivait-il, à de longs intervalles, de rentrer en moi-même, quand je m'examinais, quand je me citais devant mon propre tribunal, avec quelque sévérité que j'épluchasse mes actions, je finissais toujours par m'absoudre. J'étais mon propre accusateur, mon propre défenseur et mon propre juge, et mon juge m'acquittait. «Le seul homme contre qui tu as péché, me disait-il, c'est toi-même, et c'est à toi seul que tu as des comptes à rendre. Si le comte Krassing te remet ta dette, tu ne dois rien, et tu peux marcher parmi les hommes la tête haute. Que t'importe l'opinion d'un sol vulgaire, incapable de te comprendre?»

Il lui récitait encore une leçon apprise; dans leur première entrevue, il lui avait servi du Tolstoï, il lui servait cette fois de l'Ibsen; mais elle n'avait pas lu Jean-Gabriel Borkman.

«Je vivais dans cette paix trompeuse et funeste, poursuivit-il, en chassant de la main une mouche dont le bourdonnement indiscret lui faisait perdre le fil de son discours. Tout à coup.... Ah! madame, que vous dirai-je? Le hasard conduit par la Providence a voulu.... Oui, madame, je suivais ma route fangeuse, que mon imagination pervertie transformait en un chemin délicieux et fleuri, lorsque un jour je me trouvai en présence d'une femme qui ne ressemblait guère à celles que j'avais connues, d'une femme qu'on est étonné de rencontrer sur la terre, d'un de ces esprits de lumière qui révèlent le ciel aux enfants des hommes. Cette femme n'avait fait que passer, mais il m'avait suffi de la voir, un trouble mystérieux s'était emparé de moi. Son souvenir me poursuivait, me hantait. Un ange avait traversé ma vie et me faisait prendre mes ténèbres en horreur. Par moments, je croyais entendre sa voix, qui me criait: «Brebis perdue, quand reviendras-tu de tes égarements? Le bon berger t'appelle. Un homme est tombé sous une voiture, on le relève évanoui, après quoi il recommence à vivre, comme si rien n'était arrivé. Relève-toi, une vie nouvelle t'attend.» Et je répondais à cette voix, qui mêlait les consolations aux reproches: «Je me repens, mais que veux-tu que je fasse?— De quoi sert le repentir, me disait-elle, si l'action ne le suit pas? Le travail, le travail dur, opiniâtre, supporté comme une pénitence, aimé comme un plaisir, peut seul réparer le passé.» Madame, je ne crois pas seulement aux avertissements intérieurs, je crois à la suggestion qui s'exerce à distance. Je suis demeuré de longs mois sans vous voir, et vous n'avez cessé de me parler.»

Elle ressentait un malaise nerveux, causé par le dégoût plus que par l'effroi. Elle s'agitait, la sueur lui venait au front. Il se méprit, crut l'avoir attendrie par son onctueuse éloquence, il lui parut que ses affaires allaient bien, qu'il ne lui restait plus qu'à conclure le marché.

«Ce sont les femmes qui nous corrompent, continua-t-il, ce sont les femmes qui nous régénèrent; à leur gré, elles nous perdent ou elles nous sauvent. Je vivais avec votre pensée, avec votre image; je ne voulais reparaître devant vous que purifié par le repentir; j'ai lavé mes péchés avec mes larmes, et je viens vous demander aide et conseil. Vous disposez de ma destinée; il ne tient qu'à vous que le comte Krassing dépouille entièrement le vieil homme et remonte à la lumière du jour. Cette œuvre, que vous pouvez seule accomplir, n'est-elle pas digne de tenter un cœur amoureux des belles et nobles entreprises?»

Elle se sentait au bout de sa patience; elle s'était promis de ne pas lui parler, mais on ne peut se taire toujours. Elle se leva et lui dit:

«Jusqu'ici, monsieur, j'ai eu souvent à faire à des mendiants de profession, à des infirmes hors d'état de gagner leur vie, quelquefois aussi à des esprits tourmentés, qui me demandaient des conseils. Leur cas me semblait clair, et j'ai fait ce que j'ai pu, mais le vôtre me paraît fort embrouillé, fort obscur. J'ajoute que je ne puis m'intéresser à des souffrances auxquelles je ne crois qu'à demi.»

Elle se disposait à partir, il ne lui en laissa pas le temps. La gagnant de vitesse, il se planta devant elle et lui barra le chemin. Il n'avait plus l'air apocalyptique; comme le lui avait recommandé Mlle Vanesse, il était farouche, terrible, et son regard jetait des flammes. Il ne sortait plus de la grotte de Pathmos, on n'eût pas été surpris d'apprendre qu'il sortait d'une caverne de brigands.

«Eh! quoi, madame, s'écria-t-il, ne seriez-vous pas cette femme tendre et compatissante, de qui j'attendais mon salut? Malheur à moi, malheur à vous, si je n'emportais d'ici que la plus amère des déceptions!»

Et, s'inspirant de nouveau du grand dramaturge norvégien:

«Vous lisez souvent la Bible. Rappelez-vous que le livre divin parle d'un péché mystérieux pour lequel il n'est pas de pardon. Cet irrémissible péché est celui que commet une femme quand elle tue dans un homme la vie du cœur, la vie de l'amour. Sera-t-il dit qu'un pécheur touché de remords a imploré votre assistance, qu'il allait sortir de son abîme et que froidement, résolument, vous l'y avez laissé retomber?... Prenez-y garde, le vieil homme n'est pas mort; il me semble qu'il y a en moi un loup malade, ne le réduisez pas au désespoir.... Madame, je sens un nuage de folie dans ma tête.»

Et l'air égaré:

«Si vous refusez de me venir en aide, je me brûle la cervelle sous vos yeux. Que ma mort soit sur vous!»

À ces mots, il tira brusquement de sa poche un pistolet, que, dans son trouble simulé, il ne braquait pas contre lui, mais contre elle.

Mme Sauvigny se figura un instant qu'elle était sur le point de lui crier:—Combien vous faut-il?—Elle se trompait, il n'était pas au pouvoir d'un comte Krassing de lui arracher ce cri. Les caractères ont leurs fatalités, qui résistent à tous les accidents de la vie, et quelque violente que fût son angoisse, elle était sous la garde de sa fierté. En vain ses nerfs effarés lui donnaient de lâches conseils, ils trouvaient à qui parler. Quoiqu'elle eût les lèvres pâles, quoique les mains lui tremblassent, quoique l'épouvante lui serrât le cœur et la prit à la gorge, elle fixa sur le fou qui la tenait au bout d'un pistolet ses beaux yeux calmes et purs, et elle réussit à dire d'une voix nette, ferme, distincte:

«Tirez, monsieur. Vous n'obtiendrez rien de moi.»

Il lui sembla qu'au même moment un libérateur inespéré lui tombait du ciel. Jacquine, qu'elle n'avait pas vue venir, s'était élancée entre elle et le comte, qui à peine l'eut-il aperçue, retourna vivement son arme contre lui-même et l'appuya sur son front.

«Grand comédien, lui dit Jacquine en ricanant, gageons que votre revolver n'est pas chargé.»

Elle le lui arracha des mains, mais il parvint à le reprendre et s'enfuit précipitamment. Mme Sauvigny, dont les jambes vacillantes fléchissaient, se laissa choir sur son siège de grès; elle était hors de péril, sa fierté n'avait plus besoin de la garder.

«Ma peur, murmura-t-elle, en s'efforçant de sourire, a dû vous paraître bien ridicule. Qu'allez-vous penser de moi?

—Je pense, madame, que vous êtes mille fois plus admirable que les gens qui n'ont peur de rien; je pense que la figure que vous aviez quand vous avez dit: Tirez! ne me sortira jamais des yeux. Mais je dois vous faire une confession: j'avais prévenu le comte et je savais qu'il viendrait vous trouver ici.»

Aussi émue qu'indignée de cette perfidie:

«Quelle était votre intention, mademoiselle? demanda Mme Sauvigny.

—Je voulais prendre la mesure de votre courage.»

Elle baissa tristement la tête. Il lui parut certain, manifeste, évident que cette ingrate, que cette dangereuse vierge noire ne lui serait jamais de rien, qu'elle l'abandonnait pour toujours à ses instincts pervers, à son mauvais sort, qu'elle en avait assez, qu'elle avait tenté l'impossible, qu'elle renonçait à sa folle entreprise, qu'elle avait perdu son procès et n'irait pas en appel. Elle se redressa, et, la regardant de travers, lui dit d'un ton glacial:

«J'ose espérer, mademoiselle, que c'est la dernière expérience que vous faites sur mon humble personne. Autrement....»

Elle ne put achever. Jacquine venait de s'agenouiller devant elle, en disant:

«Ne voyez-vous donc pas que c'en est fait? Ne voyez-vous donc pas que je vous adore?»

Et, les genoux en terre, la vierge noire lui baisait le bas de sa robe. Puis, relevant la tête, elle contempla longuement la femme qu'elle avait résolu d'aimer. Elle ne lui proposait plus des énigmes; ses yeux gris, au regard lointain, étaient sortis de leur brouillard et lui parlaient de tout près; ils lui annonçaient dans un langage limpide et tendre qu'une place imprenable s'était rendue, lui ouvrait ses portes, lui remettait ses clefs. Après les yeux, la bouche parla.

«Mon Dieu! oui, comme saint Thomas, je ne puis croire sans avoir vu, et je vous ai fait souffrir. Je ne suis pas née méchante; ce n'est pas la nature qui nous fait, c'est la vie. J'ai eu si peu d'occasions d'aimer! Je suis toute neuve dans ce métier-là; peut-être, l'habitude aidant, y deviendrai-je habile. Mais j'entends n'aimer que vous seule; vous ne me guérirez pas de ma misanthropie; vous êtes une femme comme il n'y en a point; le reste des humains me sera toujours suspect. Mon cœur est un vieil avare; il fut toujours si ménager de ses petits sous, il regardait tant à la dépense qu'il a dû amasser à la longue des trésors de tendresse; ils seront pour vous seule; vous voilà riche, vous toucherez le montant de mes économies. Mon grand-père se plaignait de n'avoir que l'eau de ses citernes pour arroser ses fleurs et ses légumes. Il y avait près de son château un terrain sec, sablonneux, où il imagina de faire creuser un puits; il en fut pour son argent, pour ses peines. Il fit venir un sourcier et sa baguette divinatoire; la baguette ne s'agita pas. Cette affaire lui semblait désespérée, lorsque, un jour, il remarqua dans un coin de cette vilaine lande une place où l'herbe poussait plus dru qu'ailleurs; parfois aussi on y voyait danser une nuée de moucherons. Il creusa, l'eau était presque à fleur de terre. Et voilà ce que c'est que d'avoir des yeux! Mon cœur est un jardin aussi aride que la friche de mon grand-père. Creusez; vous y découvrirez peut-être une fontaine miraculeuse, prête à jaillir: depuis que je vous connais, votre sourire et vous, j'ai vu parfois danser les moucherons....»

Elle se tut un instant, elle réfléchissait. «Ce n'est pas tout d'aimer, reprit-elle, il faut prouver qu'on aime. Je vous dois une réparation; je vous ai fait injure, et je veux que la satisfaction soit proportionnée à l'offense. Que puis-je bien faire pour réparer?... Eh! voici, dès aujourd'hui je ne vous paierai plus de pension. Cela vous ravit, n'est-ce pas? Oui, je m'engage solennellement, à ne plus être votre pensionnaire; je serai une amie en visite, une de ces amies qui ne s'en vont pas. J'en dis trop peu. N'ayant pas de fille, vous vous étiez mis dans la tête que je pourrais vous en tenir lieu. C'était absurde; mais pour flatter votre lubie, quand je serai très contente de vous, je vous appellerai ma petite maman. Le plus souvent, je me regarderai comme votre sœur cadette, et je vous appellerai ma grande et crédule Charlotte, car, si fine, si avisée que vous soyez, soit douceur d'âme, soit besoin d'être heureuse, vous êtes trop confiante, vous croyez trop facilement.... Ce n'est pas encore tout. Ne vous payant plus pension, il faudra que je m'acquitte autrement. Quoique vos pauvres soient peu dignes des bontés que vous avez pour eux, vous mettrez à leur profit une grosse taxe sur ma petite cassette. Mieux que tout cela, entre vos bonnes œuvres vous choisirez la plus insipide, la plus fastidieuse, et vous vous en déchargerez sur moi. Si je ne réussis pas à vous cacher mon ennui, eh! bien, vous me chasserez de votre maison et de votre grand cœur, auquel je ne reproche que d'être trop grand et trop hospitalier: je voudrais le rogner, le diminuer un peu, et qu'il n'y eut de place que pour Jacquine Vanesse.»

Mme Sauvigny ne revenait pas de son étonnement, elle ne trouvait rien à dire. Pour toute réponse, elle se pencha, lui prit la tête entre ses mains, attira doucement vers elle un petit front bas encadré par des cheveux d'or pâle, l'effleura de ses lèvres. Elle voulut la contraindre à se relever. «Pas encore!» lui dit Jacquine. Et, saisissant un des plis de la jupe qu'elle avait baisée, elle s'y cacha le visage. Elle désirait demeurer un moment dans la nuit. Quelle révolution venait de s'accomplir dans sa vie! Était-ce bien vrai? était-ce vraiment arrivé? Elle n'en pouvait douter: après s'être défendu avec acharnement, son cœur venait de s'offrir, son cœur s'était donné. Elle était languissante et comme brisée de fatigue, et sa fatigue la réconfortait, et sa langueur lui plaisait, et elle constatait que les défaites sont quelquefois plus douces que les victoires, que la servitude a ses délices.

Cependant la fraîcheur du soir se faisait sentir, et le silence s'était accru. L'invisible bûcheron laissait reposer sa cognée, il avait abattu son chêne. Le geai et les ramiers ne sonnaient plus mot, ils avaient reconnu la vanité de leur querelle. Le soleil, qui commençait à décliner, colorait la plaine de teintes plus chaudes, mêlait un peu de pourpre aux fumées des champs, de la rivière et des villages.

«Il faut partir, dit Mme Sauvigny, je crains que nos gens ne s'inquiètent.»

Une voix grondeuse, qui sortait du pays des songes, lui répondit:

«Oh! ma grande et crédule Charlotte, quand cesserez-vous de croire à leurs inquiétudes? Leur sommes-nous donc si chères?»

Et Jacquine se releva en se frottant les yeux; il lui semblait avoir dormi et rêvé. Elles partirent; quoique le sentier fût étroit, elles s'en allaient la main dans la main, et, leurs pensées se reflétant sur tout ce qui les entourait, elles s'imaginaient que les choses, les pierres, les arbres avaient changé d'aspect et de figure.

Elles marchaient d'un pas si léger et si rapide que lorsqu'elles atteignirent la grille du parc, elles s'en croyaient encore loin. À peine l'avaient-elles dépassée, elles rencontrèrent le docteur Oserel et M. Saintis au milieu d'un carrefour. Ils arrivaient du Chalet; en apprenant que Mme Sauvigny n'était pas rentrée, quoi qu'en eût dit Mlle Vanesse, ils s'étaient inquiétés: ils n'aimaient pas à la savoir dans la forêt, seule avec sa pensionnaire, qui leur inspirait peu de confiance. Quand ils la virent paraître, ils remarquèrent qu'elle avait le visage radieux, et M. Oserel lui cria:

«Arrivez donc, madame. Vous avez fait, paraît-il, une agréable promenade; mais, foi de docteur, vous vous attardez trop. Vous avez eu, il y a trois semaines, une amygdalite, qui sans moi et mes soins préventifs, aurait pu se tourner en angine. Quand on a la gorge délicate, on se défie du serein des soirées de printemps.

—Excusez-moi, mon bon docteur, répondit-elle. Il ne m'est pas arrivé souvent de rencontrer un brigand dans la forêt; quand on a cette bonne fortune, on tient à en jouir jusqu'au bout.»

Là-dessus, elle coula brièvement l'histoire, en chantant les louanges de Mlle Vanesse qui l'avait, disait-elle, tirée de la gueule du loup. Dès qu'elles se furent éloignées, le docteur dit à M. Saintis:

«Voulez-vous savoir mon opinion? Il y a du louche dans cette aventure. Ce matin, comme je traversais le carrefour où nous sommes, j'ai aperçu au bout de cette allée, Mlle Vanesse, qui était en conférence avec le comte Krassing, et j'ai entendu distinctement ces mots: «Mon cher comte, soyez terrible!» Elle a sûrement joué à Mme Sauvigny un tour de sa façon. Certain médecin, dit-on, avait deux portes à sa maison; il sortait par l'une pour assaillir les passants, l'épée à la main, par l'autre pour les panser. Je soupçonne Mlle Vanesse d'avoir fait coup double, de s'être donné le plaisir d'effrayer Mme Sauvigny et de mystifier le comte Krassing. Je l'ai toujours tenue pour une déséquilibrée, pour une irresponsable; quand le diable la possède, aucune considération ne l'arrête. Ce serait rendre un service essentiel à notre amie que de la débarrasser de sa dangereuse pensionnaire; mais elle ne veut rien écouter.

—Elle m'écoutera! dit M. Saintis, d'un air délibéré, en enfonçant son chapeau. J'en fais mon affaire; l'occasion me semble bonne, je la prends au toupet.»

Cela dit, ils se quittèrent, l'un pour aller visiter une de ses opérées qui lui donnait du souci, l'autre pour se rendre dans le kiosque où l'attendaient ses élèves. Elles apprirent de lui avec chagrin, avec consternation, qu'il partait en voyage, qu'elles seraient tout un mois sans le voir, sans être houspillées, rabrouées, tourmentées, par le plus orageux des maîtres, par l'être extraordinaire qui était descendu du ciel pour fournir d'émotions leur monotone existence et leur âme endormie: grâce à lui, elles étaient assurées de sentir leur pouls battre quatre-vingts fois par minute, et qu'on soit paysanne ou duchesse, il est des angoisses dont on se fait une douce habitude. Il avait reçu de Copenhague la nouvelle que l'Alcade de Zalamea y serait prochainement représenté, et des lettres par lesquelles un musicien danois de ses amis le pressait d'assister aux dernières répétitions et de conduire lui-même l'orchestre. On lui écrivait aussi de Stockholm pour l'engager à y donner des concerts; il était question d'organiser en son honneur un grand festival, où il exécuterait ses dernières compositions pour piano, encore inédites. Avant d'accepter il avait soumis le cas à Mme Sauvigny. Considérait-elle ce voyage comme une infraction à leur traité?

«Je vous en fais juge, lui avait-il dit. Décidez, prononcez.»

Elle l'avait mis fort à l'aise:

«La lettre tue, lui avait-elle répondu, et l'esprit vivifie. Parlez bien vite, bel oiseau bleu; allez chanter aux Scandinaves vos plus beaux airs et jouir de votre gloire. Vous avez bien mérité vos vacances. Je n'exige qu'une chose, écrivez-moi quelquefois.»

Il devait se mettre en route au premier jour, et il pensait qu'il aurait en partant le cœur plus léger si au préalable il chassait le loup de la bergerie, s'il parvenait à évincer de la maison qu'il aimait une intruse qu'il avait en aversion, et qui lui inspirait de superstitieuses inquiétudes.

Après avoir pris congé de ces demoiselles et donné ses dernières instructions à l'instituteur primaire, qui, pendant son absence, devait les faire répéter et les tenir en haleine, il courut au Chalet. Il y entra bouillant d'impatience, la tête fumante. Mlle Vanesse était seule au salon, assise sur un pouf. Au premier regard qu'il lui lança, elle comprit quelles étaient ses intentions, qu'il venait lui chercher querelle, que, comme un autre soir dans le kiosque, il avait juré de mettre le feu aux poudres.

«Tenons-nous bien, pensa-t-elle; ne lui faisons pas beau jeu, prenons le contre-pied de ce qu'il désire.»

Il était allé s'adosser à la cheminée, et tour à tour il balançait sa canne, ou en frappait de petits coups secs sur le talon d'une de ses bottines.

«Mademoiselle, dit-il d'une voix stridente, il court d'étranges bruits. On assure que ce matin vous avez eu un entretien secret avec le soi-disant comte Krassing, que c'est d'accord avec vous et à votre instigation qu'il est allé surprendre Mme Sauvigny dans la forêt. Qu'en pensez-vous?»

Elle avait froncé le sourcil, mais elle ne répondit pas. Elle tenait ses yeux fixés sur l'âtre, où flambait un feu de sarments.

«Votre silence, reprit-il, est un aveu; je me permets du moins de l'interpréter ainsi. Vous n'avez pas voulu que l'affaire allât trop loin, et il faut croire, puisque Mme Sauvigny l'affirme, qu'au dernier moment votre intervention a mis ce drôle en déroute. Il vous avait suffi de procurer à notre amie une cruelle émotion. Vous vous donnez en vérité de singuliers divertissements.»

Elle persistait à se taire; ce silence prolongé l'exaspéra.

«Puisque j'ai trouvé l'occasion de m'expliquer avec vous une fois pour toutes, poursuivit-il en s'échauffant, apprenez que s'il n'avait tenu qu'à moi, vous seriez sortie depuis longtemps de cette maison. Mme Sauvigny a quelquefois un bandeau sur les yeux, elle ne vous voit pas telle que vous êtes. Vous dirai-je ce que je pense de vous? Je considère Mlle Jacquine Vanesse comme une jeune fille d'autant plus dangereuse qu'elle n'est qu'à demi responsable, et que sa conscience ne lui reproche jamais rien. Mais il n'importe! Mme Sauvigny est pour ses amis un être sacré, et ils ne souffriront pas que personne lui manque d'égards.»

Elle ne desserrait pas les dents. Il éclata.

«Mademoiselle, on m'a apporté cet hiver un fagot où dormait une vipère; quand je l'ai délié pour le brûler, elle s'est réveillée et a tenté de me mordre; je ne lui en ai pas laissé le temps, je lui ai écrasé la tête sous mon talon. M'écoutez-vous, mademoiselle? S'il vous arrivait de causer de sérieux chagrins à cette femme adorablement bonne, qui a eu l'imprudence de vous recevoir chez elle, ah! croyez-moi, j'aurais bientôt fait d'écraser la vipère.»

Elle quitta brusquement son pouf; le rouge lui était monté au visage, et son premier mouvement fut de souffleter M. Saintis sur les deux joues. Mais elle se dit: «Cela lui ferait plaisir». L'instant d'après, il lui vint une autre idée, qui lui parut infiniment meilleure que la première. Elle se recueillit, se contint, se calma, et son regard, qui était une flamme, s'éteignit par degrés.

«Monsieur, dit-elle, avant de vous répondre, permettez-moi de vous rendre un léger service. Je vois courir sur une des manches de votre redingote une punaise des bois, qui semble s'y trouver à l'aise; il me paraît indécent qu'un si vil insecte prenne de telles privautés avec un grand musicien.»

Et, d'une chiquenaude adroitement donnée, elle envoya le vil insecte dans le feu de sarments. Puis, d'un ton doux:

«Monsieur, soyez indulgent pour la vipère; elle a confessé son forfait et sa victime lui a pardonné.»

Et d'un ton plus doux encore:

«Votre remontrance a été dure, elle était méritée. Monsieur Saintis, faisons la paix.»

L'événement avait trompé son attente, l'entretien avait tourné tout autrement qu'il ne pensait. L'ennemi lui ayant démonté ses batteries, il restait sot, déconfit, ahuri.

«Je vous en prie, monsieur Saintis, répétait-elle, pour l'amour de Mme Sauvigny, faisons la paix.»

Elle lui tendit ses deux mains, que, sans trop savoir ce qu'il faisait, il pressa gauchement dans les siennes. La maîtresse de la maison entra et parut ravie de les voir en si bons termes. Pendant toute la soirée, il observa avec une curiosité étonnée cette jeune irresponsable, qui se montrait charmante pour Mme Sauvigny, fort gracieuse pour lui, et peu s'en fallait qu'il ne s'attribuât l'honneur de cette métamorphose.

«M'étais-je abusé? pensait-il. Cette prétendue vipère ne serait-elle qu'une malicieuse, mais inoffensive couleuvre? Laissons-la vivre.»

Avant de se coucher, Mme Sauvigny écrivit dans son journal:

«Oh! l'heureuse, l'étonnante journée! Les glaces ont subitement fondu, et pour qu'il ne manquât rien à mon bonheur, elle s'est rapatriée avec Valery. Mais je songe à l'avenir; je ne serai sûre de sa pleine guérison que quand je l'aurai décidée à se marier. J'ai un si bon parti à lui proposer! Si elle épousait André Belfons, vivant presque porte à porte, nous ne nous quitterions pas. Est-ce une chimère? J'ai trop le cœur à la joie pour n'être pas tentée de croire qu'en ce pauvre bas monde, qu'on calomnie, l'espérance a toujours raison.»

XII

M. Belfons avait un défaut, il était impatient. Ce hussard avait voulu brusquer l'attaque, il fut vivement ramené. Il ne se tint pas pour battu; il était ardent, il était tenace; il se promit de recommencer, mais moins à la chaude, avec plus de méthode; sur ces entrefaites, il était parti pour Nice, où sa mère passait l'hiver. Son absence avait duré deux mois; dès le lendemain de son retour, il revit Mlle Vanesse.

L'aveugle à laquelle s'intéressait Mme Sauvigny était une ancienne lingère, Mlle Antoinette Racot, qui, avant de perdre la vue, avait souvent travaillé pour elle. Sa cécité était, selon le docteur Oserel, la juste peine d'un stupide entêtement. Pourquoi ne s'était-elle pas prêtée à une opération dont il lui garantissait la réussite? Les gens qui refusent de se laisser opérer étaient à son avis les plus méprisables des humains. Il reprochait à Mme Sauvigny d'avoir trop de bontés pour cette inepte créature, de prouver une fois de plus qu'elle se plaisait à semer en terre ingrate.

Mlle Racot était fort à plaindre. Enjôlée par un fripon et ne se défiant pas assez des gouffres, elle avait aventuré dans une spéculation sur les mines d'or toutes ses petites épargnes. Dans l'espace d'une année, ses yeux, son petit magot, un mauvais vent avait tout emporté. En attendant qu'elle eut l'âge requis pour entrer à l'Asile, Mme Sauvigny l'avait mise en pension chez un fermier de M. Belfons. Bien logée, bien nourrie, on avait grand soin d'elle, et en hiver tout allait bien, elle trouvait toujours à qui parler. Mais dans la saison où tout le monde travaille aux champs, elle restait sous la garde du père de la fermière; ce vieillard taciturne était pour elle une maigre société. Il fumait sa pipe et ne sonnait mot. Elle lui criait de temps à autres:

«Père Hugues, êtes-vous là?

—Bien sûr que je ne suis pas ailleurs», répondait-il.

Et c'était tout. Elle avait tenté de se faire lire par lui le journal; il ânonnait péniblement. Se piquant d'avoir reçu de l'éducation, elle s'était appliquée à faire celle du bonhomme, à lui enseigner l'art de lire, de marquer les repos, de bien ponctuer ses phrases. Il avait fait une belle résistance; elle avait bientôt découvert qu'à laver la tête d'un âne, on perd sa lessive.

«Nous sommes convenues, avait dit Mlle Vanesse à Mme Sauvigny, que vous me donneriez à faire quelque chose de très ennuyeux, que le poisson serait plein d'arêtes, que je l'avalerais sans broncher et sans m'étrangler.

—J'ai votre affaire, répondit-elle, et vous pourrez vous vanter d'être bien servie. Une ou deux fois chaque semaine, vous vous ferez conduire en voiture dans une ferme située à deux kilomètres d'ici; vous y trouverez une pauvre aveugle, que vous distrairez pendant quelques heures et à qui vous ferez la lecture. Mlle Racot est la meilleure créature du monde, mais elle est fort ennuyeuse. Elle se répète volontiers; elle ne se lassera pas de vous raconter ses malheurs, elle vous assassinera de ses doléances. Elle est indiscrète, familière. Soyez patiente, et vous serez sûre de faire une heureuse. Elle a beaucoup d'amour-propre; l'idée d'avoir pour lectrice la petite-fille d'un marquis, laquelle lit à merveille, lui mettra du baume dans le sang, et corps et âme, elle s'en portera mieux.

—Présentez-moi dès aujourd'hui à cette rabâcheuse», avait reparti Jacquine.

Dans l'après-midi de ce même jour, Mme Sauvigny disait à Mlle Racot:

«Ma bonne Antoinette, je vous présente une jeune personne de mes amies, qui s'intéresse à vous; elle viendra de temps en temps vous tenir compagnie, vous désennuyer.

—Que le bon Dieu la bénisse! Comment l'appelez-vous?

—Mlle Jacquine Vanesse.

—Mlle Vanesse! s'écria l'aveugle. C'est un nom que je connais. On raconte qu'un certain soir, au bord de la rivière.... Eh! vraiment, est-ce la demoiselle qui....

—Oui, interrompit Jacquine, c'est la demoiselle qui....»

Deux ou trois semaines plus tard, M. Belfons, arrivé de Nice la veille, faisait le tour de son domaine, lorsque en passant devant la ferme où logeait Mlle Racot, il se crut tenu de s'y arrêter pour rendre ses devoirs à la protégée de Mme Sauvigny. S'étant dirigé vers une salle basse du rez-de-chaussée, il entendit le gazouillement d'une voix flexible et légère qu'il crut reconnaître. Il poussa doucement la porte et demeura comme pétrifié de surprise, tant Mlle Vanesse, lisant le Petit Journal à une vieille aveugle, lui parut différente de la jeune fille hautaine qui avait si mal répondu à ses avances. Elles étaient toutes les deux remarquablement jolies; mais l'une avait le cœur aride et comme un long passé derrière elle; l'autre était toute jeune et aussi fraîche qu'un beau fruit qui n'a pas encore perdu son duvet. Il cherchait à superposer, à combiner les deux images, à les réduire à une seule, et ce problème lui parut plus insoluble que la quadrature du cercle. Ce qui lui paraissait certain, c'est que Mme Sauvigny avait le don des miracles.

Le journal était fort intéressant ce jour-là; il contenait le récit circonstancié d'un crime passionnel, qui faisait du bruit. Le meurtrier et sa victime, appartenaient au grand monde, et Mlle Racot, n'ayant que des notions confuses sur le grand monde et sur les crimes passionnels, demandait des éclaircissements, que Mlle Vanesse lui fournissait avec une infatigable patience. Le héros de l'aventure, après avoir tué sa maîtresse, avait tenté de se brûler la cervelle. L'aveugle en prit occasion pour poser à sa lectrice une question qu'elle avait depuis longtemps sur le bout de la langue.

«Je n'ai jamais compris qu'on ait le courage de se détruire. Mais il paraît que vous-même, mademoiselle.... Vous allez me trouver bien curieuse; je meurs d'envie de savoir pour quelles raisons....

—Ce serait trop long à vous expliquer, interrompit Jacquine sans se fâcher. Le monde me semblait un endroit déplaisant, et je me flattais d'en trouver ailleurs un autre plus agréable.»

Mlle Racot étant aussi friande de sucreries que d'histoires, Jacquine lui apportait toujours soit des dragées, soit du sucre d'orge. Elle ouvrit une boîte carrée en métal, d'où elle tira un berlingot de Morel, qu'elle lui mit dans la main, en disant:

«Croquez-moi ce bonbon, ma chère Antoinette; cela vaudra mieux que de faire des questions oiseuses.»

À ces mots, ayant levé les yeux, elle aperçut M. Belfons, qui, immobile dans l'embrasure de la porte, s'acharnait à résoudre son insoluble problème. Il rougit, s'avança, s'excusa et dit à Mlle Racot:

«Je suis un trouble-fête, je me sauve.»

Elle ne le laissa point partir, elle tenait à ce qu'il la contemplât dans sa gloire.

«Qu'en pensez-vous, monsieur Belfons? s'écria-t-elle en faisant la roue. Comme on me gâte! Qui m'eût dit qu'un jour j'aurais une lectrice, et que ma lectrice serait la petite-fille du marquis de Salicourt? Je n'ai qu'un chagrin: je l'entends, mais je ne vois pas. Je voudrais tant savoir à quoi elle ressemble! Je l'ai priée de me faire son portrait; elle a refusé, elle m'a soutenu qu'elle avait une figure fort insignifiante. Monsieur Belfons, est-elle brune ou blonde?

—M'autorisez-vous à répondre?» demanda-t-il à Jacquine.

Sa bouche dit non, son regard disait oui. Elle avait en ce moment l'air d'une très bonne fille. Il osa se fier de nouveau à cette mer perfide et dure, qui l'avait secoué, mais qui avait ses bonaces. Il s'embarqua.

«On me défend de parler, mais la défense n'est pas formelle, dit-il à Mlle Racot. Les cheveux de Mlle Vanesse sont d'un blond très doux, de la nuance que je préfère à toutes les autres, celle de l'or pâle, de l'or éteint.

—Quelle couleur ont ses yeux?

—Pour vous répondre pertinemment, il faudrait qu'on me permît de les regarder de près.... Sont-ils bleus? sont-ils gris? Je ne puis les comparer qu'à un ciel léger, vaporeux, de printemps.

—Parlez-moi de son nez, poursuivit l'interrogante aveugle. Je gagerais qu'il est charmant.

—Tout ce qu'on peut dire, fit Jacquine, c'est qu'il est situé à peu près au milieu de mon visage; c'est là qu'on les met d'ordinaire.

—Le nez, la bouche, les oreilles, reprit M. Belfons, sont d'une merveilleuse finesse.

—Je savais bien que ma lectrice était fort jolie, reprit Mlle Racot en se rengorgeant et gonflant ses joues.

—Adorablement jolie, soupira-t-il.

—Et adorablement bonne, aussi bonne qu'un petit agneau», ajouta-t-elle en s'attendrissant.

M. Belfons ne répondit pas: ce second point lui semblait plus discutable que le premier, et il eût trouvé plus naturel de comparer Mlle Vanesse à une chèvre qu'à un agneau; mais il était disposé à tout mettre au mieux. Il eût volontiers embrassé l'aveugle pour lui avoir procuré l'occasion de faire à haute et intelligible voix sa profession de foi, et il se jugeait le plus heureux des hommes parce que Mlle Vanesse l'avait entendue et ne s'en était point formalisée.

«Là-dessus, revenons à notre fait divers, dit-elle en rouvrant le journal.

—Mais l'histoire est finie, dit Mlle Racot. Il a tué sa maîtresse et il s'est tué.

—Il a voulu se tuer; mais, comme il arrive quelquefois, le pistolet rata», repartit Jacquine d'un ton si impassible qu'on eût pu douter qu'il se fût passé rien de semblable dans sa vie.

«Que Dieu bénisse les pistolets qui ratent!» s'écria M. Belfons d'un air pénétré et avec un tremblement dans la voix.

Elle reprit sa lecture où elle l'avait laissée. Assis derrière elle, il ne l'écoutait pas, mais il dévorait des yeux sa taille svelte, le fin contour de ses épaules, sa longue natte pendante, sa petite nuque penchée, qui semblait s'offrir aux baisers. L'imagination de ce jeune homme au cœur inflammable battait la campagne. Il se disait:

«Elle est trop jolie pour moi, mais je connais des hommes fort laids, que de jolies femmes ont pris en goût. Elle est la petite-fille d'un marquis, mais la fille d'un bourgeois ruiné, et j'ai cent mille livres de rente à mettre à ses pieds. Ma mère jettera les hauts cris. Épouser une jeune fille qui a voulu se tuer! Devenir le gendre d'une Mme Vanesse!... Bah! elle a une si grande envie de me marier qu'elle passera sur tout. Et puis je compte sur l'amitié de Mme Sauvigny, qui plaidera ma cause. L'affaire est en bon chemin, je la crois à moitié faite.»

Et pendant qu'il raisonnait ainsi, Jacquine, qui sentait rôder, vaguer autour d'elle un regard indiscrètement amoureux, pensait tout en lisant:

«Mon Dieu! que les hommes sont bêtes et faciles à prendre!»

Elle regarda sa montre, se leva et dit à Mlle Racot:

«Il se fait tard; sans doute la voiture est venue me chercher. À samedi, ma chère Antoinette. Ce jour-là nous serons seules et nous emploierons mieux notre temps; nous ne le perdrons plus à disserter sur mes yeux gris, aussi vaporeux qu'un beau ciel du mois d'avril.»

Elle prononça ces dures paroles avec une ironie emphatique, qui consterna M. Belfons et lui prouva que son mariage ressemblait à celui d'Arlequin, lequel était à moitié fait, puisqu'il ne manquait que le consentement de la future. Il la salua d'un air cérémonieux et la laissa partir; mais il se ravisa aussitôt, la suivit, la rejoignit et quoiqu'il eût hâte de la quitter, il l'accompagna tout le long d'un chemin vert jusqu'à la route où la voiture l'attendait: il arrive quelquefois qu'on veut s'en aller et qu'on ne s'en va pas. Mais il ne savait que lui dire, ni sur quel ton il devait lui parler. Le voyant morne et silencieux, elle craignit de l'avoir trop découragé; elle voulut lui rendre quelque espoir. Il était de tous les jeunes gens qu'elle avait rencontrés celui qu'elle méprisait le moins. Elle le trouvait gentil, intelligent, agréable; elle lui savait gré de se croire malin et d'être sincère jusqu'à la candeur, de découvrir maladroitement son jeu, d'avoir une figure qui le trahissait, des yeux où on lisait comme à livre ouvert toutes ses impressions, tous ses sentiments. Elle se promettait de le faire passer par des alternatives de peine et de plaisir, de le désoler tour à tour par ses froideurs ou de l'amuser de vaines espérances, de jouer avec cette souris, digne de servir à son divertissement. Elle avait juré une éternelle et tendre fidélité à Mme Sauvigny, cette femme unique, cet être parfait et sacré; mais elle n'avait pris aucun engagement envers le reste des humains, et bien qu'elle parût changée, elle se plaisait aux jeux cruels.

Le chemin vert se terminait par une rampe douce, du haut de laquelle le regard embrassait dans toute leur étendue les biens-fonds de M. Belfons, vaste et riche propriété, appelée la Givrine, du nom d'un ruisseau qui la traversait. Mlle Vanesse s'arrêta pour contempler ces champs, ces vignes et ces bois.

«Quel beau domaine! Jusqu'où va-t-il?

—Jusqu'à ce groupe de noyers, que vous apercevez là-haut, sur la colline.

—Si j'étais homme, s'écria-t-elle, je voudrais être agriculteur.»

Il se redressa comme une plante rafraîchie par la rosée; il ne lui en fallait qu'une goutte pour le rafraîchir.

«En vérité, dit-il, ce métier vous plaît? Ce n'est pourtant pas celui que j'avais choisi. Je me croyais né pour être ingénieur des ponts et chaussées; les circonstances ne l'ont pas voulu, la terre m'a pris et m'a gardé. Le prince de Ligne disait que la philosophie et l'agriculture sont deux retraites honorables, où, si l'on est encore trompé, on ne l'est plus par les hommes.

—Ni par les femmes, dit-elle.

—Ah! permettez, la terre est une femme qui trompe les plus fins; bien fou qui se fie à ses promesses et à ses sourires!

—Que, vu d'ici, votre château se présente bien! Quelle fière tournure a sa terrasse, ombragée de beaux platanes!

—Mon château a un défaut grave, il est trop grand. Quand ma mère m'y tient compagnie, comme ces jours-ci, elle y attire beaucoup de monde; mais elle est plus souvent chez ma sœur, en Normandie, et je me sens perdu dans mon désert.

—Que faites-vous pour amuser vos soirées?

—En vrai polytechnicien, j'ai la passion des mathématiques. Oh! je ne suis qu'un simple amateur, je n'inventerai jamais rien; j'étudie les savants mémoires de mes maîtres et je refais leurs calculs. C'est après tout un plaisir plus noble que celui de deviner des rébus. Les mathématiques pures sont la plus romanesque des sciences; elles n'ont rien à démêler avec les réalités de la vie, elles nous transportent dans le monde des suppositions et des rêves. Le calcul infinitésimal est un abîme où j'aime à me plonger; j'y perds la notion du temps et j'oublie jusqu'à ma propre existence. Quand je sors de mon gouffre, je me dis: «À propos, quelle heure est-il?» Et le chant du coq m'avertit qu'il est l'heure où les agriculteurs se lèvent et que j'ai oublié de me coucher.

—Autant dire que votre goût est une fureur et que vous êtes parfaitement heureux.

—Vous vous trompez bien. Un homme heureux ne cherche pas à oublier sa propre existence; qu'est-ce qu'un bonheur qui éprouve le besoin de s'étourdir et de se consoler?»

Il hésita un instant; puis, franchissant le pas:

«Ce qui me manque?... C'est elle. Je suis seul et je voudrais être deux; ne vous ai-je pas dit que ma maison était trop grande?»

Elle pensa qu'elle l'avait trop encouragé, qu'il devenait audacieux.

«Vous avez tort, monsieur, dit-elle du bout des lèvres. Un mathématicien qui se respecte ne doit pas se marier; les femmes exigent quelquefois que deux fois deux fassent cinq.»

Le moment d'après, elle montait en voiture. Comme elle aimait à conduire, elle prit des mains du cocher les guides et le fouet; mais, avant de toucher, elle fit à son adorateur morfondu un petit salut assez gracieux, et cette goutte de rosée suffit de nouveau pour lui rafraîchir le sang.

«Ne le désespérons point. Que sait-on? il pourra nous être, le cas échéant, d'une grande utilité, pensait-elle en pressant le pas de son cheval. Mais quelle duperie que l'amour! Cet intelligent nigaud, qui se croirait le plus heureux des hommes s'il possédait ma précieuse personne, ne se doute point que le gros bonheur après lequel il soupire, la première venue peut le lui donner aussi bien que Mlle Jacquine Vanesse. Si ses mathématiques ne lui suffisent pas, qu'il y ajoute le ragoût d'une jolie dindonnière!»

Durant plusieurs semaines, M. Belfons se conduisit d'une manière fort sage, fort discrète. Les jours où Jacquine venait faire la lecture à Mlle Racot, il n'avait garde de la guetter, il ne l'attendait point au passage dans le chemin vert, et soit qu'il craignit de l'offenser ou de l'exposer aux médisances de l'aveugle, soit qu'il se fit un scrupule de troubler leur tête-à-tête, de la distraire de son œuvre de miséricorde, il ne remit pas les pieds dans la salle basse. Il s'occupait de ses champs, de ses prés, de ses vignes, il cultivait son immense jardin; mais il délaissait les mathématiques: le calcul infinitésimal ne lui paraissait plus le plus beau des romans.

Sa mère, qui depuis longtemps l'exhortait à se marier et qu'il désespérait par ses refus, lui causa un jour une agréable surprise. Elle profita d'un instant où ils étaient seuls pour lui dire à brûle-pourpoint:

«Je suis allée voir tout à l'heure Mme Sauvigny, qui m'a présenté Mlle Vanesse. J'avais de grandes préventions contre cette jeune folle, dont l'aventure a fait esclandre; j'en suis bien revenue. Le croirais-tu? elle a tant de cœur que deux fois par semaine, elle vient tenir compagnie à cette pauvre demoiselle Racot. Elle est si raisonnable que Mme Sauvigny lui a confié depuis peu le gouvernement de sa maison et les clefs de tout; elle a, paraît-il, beaucoup d'ordre; elle avait fait son apprentissage de ménagère chez sa tante, Mlle de Salicourt. Et puis, qu'elle est jolie!... Grand calculateur, l'as-tu jamais regardée? André, as-tu des yeux?

—Vos attaques sont chaudes, répondit-il en tressaillant d'aise. Chère madame, que vous êtes vive! que vous êtes prompte! Vous croyez à l'entière guérison de cet esprit malade. Qui vous en répond?

—J'ai la garantie de Mme Sauvigny; en connais-tu de plus sûre?

—Vous pardonnez à Mlle Vanesse d'être la fille de sa mère?

—Pauvre enfant! Ce n'est pas sa faute, et elle ne la voit plus.

—Il ne suffit pas de demander pour obtenir. Voudrait-elle de moi?

—Tu as l'œil doux, persuasif, une terre bien plantée, bien bâtie, et tu t'engageras par serment à brûler tous les livres de mathématiques.

—Peste! comme vous y allez! si je vous entends, vous exigez que dès demain je sois follement amoureux de cette énigmatique créature. On tâchera de vous contenter. Suis-je un fils soumis?»

Quelques jours après, la mère, le fils et leurs hôtes, qui étaient tous de la connaissance de Mme Sauvigny, dînèrent au Chalet. Mme Belfons constata que Mlle Vanesse n'était pas seulement une habile ménagère, mais possédait toutes les qualités d'une maîtresse de maison accomplie, qu'elle était gracieuse, avenante, qu'elle trouvait un mot à dire à chacun, qu'elle avait de la race, beaucoup de monde, de distinction. Cette tendre mère, qui n'aimait pas à prévoir les difficultés et croyait facilement qu'il suffit de désirer les choses pour les avoir, constata avec un égal plaisir que son fils lui avait tenu parole, qu'il s'occupait beaucoup de Mlle Vanesse et que ses attentions ne déplaisaient point.

«Elle s'habille à ravir, pensait-elle, et elle sera parfaite quand elle aura appris à se coiffer. Dès que nos affaires seront plus avancées, j'exigerai qu'elle me sacrifie sa longue natte de petite fille, qui ne rime à rien.»

Après le dîner, on vint à parler des concerts de l'Opéra et des danses anciennes qu'on y avait exécutées avec un grand succès. Mlle Vanesse dit à ce propos que son grand-père, qui savait tout, même la chorégraphie, lui avait appris à danser la gavotte. On la supplia de donner un échantillon de son savoir-faire.

«Je le veux bien, dit-elle, si M. le docteur Oserel consent à me servir de cavalier.»

Le docteur fit une horrible grimace et ne daigna pas répondre. Elle se tourna vers M. Belfons en lui disant:

«Résignez-vous.»

Il la soupçonna de lui tendre un piège, de vouloir se moquer de lui; il allégua qu'il n'avait plus ses jambes de quinze ans et que d'ailleurs il n'avait jamais dansé la gavotte.

«Vous verrez, reprit-elle, que c'est une science moins compliquée que le calcul infinitésimal et que je suis un excellent professeur. J'aurai bientôt fait votre éducation.»

Elle avait cette fois encore la figure d'une bonne fille; il se risqua. Mme Sauvigny se mit au piano, joua un air à deux temps, d'un mouvement modéré, et la leçon commença. Mlle Vanesse, souple et légère, dansait aussi bien qu'elle patinait, avec une grâce rythmée et la joie de se sentir des ailes. Mme Belfons, qui ne se lassait pas de la regarder, se confirma dans la conviction que sa future bru, garantie par Mme Sauvigny, était une perle, une merveille. Jacquine lui prouva qu'elle joignait à tous ses talents le don d'enseigner. Son élève n'était pas un lourdaud, il avait été autrefois un assez bon valseur; il se débrouilla; intelligent, appliqué, désireux de bien faire, il étonna toute l'assistance par la rapidité de ses progrès. Son courage fut récompensé; on lui fit de grands compliments; mais il fut plus sensible encore à l'admiration qu'on témoignait à son professeur.

Il aurait voulu que cette leçon délicieuse durât éternellement; tout finit. Cet imaginatif se figurait qu'en lui apprenant la gavotte, Mlle Vanesse s'était engagée, lui avait donné des arrhes. L'œil luisant, le cœur débordant de joie, il prit le bras de Mme Sauvigny, et, l'ayant emmenée à l'autre bout du salon, il la rencogna dans une croisée, lui débita à voix basse mille douceurs, la traita de fée bienfaisante, de faiseuse de miracles, lui fit le dénombrement de ses angéliques perfections. Elle se mit à rire.

«Pourquoi riez-vous, chère madame?

—Je pense à ma chatte. Lorsqu'elle est contente de Mlle Vanesse, qui lui a donné une gimblette, n'osant pas caresser cette reine, c'est à ma jupe qu'elle vient se frotter.»

Il joignit les mains.

«Je vous en conjure, donnez-la-moi.

—Laquelle de mes deux chattes me demandez-vous?

—Celle qui danse si bien la gavotte.

—Croyez-vous donc que je dispose de sa volonté? Je vous aiderai de mes conseils, mais c'est à vous de la persuader. Ne vous pressez pas, ne brûlez pas les étapes. Profitez de mon expérience; j'ai été patiente, et je m'en trouve bien.»

Quand on a un tempérament chaud, on promet d'être patient et on ne l'est pas. Il voulut brûler l'étape et mal lui on prit. La semaine suivante, Mme Belfons rendit sa politesse à Mme Sauvigny, qui, accompagnée de Mlle Vanesse, alla déjeuner à la Givrine en nombreuse société. Le temps était gris, mais il ne pleuvait pas. En sortant de table, on se répandit dans le parc, et M. Belfons manœuvra si bien qu'il réussit à se trouver seul avec Jacquine dans une allée ombreuse, à laquelle on avait ménagé des échappées de vue, l'une sur des prairies où se promenait un ruisseau, l'autre sur le château et sa terrasse. Jacquine admira ces deux perspectives; terrasse, château, prairies, le regard de M. Belfons lui offrait tout, et il s'imagina qu'elle acceptait. Il résolut de faire le saut, d'être audacieux; mais son audace l'épouvantait, il atermoyait. Il se disait:

«Ne partons pas trop tôt.... Quand nous passerons près de ce grand massif de thuyas d'Amérique, je prononcerai la parole décisive.»

Ils venaient d'atteindre le massif et Mlle Vanesse s'apprêtait à rejoindre Mme Sauvigny qu'elle avait aperçue sur la terrasse, lorsque se plantant devant elle, il lui dit d'une voix sourde et frémissante:

«Mademoiselle....»

Il n'alla pas plus loin, la parole s'était subitement glacée dans sa bouche, et le reste de sa phrase lui était demeuré dans la gorge. Elle le regardait fixement; ses yeux ne ressemblaient plus à un ciel d'avril, ils étaient froids, durs comme l'hiver, et ses lèvres se tendaient comme un arc qui va lancer sa flèche. Elle avait deviné ce qui se passait dans la tête de ce mathématicien et répondait à ce qu'il n'avait pas dit.

«Mademoiselle, fit-il, en pliant les épaules, il me semble que quelques gouttes de pluie commencent à tomber, que nous ferions bien de rentrer.»

Il employa sa soirée à chercher l'équation d'une courbe très compliquée; il la cherchait péniblement et ne la trouvait pas. Il avait de fréquentes distractions, mais il se répétait sans cesse ce que Zulietta avait dit à Jean-Jacques: Zanetto, studio la matematica!

À la même heure, Mlle Vanesse ruminait sur une affaire qui n'était pas une équation, et qui absorbait toutes ces pensées. Elle n'avait pas voulu quitter la Givrine sans donner le bonjour à Mlle Racot, et Mlle Racot, toujours pleine d'informations, lui avait appris que dès le lendemain un grand musicien, parti pour les pays brumeux, serait de retour dans son ermitage. Cette nouvelle, que l'aveugle tenait de la cuisinière de M. Saintis, avait profondément troublé Jacquine.

Comme on croit facilement ce qu'on désire et que l'absence de M. Saintis était prolongée au delà du terme fixé par lui, elle s'était logé dans la tête qu'il était retenu là-bas par quelque sirène du Nord, que, si jamais il avait été amoureux de Mme Sauvigny, il l'avait oubliée, que la fièvre du monde et des dissipations l'avait repris, qu'il ne reviendrait que pour se réinstaller à Paris, que son ermitage ne le reverrait pas. Et sa cuisinière l'attendait et se disposait à rallumer ses fourneaux. Un amour sérieux pouvait seul le ramener dans son désert. Est-ce que par hasard...? À cette pensée son sang bouillonnait.

En se faisant violence à elle-même, elle s'était, contre toute attente, réconciliée avec la vie. Elle avait rencontré une femme, qui lui inspirait une tendresse passionnée, à laquelle, après une longue résistance, elle rendait un culte. Elle se berçait de l'espoir de ne plus la quitter, de vivre à jamais heureuse dans une maison dont elle avait depuis peu toutes les clefs. Elle se sentait transformée; une huile d'onction s'était répandue sur son âme, et quoiqu'elle s'amusât encore à des jeux cruels, désormais il lui semblait plus doux d'aimer que de haïr. M. Saintis revenait! Cela changeait tout. Son avenir était remis en question, un danger la menaçait.

Jusqu'à minuit elle retourna la même idée, et tandis que M. Belfons répétait mélancoliquement le mot de Zulietta: Studia la matematica! elle se disait:

«Si l'homme qui m'a traitée de vipère s'avisait de troubler mon repos, de toucher à mon bonheur, malheur à lui!»

XIII

À Stockholm comme à Copenhague, il avait été admiré, applaudi, acclamé. On lui avait fait de bruyantes ovations, on lui avait prodigué les flatteries, les caresses, on l'avait repu de vent et de fumée, on avait encensé le compositeur, le pianiste et l'homme. Il faut tout dire: il avait eu une brillante aventure, qui, pendant quelques heures, avait chassé de son souvenir son amie d'enfance, la seule femme qu'il aimât assez pour vouloir l'épouser. Une belle Suédoise du grand monde, trop enthousiaste de son génie, s'était jetée à sa tête; sa victoire avait été complète, mais son bonheur avait duré l'espace d'une nuit. Cette ombre enchanteresse n'avait fait qu'apparaître et disparaître. Il n'était point parti à sa recherche, il ne s'était pas soucié de la revoir et de la ravoir. Cette affaire n'avait pas été sérieuse, il avait cédé à une ivresse des sens et sa bonne fortune avait procuré une fête à son orgueil, mais son cœur n'était pas pris. Il s'était reproché d'avoir manqué à son serment. En revenant de son triomphal voyage, il n'avait pas la conscience nette, et quand notre conscience n'est pas tranquille, notre esprit est facilement inquiet. À peine débarqué, il courut au Chalet. Mme Sauvigny était absente. Deux heures plus tard, elle venait le trouver dans son ermitage.

Elle avait eu, elle aussi, ses inquiétudes. Après avoir été le plus exact, le plus zélé des correspondants, il s'était négligé; ses lettres étaient devenues plus courtes et plus rares, et il fut toute une semaine sans écrire. Il récrivit bientôt, mais il n'annonçait pas son retour. Comme Jacquine, le docteur Oserel aimait à croire que cet ermite s'était laissé reprendre par le tourbillon des plaisirs, des affaires et du monde, qu'on ne le reverrait pas de si tôt. Peut-être aussi quelque Calypso du Nord le retenait-elle dans sa grotte; il y a partout des grottes et des Calypso. Le gros jaloux vantait à Mme Sauvigny l'irrésistible beauté des Suédoises; il ajoutait: «Pardonnons-lui. Les artistes ne se régénèrent pas en un jour; ils attendent pour être sages qu'il ait neigé sur leur tête.» Quoiqu'elle ne le laissât pas voir, ces propos la chagrinaient. En vain sa raison lui disait: «Mieux vaut qu'il te soit infidèle avant le 1er septembre qu'après; il t'épargne une vie de chagrin». En croit-on sa raison quand on aime?

Elle fut bientôt rassurée; elle le trouva qui se disposait à enfourcher sa bicyclette pour retourner dare-dare au Chalet. Il parut si ému en la voyant, il eut le visage si luisant de joie, que ses craintes lui semblèrent absurdes, ridicules, et qu'elle se reprocha de trop écouter les prophètes de malheur, le cri sinistre des oiseaux de nuit. Il la conduisit tout au bout de son jardinet, la fit asseoir sur un banc et, sans autre préambule:

«Charlotte, s'écria-t-il, je vous supplie de ne pas me tenir plus longtemps dans l'incertitude. Je ne me sens pas la force d'attendre trois mois encore avant de connaître mon sort. C'est la première pensée qui m'est venue en arrivant ici. Vous êtes bonne, compatissante pour tout le monde, sauf pour votre serviteur. Tâchez de vous figurer que je suis un vieux mendiant ou un gueux couvert d'ulcères, ou une des opérées du docteur Oserel. Ayez pour moi un peu de la pitié que vous témoignez si libéralement aux béquillards et aux besaciers.»

Elle le regarda d'un œil doux, mais pénétrant et fixe.

«Ainsi, dit-elle, vous n'avez rencontré aucune belle Suédoise qui vous ait fait oublier Charlotte Sauvigny?»

Il avait dans l'occasion un front d'airain, et ses yeux savaient mentir; elle n'y lut pas son crime.

«Charlotte Sauvigny, répliqua-t-il, ne saura jamais ce qu'elle vaut et qu'elle peut soutenir et défier toutes les comparaisons. Un soir, une belle Suédoise, puisqu'il est convenu qu'elles sont belles, me pria d'écrire quelque chose sur son album. J'y écrivis ce mot de Gœthe: «La plus belle qualité d'une femme est d'être une nature». Elle rougit modestement, elle avait pris le compliment pour elle, sans se douter que je venais de tracer sur son album le fidèle portrait de la dame de mes pensées. On fait bien de voyager, on s'instruit. Charlotte Sauvigny est la femme de tous les bons conseils, elle est plus sage que la reine de Saba, et elle a les grâces et la délicieuse candeur d'une jeune pensionnaire. Je me suis convaincu en voyageant qu'elle est unique, qu'on chercherait vainement sa pareille en Danemark, en Suède et, je suppose, dans les cinq parties du monde. Mais, je le répète, elle est dure pour son chevalier, qui languit dans l'attente. Je la supplie de me faire savoir ce que je puis espérer d'elle et si elle consent à m'appartenir.

—Je suis superstitieuse en matière d'engagements, répondit-elle. Mon père disait que lorsqu'on a fait une convention, coûte que coûte, il faut s'y tenir. La Suède est un pays si attachant qu'on n'en revient jamais au jour dit. Nous sommes aujourd'hui le 14 juin. Vous ne serez plus longtemps à languir dans l'attente. Deux mois et demi sont bientôt passés.

—Que vous êtes intraitable et exacte dans vos calculs! On attendra, puisque vous l'exigez. Mais du moins vous allez me promettre, me jurer solennellement que si, pendant ces deux mois et demi, je ne commets aucun assassinat, aucun horrible méfait, aucune abomination, le 1er septembre vous me direz oui.»

Elle se pencha vers lui, et du bout de son ombrelle elle écrivit dans le sable de l'allée le mot oui en gros caractères très lisibles. Il eut un transport de joie. Sa conscience ne lui reprochait plus rien, et, avec ses remords, ses inquiétudes s'étaient envolées. Il n'eut plus le ton grave, il lui demanda gaiement des nouvelles de ses vieillards, de son docteur, de son village, de son chien, de sa chatte et de la jeune sauvagesse qu'elle avait entrepris de domestiquer. Elle lui apprit que cette sauvagesse était devenue une charmante fille et à la fois sa sœur cadette et son impeccable ménagère.

«Chère madame, je le crois, puisque vous le dites. Eh! tenez, je suis si content de vous et de moi que je veux du bien à toute la création et même à votre sœur cadette. J'ai eu des torts envers elle, je l'ai trop malmenée. J'entends faire quelque chose pour elle et pour sa gloire. À la réflexion, il m'a paru que ma cantate était un peu maigre; j'ai formé le projet de l'étoffer, en y ajoutant un long solo, que chantera Mlle Vanesse. Elle ne sait pas chanter, mais elle a une voix d'un timbre rare, d'une étonnante pureté, tranchons le mot, un superbe instrument. Nous lui apprendrons le métier. Engagez-la en mon nom à suivre désormais mes leçons, que je recommencerai au premier jour. Nous lui ouvrirons à deux battants les portes de notre kiosque, où elle sera reçue et traitée en princesse.»

Mme Sauvigny se chargea très volontiers de cette commission. L'instant d'après, elle se leva, mais, avant de partir, elle s'approcha d'un groseillier, qu'elle lorgnait depuis quelques minutes, et dont les fruits lui semblaient à point. Elle allongeait déjà la main pour en cueillir un; M. Saintis la prévint, en disant:

«C'est à moi de vous l'offrir. Charlotte Sauvigny, souvenez-vous qu'il fut un temps où vous aviez douze ans; j'en avais dix et je vous disais quelquefois: Fermez les yeux, ouvrez la bouche.

—J'ai gardé, dit-elle, un fâcheux souvenir de ce jeu, qui vous servait à me faire d'odieuses trahisons.

—Lolotte, ma chère petite Lolotte, reprit-il d'une voix suppliante, ouvrez la bouche et fermez les yeux.»

Elle se prêta à son désir, elle obéit, et au même moment, l'ayant saisie par la taille, il mit une groseille dans cette bouche qui s'ouvrait et un long baiser sur chacune de ces paupières hermétiquement closes. Dès qu'elle les eut rouvertes, elle promena ses yeux autour d'elle pour s'assurer que, si elle avait senti les deux baisers, personne ne les avait vus. Elle avisa, perché au bout d'une branche, un bouvreuil qui la regardait; mais les bouvreuils ne se scandalisent de rien.

«Ce jeune homme, lui dit-elle en lui montrant du doigt M. Saintis, sera toujours traître.»

Et elle s'en alla, l'âme légère et libre de toute crainte. Mais à peine était-elle montée en voiture, il lui vint une pensée qui l'inquiéta. Elle se dit qu'elle s'était engagée, que quand les musiciens sont contents et se flattent d'avoir ville gagnée, leur visage le dit ou le crie, que Jacquine avait des yeux perçants, l'humeur soupçonneuse, que pour empêcher son imagination de s'égarer, elle ferait bien de la mettre au fait, de lui confier le grand secret. Cela lui donnait quelque souci; elle pressentait que sa confidence serait mal reçue.

Après leur dîner, elles traversèrent la route, descendirent au bord de l'eau et s'assirent dans l'herbe. On était dans les plus longs jours de l'année, le soleil avait disparu depuis un quart d'heure, mais le couchant d'un rouge de carmin s'éloignait lentement. Les champs se taisaient, la roue du moulin avait cessé de tourner, le village commençait à s'endormir. La rivière coulait molle et paresseuse entre ses deux rangées de peupliers et de trembles; on l'entendait à peine frôler au passage les racines déchaussées d'un vieux saule et les longues herbes qui se penchaient pour la regarder s'en aller. Sombre en aval, plus lumineuse en amont, des nuages enflammés s'y reflétaient par places, et elle se tachetait de rose ou semblait charrier de l'or: le ciel communiquait un peu de sa gloire à cette eau silencieuse et cachée.

Mme Sauvigny n'aurait pu choisir un endroit et une heure plus favorables à un entretien secret, aux épanchements, aux aveux, aux paroles qu'on articule à peine, qui se murmurent. Et cependant elle ne savait par où commencer et la voix lui manquait. Dans ce moment Jacquine lui imposait, l'intimidait beaucoup. Les rôles étaient intervertis; c'était le monde renversé: sa sœur cadette lui apparaissait comme son aînée de dix ans, devant qui elle se sentait toute petite et dont elle devait réclamer l'indulgence pour une erreur de sa trop verte jeunesse. Comment s'y prendrait-elle pour dire à cette jeune fille mûre et sévère, qui méprisait l'amour: «J'aime et je suis aimée!» Elle avait à cœur de désarmer, de fléchir ou de corrompre ce juge redoutable, d'obtenir qu'il excusât sa faiblesse et pardonnât à sa folie. Jamais elle n'avait tant souhaité d'avoir la persuasion sur les lèvres.

Elle prit son courage à deux mains, entama un récit de son aventure fort exact, et pourtant un peu confus, un peu trouble, qu'elle termina par ces mots:

«Il ne pouvait supporter plus longtemps l'incertitude; il m'a fait jurer qu'à moins qu'il n'arrivât quelque événement invraisemblable, qui me délierait de mon serment, le 1er septembre, je dirais oui. Qu'en pensez-vous?»

Jacquine avait tout écouté dans un profond et morne silence. Elle tenait à la main une rose qu'elle venait de cueillir en traversant la terrasse; elle la froissa, l'effeuilla, la tordit entre ses doigts, la déchiqueta avec ses ongles: ce fut tout ce qu'elle accorda à ses nerfs et à la violence de son émotion. Accoutumée à se commander, elle avait défendu à ses yeux comme à ses lèvres de révéler ses sentiments, son noir chagrin, sa colère farouche contre l'insolent qui lui escroquait son bonheur.

«Vous me blâmez? lui demanda Mme Sauvigny.

—Je ne vous blâme pas, mais j'étais si loin de m'attendre....

—Oui, vous désapprouvez ce projet de mariage. Parlez-moi avec une entière franchise, dites-moi vos raisons.

—Je n'en ai point, et d'ailleurs si j'en avais et si je les disais, vous croiriez sans doute que ma réconciliation avec M. Saintis était feinte, que je lui en veux encore, que je suis l'ennemie de ses joies.

—Non, je croirais que vous n'avez d'autre mobile que votre affection pour moi, qui m'est précieuse, très précieuse.

—Dites plutôt que vous désirez connaître mes objections pour avoir le plaisir de les réfuter victorieusement. Soit! on vous en fera. Dans toutes les affaires de ce monde, il y a du pour et du contre. Je serai l'avocat du diable, et puisqu'il vous plaît de l'entendre, il vous dit par ma bouche: «Madame Sauvigny, vous êtes donc lasse de porter votre beau nom, aimé et vénéré à dix lieues à la ronde, ce nom qui éveille dans l'esprit de tous ceux qui le prononcent l'idée d'une femme d'un grand cœur, au-dessus du commun, née avec le goût de l'extraordinaire et des vertus d'exception? Bien traitée de la nature comme du sort, il ne tenait qu'à elle de se rendre la vie douce et facile. Elle a voulu se sacrifier au bonheur des autres; elle a ouvert sa maison et son cœur à toutes les misères qui passaient sur son chemin, en leur disant: «Entrez; je connais les baumes qui guérissent et les paroles magiques qui consolent. Mlle Jacquine Vanesse le sait, elle m'est témoin....» Ah! madame, on vous croyait parfaite; en exécutant le projet qui vous charme, vous prouverez que vous aviez votre part des faiblesses humaines. Ne craignez-vous pas de déchoir, de vous diminuer dans l'esprit de vos vieillards, de vos religieuses, de vos pauvres, du docteur Oserel et d'une jeune fille qui vous adore?»

—Faut-il donc que je sois parfaite pour qu'elle m'aime? répliqua l'accusée. Je la dispense de m'adorer; je me sens si peu divine! Qu'elle me garde à jamais toute l'amitié qu'on peut avoir pour un être imparfait! je ne lui en demande pas davantage. Et qu'elle ne s'inquiète pas pour mes pauvres et mes vieillards! Quoi qu'il arrive, je leur porterai toujours le même intérêt. J'ai stipulé dans le contrat que je continuerais à vivre près d'eux et avec eux.... Que répond à cela l'avocat du diable?

—Il ne reste jamais court. Il répondra sans doute: «Que vous êtes jeune, madame Sauvigny! que vous êtes romanesque! Vous ne savez pas encore qu'un amoureux qui demande est souple comme un gant et acquiesce à tout ce qu'on souhaite de lui; a-t-il reçu, il oublie ses promesses et l'humble mendiant se change en un maître dur. Vous ne savez pas que tout artiste s'idolâtre, qu'il n'est pas pour lui d'engagements réciproques, que sa parole ne l'a jamais lié, qu'il s'arroge tous les droits et laisse à la femme qui l'aime tous les devoirs! Vous ignorez qu'aux duretés il joint souvent les inconstances, que Mme Sauvigny a le cœur aussi fier que tendre, qu'elle sera savante dans l'art de souffrir, et que, désormais, la misère d'autrui la trouvera plus insensible, qu'elle s'occupera surtout de consoler la sienne!»

Elle lui avait parlé jusque-là en détournant les yeux; elle la regarda fixement, et baissant la voix:

«Ferez-vous un acte de charité en l'épousant, ou l'aimez-vous?»

Elle dut répéter sa question; la réponse fut lente à venir.

«N'en doutez pas, je l'aime beaucoup.

—On n'aime pas un peu ou beaucoup, répliqua-t-elle d'un ton brusque et saccadé; on aime ou on n'aime pas... J'imagine que ce que vous aimez, ce n'est pas le musicien, c'est sa musique. Ma grande sœur, comment l'aimez-vous?

—Quand je suis contente de lui, je suis contente de moi, tout me paraît facile et la vie me semble légère.

—Singulière façon d'aimer! s'écria Jacquine. Et vous croyez qu'il s'en contentera! Les hommes sont si grossiers!»

Mme Sauvigny fut prise d'un léger frisson.

«On ne devrait jamais se faire dire la bonne aventure», murmura-t-elle avec un sourire forcé.

Elle sentit le besoin de mettre un peu de distance entre elle et la bouche qui lui annonçait des malheurs: elle se leva et, s'adossant au tronc d'un peuplier, elle regarda pendant quelques minutes couler l'eau et ses pensées. Devait-elle mépriser comme de vaines impostures les prédictions qui l'inquiétaient? Ce que venait de lui dire une jeune sibylle, elle se l'était dit souvent dans ses heures de mélancolie. Oui, il arrive parfois aux grands prometteurs de fausser leurs serments, et on a connu d'humbles mendiants qui devenaient des maîtres hautains et durs; oui, les artistes ont la tête légère et le cœur changeant, et une femme qui souffre ne vit plus qu'en elle et pour elle; oui, les hommes exigent qu'on les aime tout autrement qu'on ne peut les aimer. Les nuages rouges avaient pâli, s'étaient décolorés; la rivière ne charriait plus d'or, elle était grise comme la peau d'un serpent. Sur l'autre rive, dans un repli de la berge, au fond d'une petite anse, se dressait un épais fourré de buissons, d'arbustes, de broussailles enchevêtrées; ce hallier enveloppait la crique d'une ombre noire, et il semblait à Mme Sauvigny que cette ombre était pleine de vérités tristes, qui la regardaient et lui parlaient.

Elle leva les yeux, elle aperçut une étoile, c'était la première qui s'allumât. La vue des étoiles l'avait toujours rassérénée. Elle secoua sa tristesse. Elle pensa à la joie qu'avait témoignée M. Saintis en la revoyant, à son visage radieux. Elle se souvint aussi de lui avoir entendu dire un soir que la vocation d'une nerveuse tranquille est d'épouser un artiste et de l'aider à gouverner sa vie et son talent. N'était-ce pas une œuvre aussi méritoire que toute autre? Était-ce folie que de risquer quelque chose pour accomplir une si noble tâche? Par un de ces contrastes qu'il admirait, elle alliait à ses accès de mélancolie, à sa défiance d'elle-même, un fonds d'optimisme et de gaîté naturelle. Trois ou quatre ans après son mariage, elle avait failli mourir de la fièvre typhoïde. On désespérait de la sauver, lorsqu'un parent éloigné vint prendre de ses nouvelles. Cet homme bizarre avait l'imagination funèbre. On ne le voyait jamais que dans les jours de deuil; on l'avait surnommé le cousin des enterrements; il n'en manquait pas un. La mourante, qui depuis quelques heures était sans connaissance, le reconnut à la voix; et, comme par miracle, elle retrouva la sienne pour dire: «Est-il venu demander l'heure?» Et un pâle sourire glissa sur ses lèvres blêmes. «C'est sa gaîté qui l'a sauvée», avait dit le médecin qui la soignait.

Sa gaîté naturelle et l'étoile qu'elle contemplait, et qui lui semblait briller comme une espérance, eurent raison de son abattement. Elle se rapprocha de Jacquine et lui dit:

«Non, je n'ajoute pas foi à vos sinistres prophéties. On ne me fera point d'infidélités et je n'en ferai point à mes vieillards et à mes pauvres. Les contradictions que vous me reprochez n'en sont pas; je me sens de force à tout concilier. Mahomet disait: «Ce que je préfère en ce monde, ce sont les femmes, les parfums et les fleurs, et ce qui me réconforte l'âme, c'est la prière». Ayons le cœur aussi large que Mahomet. Le Dieu que j'aime à prier se mêle volontiers aux choses de la terre, et il ne méprise rien que ce qui est vil et bas. Il me permet d'aimer les fleurs, le parfum du mélilot et la musique. Eh! pourquoi donc m'en voudrait-il d'aimer un musicien?»

Elle avait repris des couleurs; elle avait l'œil clair et riant, l'air délibéré d'une petite fille qui chante pour se persuader qu'elle n'a pas eu peur en traversant les bois. Jacquine, qui s'était levée, demeura un instant en contemplation devant sa sœur aînée, qui croyait à la vertu des hommes, et la trouva si charmante qu'elle lui prit les deux mains et les porta à ses lèvres.

«Oui, vous êtes jeune et romanesque. Que le Dieu des fleurs et des parfums vous bénisse! Oubliez bien vite tout ce qu'a pu vous dire l'avocat du diable; il parlait sans conviction. Mariez-vous. Les règles communes ne vous sont pas applicables, votre grand cœur saura tout concilier. Vous ne ressemblez à personne.

—Et vous m'aimerez autant qu'avant?

—Ah! ma petite maman, que dites-vous là? Quand on s'est mis à vous aimer, c'est pour toujours.»

Elles retournèrent au chalet, la main dans la main, comme le soir où elles avaient rencontré dans la forêt le comte Krassing. Avant de se séparer, on s'embrassa. À peine Jacquine fut-elle rentrée dans sa chambre, elle alla se camper devant la statuette de bronze qui trônait sur une cheminée, entre deux candélabres. Son masque tomba subitement, et la figure que lui montra sa glace avait une expression tragique. Elle dit à sa Diane:

«Tu m'entends, ce mariage ne se fera pas.»

Elle le jura par l'arc et l'inexorable virginité de sa déesse; elle le jura par la tête de l'ennemi dont elle brûlait de tirer vengeance; elle le jura par les yeux doux et tendres de la femme qu'elle adorait, et qui aspirait à déchoir, en se donnant à un homme indigne de la posséder, indigne même de l'aimer.

XIV

Le lendemain, Mme Sauvigny dut se rendre de bonne heure à Paris, où elle avait affaire, et Jacquine l'y accompagna, sous prétexte que sa mère avait été souffrante, qu'il était convenable qu'elle allât s'informer de sa santé. Elle la trouva tout à fait remise de sa grippe; il en allait de ses maux comme de ses caprices amoureux, ils étaient violents, mais courts. Elle venait de renouveler le meuble de son salon, et Jacquine en conclut avec raison que les eaux n'étaient point basses: elle avait fait dans le cours de l'hiver une excursion à Monaco et expérimenté de nouveau la vertu bienfaisante de son fétiche, de sa corde de pendu. Elle montra à Jacquine de jolis bibelots, qu'elle avait acquis récemment, et Jacquine les admira. La dernière fois qu'elles s'étaient vues, Mme Vanesse s'étant permis de parler légèrement de Mme Sauvigny, sa fille l'avait vertement relevée. Ce jour-là, elle se tint sur ses gardes, s'observa, s'abstint de toute incartade; désireuse de la ravoir, convaincue que cette toquée, cette détraquée, comme elle l'appelait dans ses entretiens avec elle-même, finirait par lui revenir, elle la ménageait. Tout se passa bien. On déjeuna ensemble, on raisonna sur les choses de la vie, on philosopha sans se quereller.

Dès qu'elles furent retournées au salon, où elles prirent le café, Jacquine s'occupa d'amener la conversation sur l'affaire qui l'intéressait et de se procurer les renseignements qu'elle était venue chercher. Elle ne trouvait pas le joint; sa mère l'aida, en lui disant:

«Décidément tu ne t'ennuies pas dans ton chalet?

—Non, jusqu'à présent du moins; je m'y repose. Mais ce qui gâte mon repos, c'est une idée funeste que Mme Sauvigny s'est mise en tête.

—Quelle idée?

—Elle meurt d'envie de me marier.

—Je lui en sais un gré infini, dit Mme Vanesse en prenant feu, et me voilà du coup réconciliée avec sa sainteté. A-t-elle quelqu'un à te proposer?

—Elle veut beaucoup de bien à l'un de nos plus proches voisins, à un jeune et riche propriétaire, M. André Belfons.

—Effectivement ces Belfons sont très riches! Ne va pas à la légère refuser un si brillant parti.»

Elle eût été charmée que Jacquine épousât un millionnaire. Elle n'avait jamais cru qu'une conscience pure fût un bon oreiller; mais elle pensait que lorsque les filles couchent sur le duvet, il en tombe toujours quelques plumes, et que les mères les ramassent si elles n'ont pas la main trop maladroite.

«Ce parti que vous trouvez brillant, reprit Jacquine, me paraît un peu terne. Il y a parmi nos voisins un artiste célèbre, que je prendrais plus facilement en goût, si je n'avais tous les hommes en horreur.

—De qui s'agit-il? Serait-ce par hasard de M. Valery Saintis? se récria Mme Vanesse.

—Oh! rassurez-vous, il ne pense point à moi, il ne me fait pas la cour, il ne s'est jamais mis en peine de m'être agréable.

—À la bonne heure; c'est de tous les partis imaginables celui qui te convient le moins. La femme qui épousera ce grand musicien sera tenue d'avoir une prodigieuse tolérance, et tu es la créature la plus intolérante du monde. Si tu faisais pareille sottise, huit jours plus tard tu plaiderais en divorce.

—Vous connaissez de vieille date M. Saintis; dans le temps, si j'ai bonne mémoire, il a dîné quelquefois chez vous.

—Je le connaissais assez pour m'être trouvée mêlée à une petite négociation qui le concernait. Il venait de donner son opéra, qui a fait tourner tant de têtes; une jeune veuve de ma connaissance, riche et jolie, s'affola de ce soleil levant au point de vouloir l'épouser, et me chargea de sonder le terrain, sans la nommer et sans la compromettre. Je le rencontrai dans un salon peu de jours après, et je lui dis qu'une charmante femme m'avait autorisée à lui offrir sa main. Il ne fut point insensible à cette proposition flatteuse; il me questionna, me tourna et retourna, fit tout pour m'arracher le nom de l'inconnue. Je fus discrète.

«Elle vous aime tendrement, lui dis-je, mais elle entend qu'on l'épouse.

«—Le cas est grave», répondit-il, et il demanda à réfléchir. Il ne réfléchit pas longtemps. Le lendemain, je recevais de lui un billet, où il se peint.

—Avez-vous encore ce billet? demanda Jacquine, qui avait tressailli de plaisir.

—Peut-être le retrouverai-je dans mes papiers; les autographes de M. Saintis sont assez précieux pour qu'on les conserve.»

Mme Vanesse sortit et revint bientôt avec la lettre, qu'elle tendit à Jacquine, et qui était ainsi conçue:

«Madame, mettez-moi aux pieds de votre gracieuse amie; dites-lui, je vous prie, combien je lui suis reconnaissant de l'honneur qu'elle voulait bien me faire. Hélas! le mariage m'épouvante, je crains de n'en point avoir les vertus, et ma probité bien connue m'empêche de prendre un engagement que je serais incapable de remplir. Jurer fidélité à une seule femme, pour toujours et à l'exclusion de toutes les autres, c'est jurer d'être infidèle à la femme, cette délicieuse espèce, si riche en variétés dont chacune a sa façon particulière d'aimer et souhaite avec raison qu'on l'aime comme elle veut être aimée. C'est à la femme que j'ai promis d'être fidèle, et dans cette occurrence mon serment me gêne. Passe encore si chez nous comme chez les Turcs, peuple heureux, la polygamie avait force de loi. Napoléon, qui était évidemment un grand homme, admettait le mariage polygame pour les colonies; il aurait voulu que tout colon eût au moins deux femmes, une blanche et une noire. C'était peu, mais c'était quelque chose. Que n'a-t-il introduit dans le code une disposition de ce genre en faveur des artistes, gens pour le moins aussi intéressants que les colons! La femme est l'être inspirateur, la source inépuisable de toutes les pensées géniales, de toutes les rêveries heureuses et fécondes. L'artiste qui se réduit à n'en aimer qu'une se condamne à n'avoir qu'une corde à sa lyre, et qu'est-ce qu'une lyre monocorde? Mais peut-être me direz-vous que, pour remédier aux inconvénients du mariage monogame, il ne tiendrait qu'à ce nourrisson des Muses d'exiger de son unique femme la promesse d'une tolérance infinie, illimitée. On promet et on s'en dédit, et, l'aimable inconnue fût-elle de son naturel la plus tolérante des femmes, je craindrais toujours qu'elle ne le fût pas assez.»

Jacquine relut trois fois cette lettre, et quand elle la rendit, elle s'en était pénétrée, imbue, elle la savait par cœur. Elle pensait comme sa mère que M. Saintis s'y était peint. Il aurait pu lui représenter que, lorsqu'il l'avait écrite, il n'avait pas encore revu son amie d'enfance, la seule femme qui eût le don de changer les âmes; mais elle ne croyait pas que M. Saintis eût une de ces âmes qui changent.

«Quel insupportable fat! dit-elle.

—Quand il a griffonné ces pattes de mouche, repartit Mme Vanesse, il avait sans doute quelques verres de champagne dans la tête; c'est le seul moment où les hommes soient sincères. Que veux-tu? il avait eu de si prodigieux succès! Pour moi, il ne m'a pas fait illusion un seul jour; c'est un de ces comédiens qui ne jouent jamais bien dans le sérieux; les femmes qui ont été ses dupes étaient de celles qui ne demandent qu'à se laisser tromper.... Tiens-le à distance, il est très entreprenant, et garde-toi d'éconduire M. Belfons. C'est un admirable parti. Au surplus, désires-tu que j'aille aux informations?

—Oh! ne vous donnez pas cette peine», s'empressa-t-elle de répondre.

Et ayant regardé la pendule, elle s'avisa qu'il était l'heure de prendre congé.

«Rappelle-toi, Jacquine, lui dit sa mère en lui serrant le bout des doigts, que, le jour où viendra l'ennui, tu me trouveras prête à te recevoir. Mais franchement, j'aime mieux que tu te maries.»

Elle ajouta d'un air de gravité presque solennelle: «Jusqu'ici tu as suivi tes caprices; défie-toi de ton imagination, tâche de devenir raisonnable, et prends au sérieux la vie, qui, quoi qu'en pense M. Saintis, est vraiment une chose fort sérieuse.

—Merci de votre conseil, répliqua Jacquine; soyez sûre que je le méditerai.»

Elle partit, charmée de sa visite, en se disant qu'elle n'avait pas perdu son temps. Au bas de l'escalier, elle trouva Mme Sauvigny qui l'attendait. Elle lui raconta que sa mère l'avait prêchée, sermonnée, chapitrée, moralisée, exhortée à prendre la vie au sérieux. Elle ajouta à son récit véridique un détail qui était de son cru:

«Elle veut absolument que je me marie et déclare que je ne serai mariable que le jour où j'aurai réformé ma coiffure, qui me donne l'air d'une petite fille. Je me soucie peu d'être mariable, mais vraiment, ma malheureuse natte contre laquelle tout le monde conspire, me vaut trop d'ennuis. Seriez-vous contente de moi, Charlotte, si je vous en faisais sans retard le sacrifice?

—Elle n'est pas de votre âge, repartit Mme Sauvigny, et j'aime assez que tout soit dans l'ordre.»

Elle ne dit pas tout ce qu'elle pensait: elle tirait un bon augure de cette résolution subite; les affaires de M. André Belfons lui semblaient prendre un meilleur tour, leurs communes espérances lui paraissaient moins chimériques. Cette fois encore, si avisée qu'elle fût, elle était loin du compte. On avait deux heures à soi avant le départ du train; on se rendit aussitôt chez un grand coiffeur qui remplaça la malheureuse natte par un délicieux chignon; faisant bouffer les cheveux de devant, il rejeta les autres en arrière, les serra à la nuque, en forma une torsade, avec un petit nœud de côté, le tout d'une élégance coquette. En sortant de chez ce grand coiffeur, Mme Sauvigny dit à Jacquine:

«Ma petite sœur a maintenant l'air d'une vraie demoiselle, et, ce que je croyais impossible, elle est encore plus jolie qu'hier.»

Ce ne fut pas M. André Belfons, ce fut M. Valery Saintis qui, quelques heures après, eut l'étrenne de la nouvelle coiffure. Il était venu dîner au Chalet. Lorsque ces dames, qui ne faisaient que d'arriver, entrèrent au salon, il s'y trouvait seul. Il regarda Mlle Vanesse avec étonnement; il hésitait à la reconnaître, tant elle lui semblait changée, et il lui fallut un instant de réflexion pour découvrir la cause de ce changement. À sa surprise se mêlait un peu de confusion: il se souvenait des duretés qu'il avait dites à une méchante gamine, qui tout à coup se révélait à ses yeux comme «une vraie demoiselle». En ce moment le docteur entra, et selon sa coutume, il prit à part Mme Sauvigny. Quand il était resté une demi-journée sans la voir, il avait toujours d'importantes nouvelles à lui donner, des affaires d'État à lui conter. Pendant qu'il lui faisait ses confidences, M. Saintis aborda Jacquine, et lui tapotant les doigts avec une gracieuse familiarité:

«Et votre natte, qu'est-elle devenue? Je croyais que vous y teniez autant qu'à votre vie. Quelle est la raison grave qui a pu vous décider à ce grand sacrifice?

—Devinez. Peut-être y êtes-vous pour quelque chose.

—Si vous avez voulu me plaire, vous n'avez pas manqué votre effet. Ce chignon est un vrai chef-d'œuvre.

—Je me souciais moins de vous plaire que de vous inspirer du respect.

—Nous en aurons, mademoiselle; mais il faut pardonner leurs impertinences aux artistes, ils ne sont pas toujours maîtres de leur langue. Rappelez-vous que nous avons signé un traité de paix. Mme Sauvigny vous a-t-elle transmis mon message? Je compte que vous serez désormais la plus assidue de mes écolières. Nous avons besoin de vous et de votre admirable voix.

—En vérité!... Je croyais que certains animaux rampants ne chantaient pas, qu'ils sifflaient.

—Vous voulez donc me faire mourir de honte?... Si je me suis oublié, si je vous ai fait une gratuite et odieuse offense, vous en aurez satisfaction. Proportionnez la peine au délit; parlez, quel supplice m'infligez-vous?

—Si j'osais....

—Osez, mademoiselle.

—Mme Sauvigny m'a appris que vous pensiez à intercaler dans votre cantate un solo que je chanterais. Je voudrais que ce solo, composé sur des paroles très tendres et appropriées à ma situation, me servît à exprimer à notre amie ma reconnaissance pour les bontés dont elle me comble.

—Paroles et musique, mademoiselle, avant quarante-huit heures, ce plat, auquel j'aurai mis mes soins, vous sera servi tout paré.

—Je ne sais comment vous remercier, répondit-elle. Pouvoir me dire, en étudiant mon solo, que M. Saintis l'a écrit tout exprès pour moi, si ce n'est pas de la gloire, cela y ressemble beaucoup.

—Cette petite a du bon, pensa-t-il, et je l'avais jugée trop vite. Libre à elle d'établir sa demeure dans cette maison; elle ne m'y gênera pas.»

Mme Sauvigny avait bien fait de tout raconter à Mlle Vanesse, qui, autrement, ce soir-là, eût tout deviné. M. Saintis ne portait bien ni le vin ni le bonheur. Il s'observa moins, il ne se ressemblait plus à lui-même. Assurément, il ne fit, il ne dit rien qui pût compromettre la maîtresse de la maison, mais les regards trop appuyés qu'il lui lançait, le ton plus familier dont il lui parlait, une nuance de laisser aller, d'abandon trop marqué dans ses manières, l'animation de son teint, l'éclat humide de ses yeux, son front où semblait perler comme une rosée de joie, paraissaient dire: «Elle est à moi, j'ai sa promesse». Il en fit assez pour donner des ombrages au docteur Oserel, que tourmentait sa jalousie toujours en éveil, et dont le grand nez, à plusieurs reprises, se plissa d'inquiétude. Pour ce cœur rempli de soupçons, les moindres indices étaient des preuves, les plus légères présomptions des certitudes. Peu scrupuleux et ne connaissant que son intérêt, le docteur était toujours prêt à contracter des alliances et à les rompre sans vergogne. Il s'était rapproché de M. Saintis pour comploter avec lui la perte de Mlle Vanesse; il lui parut tout à coup que ce fat, qu'il ne pouvait souffrir même lorsqu'il le caressait, était le plus dangereux de ses deux ennemis, et il vira subitement de bord.

Après le dîner, M. Saintis s'était mis au piano, et Mme Sauvigny était restée auprès de lui. Jacquine se retira dans la méniane; le docteur vint la rejoindre et lui dit:

«Ne trouvez-vous pas, mademoiselle, que M. Saintis a ce soir des allures bizarres et l'air encore plus avantageux que d'habitude? J'ai découvert depuis longtemps qu'il fait une cour acharnée à Mme Sauvigny, mais je la croyais une femme trop sensée pour écouter ce dangereux soupirant. Je commence à changer d'avis, et je ne serais pas surpris qu'elle lui eût donné des espérances. On vous dit tout, si je ne m'abuse, et, au surplus, vous me semblez fort sagace. Avez-vous eu vent de quelque chose?»

Il eut beau la presser de questions, il ne put rien tirer d'elle.

«Cet artiste, reprit-il, est un homme très compromettant, et quiconque persuaderait à Mme Sauvigny de l'éconduire, de l'envoyer ailleurs porter à terme l'opéra qu'il a dans le ventre et dont il n'accouchera jamais y employât-on les fers, rendrait à une femme admirable, mais trop confiante, un service essentiel. Car enfin remarquez, je vous prie....

—Docteur, interrompit-elle, comment appelez-vous cette étoile rouge, celle que je vous montre du doigt?

—Ce n'est pas une étoile, répondit-il d'un ton bourru; c'est la planète Mars.

—Elle me plaît beaucoup. Ne pourriez-vous pas lui persuader de se rapprocher un peu de la terre? J'aimerais à la voir de plus près.

—Pourquoi me débitez-vous ces billevesées, mademoiselle?

—C'est dans l'espoir de vous faire comprendre qu'il n'est pas plus difficile de persuader à une planète de changer son itinéraire que d'arrêter une femme dans un mauvais chemin, en lui criant: Casse-cou! Mais, ajouta-t-elle, où la persuasion ne peut rien, certains expédients sont plus efficaces. Pensez-vous que tous les moyens sont bons, pourvu que la fin soit bonne?»

Il ouvrit une grande bouche de brochet qui mord à l'hameçon.

«Je pense, dit-il avec chaleur, que quelques moyens que vous imaginiez pour renvoyer M. Saintis à ses belles Suédoises, je les approuve d'avance et vous donne mon quitus.

—Cela prouve, docteur, que vous avez la conscience large. C'est à vous d'aviser. Aussi vrai que mon chignon est charmant et que vous ne l'admirez pas assez, M. Saintis est, à mon sens, un grand musicien et un homme fort agréable, qui, dans son genre, me plaît autant que la planète Mars.»

Il lui tourna brusquement le dos:

«Je la croyais mauvaise, mais intelligente, se dit-il; c'est une idiote.»

Et il jeta son cigare, qui lui paraissait amer et dur à fumer.

Dès le lendemain, M. Saintis reprenait ses leçons de chant, que Mlle Vanesse suivit avec autant de zèle que d'assiduité. Il s'était engagé à respecter son chignon, mais tant qu'elle était chez lui, dans son kiosque, dans son conservatoire de musique, il en usait avec elle comme avec ses jeunes villageoises; il ne lui passait rien, lui disait son fait sans ménagement; hors de là, il la dédommageait de ses rudesses, de ses impertinences, en la traitant avec beaucoup de courtoisie. Ce maître exigeant et superbe, qui tenait la férule comme un sceptre, éprouvait plus de satisfaction à mortifier l'orgueil d'une Jacquine Vanesse, petite-fille du marquis de Salicourt, qu'à voir se courber, s'anéantir devant lui la modestie de Gertrude, humble roseau qui pliait à tout vent, ou à faire rougir Germaine et pleurer la douce Catherine. Peut-être aussi voulait-il mettre à l'épreuve la vierge noire, s'assurer qu'elle s'était sérieusement amendée. Il avait beau la tourmenter, ses vertus fraîchement acquises, sa douceur, sa patience, ne se démentaient jamais. Il lui reprochait durement d'aller à contretemps, de ne pas observer la mesure, elle s'excusait et s'humiliait; il lui faisait répéter vingt fois de suite un passage, elle l'eût répété cinquante fois sans se plaindre; il la gourmandait, la rudoyait, elle se laissait battre à terre, et son visage n'exprimait qu'une douloureuse contrition.

Il dut se rendre à l'évidence: cette âme rebelle s'était singulièrement assouplie. Il avait dit un jour au docteur qu'il faisait peu de cas de la beauté si vantée de Mlle Vanesse, que c'était une beauté dépourvue de tout charme, qu'il n'aimait que les femmes qui sont des femmes. Il commençait à trouver qu'elle s'était féminisée, que le charme ne lui manquait plus. Était-ce Mme Sauvigny qui avait opéré cette métamorphose? Non, il s'en attribuait l'honneur. Avant de partir pour Copenhague, il avait dit une brutalité à la vierge noire, et l'avait fait rentrer en elle-même. Il avait le don du dressage: témoin sa jument blanche, à laquelle il avait administré une verte correction; il n'en avait pas fallu davantage pour lui apprendre à goûter la bride.

Il s'avisa bientôt d'une autre explication, plus flatteuse encore pour son amour-propre. Dans un de ces rares moments où ce professeur rigide consentait à se dérider, où, se relâchant de sa sévérité chagrine, il laissait tomber de ses augustes lèvres une parole encourageante, il daigna signifier à Mlle Vanesse que si elle redoublait de zèle, d'attention, de docilité, à force de travail, à force d'application, elle parviendrait peut-être, le ciel aidant, à chanter passablement le solo qu'il avait écrit pour elle. Touchée jusqu'aux moelles de la faveur insigne qu'il lui faisait, elle le remercia en lui lançant un regard étrange, qui lui parut exprimer un sentiment plus tendre que la reconnaissance.

«D'honneur, pensa-t-il, elle est amoureuse de moi.»

Cette aventure n'étonna point sa fatuité, qui en avait vu bien d'autres; rien de plus naturel, et d'ailleurs il savait depuis longtemps que le cœur des femmes est sujet à d'étranges retours, à de brusques sautes de vent, que, lorsqu'elles renoncent à haïr, elles ne s'arrêtent pas à mi-chemin, qu'on les voit souvent s'enflammer pour l'homme qu'elles avaient cru haïr.

Il la plaignait profondément; un amour sans espérance fait tant souffrir! Mais il ne lui demandait pas de guérir; depuis son accident, il la trouvait plus intéressante; jusqu'alors il ne s'était occupé d'elle que lorsqu'il la voyait; il lui arrivait maintenant de penser quelquefois à elle quand il ne la voyait pas. Il aurait voulu être plus sûr de son fait, tirer la chose au clair, mettre cette amoureuse à la question, lui arracher, lui extorquer un aveu, l'obliger à montrer le fond de son cœur. Ce jeu l'eût amusé; malheureusement elle ne se prêtait point à son désir. Pendant les leçons, cette écolière modèle était toute à son affaire, n'avait point de distractions ni d'autre pensée que celle de contenter son maître, de justifier le précieux éloge qu'il lui avait publiquement donné en prédisant que, si elle se crevait de travail et que le ciel lui vînt en aide, un jour peut-être elle chanterait son solo tant bien que mal. Dans les heures qu'ils passaient ensemble au Chalet, elle était avec lui d'une politesse empressée, gaie, accorte, à laquelle ne se mêlait aucune coquetterie, et au surplus elle évitait soigneusement les tête-à-tête.

Il réussit cependant à lui parler seul à seule. Un après-midi il se présenta au Chalet pour prendre des nouvelles de Mme Sauvigny, qui, la veille, avait été souffrante. Elle était sujette de loin en loin à de violents accès de migraine de courte durée, le lendemain il n'y paraissait plus. Il ne doutait point qu'elle ne fût en parfaite santé, mais tout prétexte lui semblait bon pour passer quelques moments auprès d'elle. Il ne la trouva pas, elle venait de sortir: le docteur Oserel, qui, lui aussi, était un homme à prétextes et à subterfuges, l'avait fait appeler pour l'entretenir d'une affaire de bibus, qu'il déclarait urgente et grave. Ayant appris qu'elle ne serait pas longtemps absente, M. Saintis entra au salon, où il fut reçu par Jacquine, qui lui tendit gracieusement la main. Il mit la sienne derrière son dos, en disant:

«Une fois pour toutes, sommes-nous amis ou ennemis?

—Je croyais, dit-elle, que ce n'était plus une question.

—Je le croyais aussi, je ne le crois plus. Vous me faites bonne mine, j'en conviens; mais il m'est revenu que vous parliez mal de moi, que vous me rendiez en cachette de mauvais services.

—Expliquez nettement vos griefs, je n'ai jamais su deviner les charades.

—Vraiment votre conscience ne vous reproche rien? Voici le fait. Je demandais l'autre jour à Mme Sauvigny si elle vous avait fait part de certain projet qui m'est cher, infiniment cher. Elle ne sait pas mentir, elle m'a avoué qu'elle vous en avait parlé en confidence. Elle a ajouté en riant qu'avant de se fixer à un parti, d'arrêter ses dernières résolutions, il est bon d'entendre l'avocat du diable, que vous lui aviez représenté avec une rare éloquence tous les dangers auxquels elle s'exposait en m'accordant sa main, que toutefois, après avoir tout dit, vous l'aviez engagée bénévolement à risquer le paquet, que vous aviez poussé la charité jusqu'à nous donner la bénédiction. Est-ce vrai?

—C'est presque vrai.

—Mademoiselle Jacquine Vanesse, auriez-vous la bonté de m'exposer en détail les détestables raisons qu'a bien pu invoquer l'avocat du diable pour détourner Mme Sauvigny de faire le bonheur de Valery Saintis?

—Oh! je vous prie, dispensez-moi....

—Non, je ne vous dispense de rien. Je veux savoir si ma nouvelle amie ne serait pas en secret la plus dangereuse de mes ennemies, et ce qu'il y a au fond de ses yeux félins et troublants.»

Elle essaya de le rassurer en attachant sur lui un regard débonnaire, accompagné d'un indéfinissable sourire.

«Tout cela est bel et bon, reprit-il; mais vous me devez une explication, donnez-la-moi.

—Plus tard. Mme Sauvigny peut rentrer d'un moment à l'autre, et comme elle lit sur les visages à livre ouvert, elle se dirait: «Ils parlaient de moi; qu'en pouvaient-ils bien dire?» Mais soyez sûr que l'avocat du diable n'a parlé que par manière d'acquit; il savait sa cause perdue d'avance.

—Heureusement pour moi, car, s'il l'avait gagnée, il ne me restait plus qu'à me brûler la cervelle.

—Ah! monsieur Saintis, vous n'avez pas le droit de vous tuer.

—Et vous, mademoiselle, vous n'avez point qualité pour prêcher contre le suicide.

—Eh! bon Dieu, une créature aussi insignifiante que moi peut disparaître de ce monde sans qu'il s'en aperçoive; votre mort le mettrait en deuil.

—Ce qui est encore plus certain, c'est qu'elle causerait une grande satisfaction à tel musicien de ma connaissance.

—Le lion, s'écria-t-elle, est-il tenu de procurer des joies aux roquets qui jappent après lui?»

Il trouva qu'elle avait prononcé sa phrase avec une intonation fort juste et un accent de ferme conviction; il lui en sut gré.

«Ne mourons ni l'un ni l'autre, dit-il; j'ai un opéra à finir, et, après avoir maudit la vie, vous avez découvert qu'elle a du bon.... Tenez, je me sens en verve, je veux vous raconter votre histoire.»

Ce disant, il s'était assis au piano. Il préluda par des accords sourds, pénibles, dissonants, qu'il ne cherchait ni à préparer ni à sauver, et qui éveillaient dans l'esprit des images confuses et incohérentes; on eût dit les bégaiements d'une langue nouée, les oracles obscurs d'un cœur d'enfant, qui travaille à débrouiller son chaos. Aux accords plaqués succédèrent de rapides arpèges; la mélodie se dessina, et le mouvement s'accélérait sans cesse. Un orage s'amassait; après avoir couvé quelque temps, il éclata. Le piano, affolé et comme pris de frénésie, grondait, tonnait, rugissait; son infernal tumulte racontait des batailles, des rébellions, les fureurs d'une jeune âme insurgée contre la vie et les hommes, des crises de désespérance alternant avec des transports de haine. Peu à peu la tempête s'apaisa, s'assoupit; les nuées s'entr'ouvrirent, on revit le bleu du ciel; une lumière sereine s'épanchait sur un paysage aussi doux que le sourire de Mme Sauvigny, et on entendit une voix légère qui murmurait en coulant ses notes un hymne d'une suavité séraphique.

Dès que ce merveilleux improvisateur eut fini de faire chanter son ange, Jacquine lui dit d'une voix vibrante:

«Ah! monsieur Saintis, quel magicien vous êtes!»

Il était blasé sur les compliments, on l'en avait gorgé; pourtant celui-ci le toucha. Il tombait d'une bouche avare de son miel, et il ressemblait à un cri du cœur.

«Ma petite improvisation vous a plu? lui demanda-t-il en quittant son tabouret. Vous y avez reconnu votre histoire?

—À cela près que le finale était trop angélique; il racontait de souveraines félicités que je ne connaîtrai jamais. Non, je ne puis être parfaitement heureuse qu'en musique, et c'est en musique que je voudrais vivre.

—Il manque donc quelque chose à votre bonheur?»

Et comme elle ne répondait pas, la regardant en coulisse:

«On n'a pas de secrets pour ses amis; dites-moi le vôtre.»

Elle se leva tout d'une pièce et s'écria avec véhémence:

«Je ne vous le dirai jamais.... Je suis fière, monsieur Saintis.»

Au même instant, la porte s'ouvrit, et Mme Sauvigny entra. Elle avait cru entendre les éclats d'une voix en colère et le bruit d'une querelle.

«Eh! quoi, leur dit-elle, à peine ai-je tourné les talons, on se dispute. Je vous croyais entièrement rapatriés.

—Ah! Charlotte, repartit M. Saintis, il est bon de se quereller de temps à autre, c'est un exercice très hygiénique, et je suis bien aise de trouver dans cette maison une jeune personne qui aime la bataille et contre qui je puis m'escrimer un peu; car le moyen d'avoir une altercation, que dis-je? une bisbille avec vous! Il n'y faut pas songer. Vous ressemblez à cet ermite pacifique, à qui un autre anachorète, son voisin, d'humeur plus chaude, dit un jour:

«—Les heures sont longues. Voulez-vous que par passe-temps nous ayons ensemble une petite contestation? Rien n'est plus propre à fouetter le sang.

—Mais, mon frère, comment nous y prendrons-nous?

—C'est bien simple. Voici une brique qui s'est détachée de votre mur; vous me direz qu'elle est à vous, je vous soutiendrai qu'elle est à moi, peu à peu la conversation s'échauffera, et nous nous divertirons.»

«Ils ne se divertirent pas longtemps. Quand l'ermite querelleur eut répété trois fois que la brique était indubitablement à lui:

«—Oh! bien, mon frère, dit l'autre, si vous en êtes si sûr, prenez-la.»

—Vous ne me connaissez pas encore, répliqua Mme Sauvigny, en passant son bras autour de la taille de Mlle Vanesse. J'ai plus que personne le sentiment de la propriété, et quand je suis sûre qu'une brique est à moi, je ne permets pas qu'on y touche.... Mais quel était le sujet de votre dispute, Jacquine, et pourquoi avez-vous dit: «Je suis fière?»

Il s'empressa de répondre pour elle.

«Mlle Vanesse, dit-il, me reprochait de l'avoir terriblement rabrouée avant-hier, dans le kiosque; elle se plaignait surtout qu'en la couvrant de confusion, je l'avais exposée aux quolibets de Mlle Germaine et de Mlle Catherine. Elle prétend que Germaine a ri: j'affirme que Germaine n'a pas ri, que personne ne se permet de rire en ma présence. Je suis, j'en conviens, un professeur revêche et peu galant; je ne fais aucune différence entre les princesses et les villageoises; je défends aux unes comme aux autres d'estropier ma musique, de partir trop tôt, de presser ou de ralentir la mesure, de confondre un allegretto poco mosso avec un allegretto agitato, et j'exige qu'elles prononcent toutes distinctement, qu'elles s'appliquent à bien dire autant qu'à bien chanter. J'ai dit et ne me dédirai pas.»

Jacquine s'inclina devant lui avec une humilité mélancolique.

«Seigneur, soupira-t-elle, que votre volonté soit faite sur la terre comme dans le ciel!»

Et, se sentant de trop, elle sortit discrètement du salon. Une heure après, M. Saintis, qui se disposait à partir, voulut mettre ses gants. Il se souvint qu'avant de s'asseoir au piano, il les avait déposés sur le casier à musique. Il n'en retrouva qu'un, l'autre avait disparu; il le chercha vainement et s'en alla, une main nue, l'autre gantée. Une demi-heure suffit à sa jument blanche pour le ramener au petit trot dans son ermitage. Il causait souvent avec elle, chemin faisant. Pendant les vingt-cinq premières minutes, il ne lui parla que de Mme Sauvigny; pendant les cinq dernières, il lui toucha un mot de Mlle Vanesse:

«La pauvre enfant, lui dit-il, avait juré d'enfermer son secret au plus profond de son âme, elle l'a laissé échapper: «Monsieur Saintis, s'est-elle écriée, je suis fière!» C'est un aveu, ce me semble. Qu'en penses-tu, ma belle?... Vraiment cette singulière créature n'a pas de chance. On la croyait et elle se croyait elle-même aussi insensible aux émotions tendres qu'un caillou de rivière; elle s'est aperçue subitement qu'elle avait un cœur, et le premier usage qu'elle en fait est d'aimer quelqu'un qui ne peut l'aimer. Il ne tiendrait qu'à moi de la mener loin. Oui, si je voulais.... Mais voilà le chiendent, je ne veux pas.»

XV

Dès le jour où il s'était avisé que parmi toutes les femmes qu'il avait rencontrées dans ce monde, il en était une qu'il aimait assez pour vouloir l'épouser, M. Saintis lui avait promis, sur son honneur et sa conscience, de prendre le bénéfice avec les charges, et il n'avait pas attendu d'être entré en possession pour se sentir lié par sa promesse, qu'il lui coûtait peu de tenir. À la vérité, il avait eu en Suède une heure d'oubli, de folie; ce petit manquement ne tirait pas à conséquence: c'était un léger tribut qu'il payait à son passé, une dîme que le vieil homme, avant de disparaître, avait prélevé sur l'homme nouveau.

Cependant il ne considérait pas le mariage comme un état de pénitence et de mortification. Dans quelque régularité qu'on se propose de vivre, il n'est pas défendu d'égayer un peu la règle, et il rangeait le flirt au nombre des plaisirs innocents et gais que les méticuleux eux-mêmes peuvent se permettre. Les femmes qui s'étaient données à lui corps et âme lui avaient laissé de moins agréables souvenirs que celles qui, soit vertu, soit prudence, ne lui avaient donné que leur cœur, et dont il avait respecté les scrupules en se disant: «Si je voulais..., mais je ne veux pas». Si douces que soient les réalités, elles n'ont jamais le charme moelleux et indéfini d'un rêve. Il arriva que de jour en jour Mlle Vanesse, sa modestie et sa fierté silencieuse lui parurent plus intéressantes, que de jour en jour il goûta plus de plaisir à la tourmenter et à la plaindre. Ce jeu lui plaisait et c'était tout; il ne se défiait pas de ses entraînements, il était sûr de sa volonté, sûr de lui-même, et il avait résolu de quitter la partie dès qu'il la jugerait périlleuse. Joignez à cela que Mme Sauvigny lui avait donné trop d'espoir, qu'il ne doutait plus de son bonheur, qu'il se flattait de tenir déjà le bien désiré, et que, pour être sage, il avait besoin d'être inquiet.

Cinq, six semaines s'écoulèrent, et il découvrit qu'il pouvait tirer quelque profit du jeu innocent qui l'amusait. M. Saintis n'oubliait jamais son intérêt, il mêlait un peu de calcul à ses sentiments les plus vifs et les plus sincères. Il aimait passionnément Mme Sauvigny; mais il n'eût jamais songé à l'épouser s'il n'avait acquis la certitude que cette nerveuse tranquille était, de toutes les femmes, celle qui pouvait exercer la plus heureuse influence sur son talent et sur sa destinée d'artiste, qu'elle lui serait d'une grande utilité, qu'elle lui rendrait de grands services. Il en avait déjà fait l'expérience. Pendant les mois de recueillement qu'il avait passés près d'elle et sous sa douce discipline, la voyant sans cesse, pénétrant chaque jour davantage dans son intimité, s'imprégnant de ses pensées, de sa vie et du parfum que répandait autour d'elle cette âme exquise, il avait travaillé avec ardeur, avec joie, et il lui semblait que le musicien qui venait de composer trois actes d'un nouvel opéra était bien supérieur au Saintis qui préférait le plaisir au bonheur. Il y avait dans ses trois actes des inégalités, des trous; ce qui devait lui manquer toujours, c'était la longueur du souffle et le vol soutenu. Mais il avait réussi enfin à être vraiment lui-même, à s'affranchir de la servitude des réminiscences, et du même coup, plus de grâces d'emprunt, ni d'afféterie, ni de recherche. Son imagination rafraîchie et bouillonnante s'était répandue sans effort; les motifs heureux abondaient, les duos d'amour étaient aussi distingués, aussi délicats qu'éloquents et passionnés, et tout semblait couler de source, tout semblait dire que le musicien avait mêlé à son œuvre la femme qu'il aimait, et que, selon le mot du poète, cette femme était «une nature».

À son retour de Suède, il s'était flatté d'écrire de verve son dernier acte, qu'il avait ébauché dans sa tête. Il avait eu de la peine à se remettre au travail, à se ressaisir. Il avait rapporté d'un voyage où on l'avait tant fêté une surexcitation fébrile, une attention dissipée, un cerveau échauffé, et il était trop judicieux pour ne pas sentir que cette effervescence factice n'avait rien de commun avec la fermentation du génie. Il s'était évertué et rebuté. Persuadé que ce dernier acte ne viendrait jamais à bien tel qu'il l'avait conçu, il prit un grand parti: il résolut de le refondre, de changer son dénouement, et, étant son propre librettiste, il n'eut besoin de se concerter là-dessus qu'avec Valery Saintis, dont il faisait tout ce qu'il voulait.

La première fois qu'il avait exposé à Mme Sauvigny le sujet de son opéra, il lui avait dit: «C'est une histoire vieille comme le monde et toujours nouvelle. Représentez-vous un jeune chevalier lithuanien, bon garçon, brave cœur, mais d'une imagination inquiète et trop sujet à ses fantaisies. Son étoile lui a fait rencontrer une femme aussi charmante, aussi femme que Mme Sauvigny et d'aussi bon conseil, à qui il engage sa foi, et il ne tient qu'à lui d'être parfaitement heureux. Cet imprudent a la funeste idée d'aller se promener au bord d'un marais habité par une nymphe des lacs, par une roussalka, qu'il ne voit pas, mais qu'il entend: cachée dans ses roseaux, elle cherche à l'amorcer, à le prendre en lui chantant ses plus beaux airs. Il a la force de résister à ses appels magiques, en quoi il se montre fort avisé, car le seul service qu'une roussalka puisse rendre à l'homme qu'elle aime est de le croquer. Cependant cette voix sortie du fond de l'eau l'a profondément troublé; il adore Mme Sauvigny, il rêve à la roussalka. Furieuse d'avoir laissé échapper sa proie, la coquine aquatique sort de sa grenouillère et revêt une forme humaine pour lui tendre d'abominables pièges, dont il ne se tire que par l'assistance de sa Charlotte.

—J'espère, avait dit Mme Sauvigny, que tout finira bien, que Charlotte aura le dernier mot.

—N'en doutez pas, avait-il répondu; quand on vous a pour voisine, la vie, les opéras, toutes les histoires finissent bien.»

Il venait pourtant de décider que celle de son chevalier lithuanien finirait mal, que son dénouement était fade, plat, insipide et terne, qu'il devait en trouver un autre qui eût plus de couleur et plus de montant, que la victoire d'une roussalka lui offrirait une admirable matière à mettre en vers et en musique. Il était ainsi fait qu'il n'avait tous ses moyens en composant, qu'à la condition de penser à quelqu'un, d'évoquer une image, une ombre qui lui parlait et l'inspirait. Du moment que c'était la roussalka qui avait le dernier mot, Mme Sauvigny ne pouvait plus l'assister dans son travail; elle ressemblait si peu à une coquine aquatique! Heureusement, il avait sous la main une vierge noire, qui faisait mieux son affaire. On la comparait jadis à une Diane chasseresse; elle avait changé, son cœur s'était attendri, et il lui trouvait depuis peu la figure d'une ondine amoureuse.

Il avait lu dans un vieux bouquin, plein de renseignements précieux sur les roussalkas, les nixes et les ondines, les lignes que voici: «Il y a dans leur existence un charme indéfinissable; horrible ou doux, le mystère est leur marque distinctive, et c'est peut-être pour cela que, vivant près d'elles, les poissons sont muets et se gardent de trahir les secrets du silencieux royaume des ondes. Les filles de l'eau dansent souvent près des étangs et des rivières; quand elles se mêlent aux plaisirs et aux assemblées des hommes, on les reconnaît à l'ourlet de leur robe, qui est toujours mouillé, et à la froideur glaciale de leurs mains. Elles sont condamnées à n'avoir point de cœur; quelquefois elles appellent de cet arrêt et deviennent amoureuses; c'est une souffrance pour elles et un malheur pour nous. Lorsque le seigneur Peter de Stauffenberg s'assit à son banquet de noces, ayant regardé par hasard en l'air, il aperçut un petit pied blanc, qui sortait par une ouverture du plafond. Il reconnut le pied d'une ondine, avec laquelle il avait eu la plus tendre liaison, et il comprit à ce signe qu'après son manque de foi, c'en était fait de sa vie.» M. Saintis n'avait jamais vu le petit pied blanc de Mlle Vanesse, mais il tenait pour certain qu'elle avait désormais les yeux d'une ondine, qui, violentant sa nature, venait de faire pour la première fois connaissance avec l'amour. Il en résulta qu'il ne pensait plus à son ondine sans penser à Mlle Vanesse, et souvent les deux images n'en faisaient qu'une, le fantôme et la réalité se confondaient dans son esprit. Il lui parut dès lors qu'il ne perdait pas son temps en s'occupant d'elle, en s'amusant à la tourmenter, qu'elle lui fournissait des idées, des airs, des thèmes, et il la prenait en goût parce que, sans le vouloir et à son insu, elle collaborait à la Roussalka. N'était-il pas juste que, travaillant avec lui et pour lui, elle eût une petite part dans les bénéfices et dans l'immense affection qu'il portait à son œuvre? Il avait écrit à Mme Vanesse, deux ans auparavant, qu'il aimait également «toutes les variétés de la délicieuse espèce». La vérité exacte est que, selon les cas et à tour de rôle, il préférait l'une à l'autre, que les femmes qui l'occupaient le plus étaient celles qui pouvaient l'aider à entrer en verve et à finir ses opéras.

Le 2 août, la veille du grand jour où pour fêter le dixième anniversaire de la fondation de l'Asile des vieillards, il devait produire en public ses élèves, il y eut dans le kiosque une répétition générale de la cantate. Cette fois il ne s'emporta point, ne fit de misères à personne; tout au contraire, il eut pour ces demoiselles de grands ménagements; il s'appliqua à les encourager, il les engagea à prendre confiance en elles-mêmes, les assura qu'elles feraient honneur à leur maître si elles ne se laissaient ni intimider ni troubler. Elles s'en allaient, et Jacquine se disposait à partir avec elles, mais il la retint pour lui faire répéter une fois encore deux passages de son solo, qu'elle avait manqués, prétendait-il. Quand elle les eut chantés de façon à le satisfaire, et qu'elle se fut pénétrée de ses dernières recommandations, il lui avança un fauteuil, l'obligea de s'y asseoir et lui dit:

«Ce n'est plus à mon écolière que je parle, mais à mon amie, qui est peut-être mon ennemie, car je ne suis pas encore fixé sur ce point. Mademoiselle Jacquine Vanesse, vous êtes bien lente à tenir vos engagements.»

Elle l'interrogeait des yeux.

«Vous m'aviez promis, il y a beau jour, continua-t-il, de m'exposer les raisons que vous aviez eues pour dissuader Mme Sauvigny d'épouser votre serviteur. J'attends encore vos explications.

—Elles sont bien difficiles à donner, dit-elle, excusez-moi.»

Elle avait quitté son fauteuil et gagnait la porte; il la ramena, la contraignit à se rasseoir.

«Vous ne sortirez d'ici, mademoiselle, qu'après avoir acquitté votre dette.»

Jacquine leva les yeux au plafond, comme pour prendre le ciel à témoin de la violence qu'on lui faisait; puis, se décidant à parler:

«Elle vous aime et vous l'aimez; que vos désirs s'accomplissent! Mais je pensais et je persiste à penser que vous ne vivrez en paix l'un avec l'autre qu'à la condition de vous faire de grands sacrifices, et je pense aussi que c'est elle qui les fera tous.»

Il se récria:

«Eh! vraiment, pour qui me prenez-vous? Sachez-le bien, je ne suis pas un de ces affreux égoïstes, un de ces tyrans sans foi ni loi, qui demandent à la femme qu'ils aiment de se sacrifier à leur impertinent bonheur.»

Elle savait par cœur la lettre que lui avait montrée sa mère; il ne se souvenait plus de l'avoir écrite, il en avait tant écrit! Elle la lui récita sous une autre forme; elle changea les termes, elle conserva le sens; ce n'était pas tout à fait la même chanson, l'air était le même.

«Je crois, reprit-elle, à l'excellence de vos intentions. Mais vous êtes un artiste, et tout artiste assez imprudent pour se marier devrait épouser une femme infiniment tolérante. Mme Sauvigny est fort tolérante en matière d'opinions, elle ne l'est point dans les choses de la vie et du cœur. Elle n'admet pas les partages; elle exige et elle a le droit d'exiger qu'on lui appartienne tout entier. Elle nous l'avouait l'autre jour, elle a le sentiment très vif de la propriété; elle ne dira jamais comme certain ermite: «Si vous jugez que ma brique est à vous, prenez-la.»

—Ne la plaignez pas, mademoiselle, et soyez sans inquiétude: personne ne lui volera sa brique. Apprenez à me connaître, je ne lui ferai aucune infidélité, et jamais elle ne trouvera rien à reprendre ni dans mes actions ni dans mes pensées.»

Elle le contempla un instant d'un air de profonde admiration, mêlée d'étonnement, jusqu'à ce qu'un nuage se répandît sur son front.

«Oh! c'est autre chose, dit-elle d'une voix sombre, et voilà une résolution qui vous honore. Mais si vous vous donnez sans partage et sans réserve, c'est vous qui vous sacrifierez à son bonheur. L'homme sera sans reproche; que deviendra l'artiste? Ne craignez-vous pas que votre vertu coûte cher à votre génie? Et avais-je tort ou raison de m'opposer à ce mariage?

—Vous pensez donc que la vertu est la mort du talent, et qu'il faut pécher beaucoup pour que la grâce abonde? dit-il en riant et faisant danser dans sa main sa chaîne de montre et ses breloques. Vous passez pour une jeune personne d'humeur rigide et sévère, pour une farouche ennemie des mœurs du siècle et des gens qui s'amusent; je vois qu'il en faut rabattre, que c'est une réputation usurpée. Tudieu! vous avez d'étranges principes. Mademoiselle Vanesse, vous êtes fort immorale.

—Je parlais sérieusement d'un sujet grave, répondit-elle; vous vous moquez de moi, à votre aise! je ne dirai plus rien.

—Me moquer de vous! Dieu m'en garde! Vous aimez à vous faire l'avocat du diable, et j'ai toujours pris le diable au sérieux; c'est un bon compagnon, qui fut jadis de mes amis et qui me disait quelquefois ses secrets; mais sans compliment, il ne m'a jamais parlé par une aussi jolie bouche que la vôtre. Continuez, mademoiselle, je suis grave comme un âne qu'on étrille. Allez, mais allez donc; expliquez-moi pourquoi votre sévérité naturelle ou acquise se montre si indulgente aux artistes et leur prêche une morale si relâchée.

—Je les ai toujours regardés comme des êtres à part; ils jouissent de privilèges refusés au commun des mortels.

—Et vous les dispensez de tous les devoirs d'un honnête bourgeois et d'un bon chrétien, de toutes les obligations d'honneur ou de droit civil?

—Ah! permettez, l'artiste contracte, lui aussi, des engagements auxquels il ne saurait manquer sans forfaire à l'honneur. Il est dans l'obligation d'avoir du talent, beaucoup de talent et même, s'il se peut, du génie, et de se souvenir sans cesse qu'il a été mis au monde pour nous procurer des jouissances exquises, des plaisirs sans prix. Qu'il ait toutes les vertus de sa profession, qu'il fasse bien son métier, sa conscience et la nôtre le tiendront quitte du reste. Quand l'arbre fruitier a pompé laborieusement les sucs de la terre, quand il a bu les rosées et la lumière du ciel, quand il a pris à son service la pluie, le vent et le soleil et les a contraints de travailler pour lui, quand ses bourgeons sont bien sortis, qu'il est riche en sève et que, le moment venu, il offre à notre faim et à notre soif des fruits aussi savoureux qu'abondants, n'a-t-il pas rempli tous les devoirs de son état? Exigerez-vous en outre qu'il soit un honnête bourgeois et un bon chrétien?»

Elle lui disait ce qu'il s'était souvent dit à lui-même; mais, répétées par cet écho, les vérités, les vieilles sagesses dont il s'était nourri lui semblaient nouvelles, et jamais elles n'avaient eu pour lui tant d'attrait, tant de séduction: la jeune évangéliste qui les prêchait avec une ferveur de néophyte leur prêtait le charme de sa personne, l'éclat de son teint, la douceur de ses cheveux blonds.

«Que le soleil et la rosée, que les puissances du ciel et de la terre répandent leurs bénédictions sur ces arbres fruitiers qu'on appelle des artistes! s'écria-t-il. La seule fumure qui les fasse prospérer, c'est l'amour d'une femme.

—Hélas! murmura-t-elle, c'est bien peu de chose qu'une femme toute seule; les artistes comme les poètes trouvent qu'il en faut beaucoup pour en faire une.»

Puis, s'échauffant par degrés:

«Si j'étais un grand musicien, un Saintis, je croirais que le monde n'a été créé que pour fournir à mon génie des sujets et des inspirations, que mon seul devoir est de produire des chefs-d'œuvre, et je voudrais que tout ce qui m'entoure s'employât à me faciliter mes enfantements. Je me tiendrais pour un dieu....

—Disons plutôt un demi-dieu, mademoiselle, pour ne chagriner personne.

—Dieu ou demi-dieu, toutes mes fantaisies me seraient sacrées, je ne connaîtrais d'autre règle que le dérèglement de mon cœur, je ne m'occuperais que de contenter mes insatiables désirs, le bien d'autrui serait mon patrimoine et ma possession, toutes les fleurs du grand jardin me seraient bonnes pour composer mon miel, toutes les femmes me devraient obéissance, aucune n'aurait le droit de me refuser ses sourires et ses caresses. Est-il permis de résister aux volontés de son maître, quand il porte sur le front la marque immortelle de l'esprit divin?

—Voilà parler, et c'est plaisir de vous entendre, dit-il. Si votre doctrine, qui sent le fagot, devenait en tout pays la religion dominante, ce triste monde serait pour les musiciens une terre de promission, ils plieraient sous le poids des félicités. Mais n'avez-vous pas pitié de ces pauvres femmes? À quelle dure servitude vous les condamnez!

—Heureuse la femme qu'un homme de génie a daigné choisir pour sa confidente, son amie, sa servante et sa prêtresse! s'écria-t-elle avec exaltation. Se sentir vivre en lui, avoir une part dans toutes ses pensées, dans tous ses rêves, être pour ce grand chercheur une source d'heureuses inspirations, collaborer à ses chefs-d'œuvre, ne fût-ce que par la souffrance, pouvoir se dire: «Les plus beaux airs qu'il ait trouvés et que le monde ne se lassera pas de redire, c'est mon cœur qui les lui chanta le premier,...» est-il un sort plus enviable? est-il une destinée plus glorieuse?»

Tout à coup elle parut revenir à elle-même; prise de honte, elle baissa la tête, couvrit son visage de ses mains.

«Je suis hors de sens, dit-elle; je bavarde, je déraisonne; pardonnez-moi.»

Le dieu s'approcha de sa prêtresse, et lui frappant un petit coup sur l'épaule:

«Je vous pardonne, répondit-il. Mademoiselle Vanesse, vos déraisons me plaisent.»

Elle s'était levée, elle mettait son chapeau; il l'y aida et lui fit son compliment sur ce chapeau coquet, dont il étudiait de très près la passe et les brides.

«Je le trouve à mon goût; mais j'admire bien plus encore le chignon que voici. Le coiffeur qui inventa cette torsade est à sa façon un grand musicien. Vous a-t-il dit qu'en sa qualité d'artiste, vous lui deviez obéissance, qu'il avait droit à vos sourires?

—Ah! de grâce!» fit-elle.

Il la blessait au cœur. Eh! quoi, elle avait répandu son âme devant lui, et il profanait par de fades plaisanteries ces épanchements sacrés! Elle avait hâte de s'en aller. Elle fouilla précipitamment dans la poche de sa robe pour y chercher ses gants. Chose bizarre, il y en avait trois, et le troisième, en peau de chamois, était beaucoup plus grand que les deux autres. Dans son trouble, elle le laissa tomber à terre. Il s'en saisit, le considéra, l'examina.

«Je gagerais bien qu'il est à moi, dit-il. Eh! oui, vraiment, je le reconnais. Je l'avais déposé il y a quelques jours sur un casier à musique, je ne l'y ai pas retrouvé.»

Rouge de confusion, elle détournait la tête, baissait les yeux. Elle les leva enfin sur l'homme qu'elle avait volé et lui dit:

«Je vous en conjure, monsieur Saintis, rendez-le-moi.»

Il se mit à rire, mais il ne riait que du bout des lèvres. Jamais les yeux de cette ondine amoureuse n'avaient été si tendres; ils suppliaient, ils mendiaient; n'était-ce pas un plaisir de leur faire l'aumône? Sa tête se prit, sa chair s'émut.

«Je vous rends votre relique, puisque vous daignez y attacher quelque prix. Mais on ne s'en va pas sans payer le droit de sortie.»

Qu'entendait-il par là? Elle n'eut pas le temps de s'en informer. Un souffle chaud passa sur son visage, et elle sentit courir sur sa bouche le baiser frémissant d'un dieu.... Elle n'avait pas prévu cet effroyable accident. Elle en fut comme bouleversée; ses traits s'étaient décomposés, et le regard qu'elle jeta à l'audacieux le fit tressaillir: il avait cru voir le zigzag d'un éclair. Ce fut l'affaire d'une seconde; elle dit à son cœur: Tais-toi! et sur un ton de reproche très doux:

«Qu'avez-vous fait, monsieur? murmura-t-elle. On a raison de dire que vous êtes un homme très dangereux.»

À ces mots, elle partit en courant.

«Pauvre petite! pensa-t-il. Ce baiser l'a fort troublée; c'était le premier qu'elle recevait, et cela fait événement dans la vie incolore et froide d'une fille des eaux. Je lui devais bien cette consolation. Relique pour relique, ce souvenir lui sera plus cher et plus précieux qu'un vieux gant troué.»

Il partit à son tour pour aller dîner au Chalet, et il disait en tirant après lui la porte du kiosque: «Le fait est que la pauvre enfant s'est offerte, et qu'il ne tiendrait qu'à moi....»

Mais il répéta une fois de plus: «Oui, si je voulais.... Le malheur est que je ne veux pas.»

XVI

Le temps favorisa la fête, à laquelle tout le village avait été convié. Quoique le baromètre ne fût pas au beau, quoique le vent soufflât de l'ouest, quoiqu'un ciel bas et brouillé eût à plusieurs reprises menacé d'un orage, à peine tomba-t-il quelques gouttes de pluie, et le soleil reparut.

Quand Mme Sauvigny, se rendant aux prières de son économe et de ses religieuses, avait consenti à célébrer le dixième anniversaire de la fondation de son Asile de vieillards, elle s'était réservé le droit de régler la cérémonie à son idée, et son idée était d'exclure de son programme tous les discours et tous les toasts. Elle pensait que, pour fêter son hospice, c'était assez d'une grand'messe, d'une cantate composée par M. Saintis, d'un buffet richement garni et d'un bal champêtre, que les meilleures fêtes sont celles où l'on s'amuse, et elle entendait que, jeunes et vieux, tout le monde s'amusât. Mais elle dut compter avec l'amour-propre de son économe. Il se piquait de littérature, et avait rédigé à la sueur de son front un rapport très fleuri, dans lequel il racontait par le menu l'histoire de la fondation et tressait des couronnes à la fondatrice. Elle l'eût mortellement blessé en le condamnant à laisser son rapport dans ses cartons: elle exigea seulement qu'il raccourcît cette pièce de prose poétique, qu'il supprimât certains passages qui la concernaient, certaines épithètes qui offensaient sa modestie, qu'il amortît, qu'il éteignît l'éclat trop vif de ses couleurs, de ses hyperboles et de ses métaphores. Il se soumit, non sans déplorer in petto qu'une femme si distinguée fût dépourvue de tout sentiment littéraire. Autre complication: l'abbé Blandès avait témoigné le désir de figurer dans la cérémonie en rang d'honneur et de prononcer «quelques mots», et on pouvait prévoir qu'il en prononcerait beaucoup. De son côté, ayant appris que le curé parlerait, le maire, M. Lixieux, qui ne manquait guère les occasions de discourir, avait revendiqué les droits de l'éloquence laïque et demandé à parler aussi. Mme Sauvigny se résigna à retoucher son programme.

Si elle craignait que les deux orateurs inscrits ne l'accablassent de compliments, d'éloges outrés, qui la feraient rougir, la cantate ne l'inquiétait pas: la musique sauve tout. D'ailleurs, avant de se mettre à l'œuvre, M. Saintis lui avait juré qu'il épargnerait sa modestie, qu'elle ne serait pas en scène, qu'il ne sonnerait mot de ses vertus. Il avait tenu sa promesse en écrivant les paroles de ses morceaux d'ensemble; il n'y était pas question d'elle. Partagées en demi-chœurs, qui se réunissaient pour chanter des tutti, ses villageoises célébraient tour à tour, dans des airs d'un mouvement animé, les joies ardentes de la jeunesse, ses espérances et ses rêves, ou glorifiaient, sur un mode plein et grave, les privilèges du vieil âge, son bonheur rassis, le charme des longs souvenirs, la tranquillité de l'olive mûre et ridée, confite sur l'arbre, qui, avant de se détacher de la branche, savoure en paix la douceur de ses derniers soleils.

En revanche, le long solo, airs et récitatif, qu'il avait écrit pour Mlle Vanesse, était consacré tout entier à Mme Sauvigny, qui ne s'en doutait point. Parmi les livres qu'il avait emportés dans sa maison de paysan figuraient en bonne place les poésies d'André Chénier, à qui il rendait un culte. Un soir, feuilletant une notice sur la vie et les œuvres de son poète favori, il était tombé sur une page qui lui avait prouvé que, par un certain côté, la destinée de l'auteur de la Jeune Captive n'était pas sans analogie avec celle de Valery Saintis. Ce passage l'avait assez frappé pour qu'il le copiât dans un des carnets où il consignait de loin en loin des extraits de ses lectures: «Mme Laurent Lecoulteux, la Fanny du poète, n'avait pas dans l'esprit les étincelles de sa sœur. Elle tenait de sa mère le charme, la grâce. Il reste d'elle un portrait, un profit aux traits nobles et purs. Elle fit éclore dans l'âme d'André un sentiment nouveau, la chaste mélancolie de l'amour. Son charme se répandait sur tout ce qui l'entourait. Bonne et compatissante, elle apportait avec elle le sourire et la consolation. Ce fut sous le chaste regard de Fanny qu'après une année de fiévreuse agitation, André sentit renaître en lui sa muse et la plus belle et la plus pure. Le charme de la femme adorée passa dans les vers les plus doux qu'il ait soupirés.»

N'était-ce pas là l'histoire de Valery Saintis? Il avait eu, lui aussi, ses Lycoris, ses Glycère, ses Camille, sa folle Julie, au rire étincelant,

Au sein plus que l'albâtre et solide et brillant.
Mais il avait rencontré sa Fanny, et il pouvait lui dire:

...L'heureux mortel qui près de toi respire
Sait, à te voir parler et rougir et sourire,
De quels hôtes divins le ciel est habité.
Il avait pensé avec raison ne pouvoir mieux faire que d'emprunter à Chénier ses plus beaux vers en l'honneur de Fanny. Les seules stances qui fussent de son cru étaient celles que lui avait commandées Jacquine, en lui disant: «Je voudrais adresser à notre amie des paroles bien tendres et appropriées à ma situation». La musique de ses morceaux d'ensemble était d'une grande simplicité, sans autre parure qu'une grâce touchante et rustique. Il s'était surpassé dans le solo; on y sentait partout la chaleur de l'inspiration et le charme de la femme adorée; l'esprit divin avait soufflé.

La Fanny de M. Valery Saintis savait que sa fête attirerait beaucoup de monde, que le plus grand des deux réfectoires de son Asile ne serait pas suffisant pour contenir, avec ses quatre-vingts vieillards, les pères, les mères, les oncles, les grands-parents des jeunes choristes, leurs cousins et leurs cousines au troisième et au quatrième degré, la foule des amis et des curieux. Elle avait fait dresser dans la cour d'entrée une vaste tente, qui se trouva trop petite: dès midi, une heure avant qu'on commençât, il ne restait pas une place vide. Une société d'harmonie du voisinage, que Mme Sauvigny soutenait de ses libéralités et qui jouissait de quelque renom, lui avait offert ses services pour le bal. Ces instruments à vent et à percussion, qui n'étaient pas des ingrats, ouvrirent la séance et se mirent en haleine en exécutant un Andante religioso. Ils avaient dégourdi l'air de la salle, et le rapport de l'économe fut chaudement accueilli. On eut plus de peine à écouter jusqu'au bout les discours du maire et de l'abbé Blandès, et les louanges qu'ils prodiguaient à celle que M. Lixieux appelait «la grande, la noble amie des vieillards et la Providence des pauvres». Elle était mal à son aise, elle cherchait à se dérober à sa gloire en se cachant derrière son éventail; on ne voyait passer que ses yeux, qui demandaient grâce et suppliaient les orateurs d'être courts. L'un et l'autre abrégèrent leurs harangues et rengainèrent la moitié de leurs compliments. Ils sentaient eux-mêmes qu'on les écoutait mal, que ni la faconde laïque ni l'éloquence sacrée n'avaient de prise sur des esprits distraits, que leur eau-forte ne mordait pas sur la planche. C'était pour la cantate qu'on était surtout venu; elle était impatiemment attendue; on en parlait depuis longtemps déjà, on devait en parler longtemps encore dans les veillées.

Dès que l'abbé Blandès eut prononcé sa dernière phrase et fut descendu de l'estrade qui terminait la grande tente, les écolières de M. Saintis en gravirent les marches de bois, et, après quelques instants de brouhaha, il se fit un religieux silence. Divisées en deux groupes, elles avaient fait face au public et offraient un joli coup d'œil. Malgré les recommandations de Mme Sauvigny, qui désirait qu'on fût simple et avait donné l'exemple, elles étaient mises comme des princesses; il y a des courants qu'on ne remonte pas, la plus pauvre était en robe de soie. Mais qu'elles s'appelassent Gertrude, Zoé, Germaine ou Dorothée, elles ne s'occupaient point en ce moment de leurs rubans et de leurs dentelles; on les avait chargées d'une affaire de conséquence, elle ne songeaient qu'à en sortir avec honneur; le cœur leur battait, il leur semblait que le plancher allait manquer sous leurs pieds. Comme elles, leurs mères, qui pour la première fois les contemplaient avec respect et de bas en haut, étaient palpitantes d'émotion.

Les spectateurs désintéressés eurent bientôt fait de les regarder; ils n'avaient plus d'yeux que pour une jeune fille à la taille élancée, svelte et souple, qui se tenait un peu en arrière, dans l'intervalle que laissaient entre eux les deux groupes. À quoi pensait M. Saintis de la comparer à une ondine amoureuse? Quoiqu'elle n'eût pas chaussé le cothurne, quoiqu'elle eût remplacé la tunique retroussée par une robe de taffetas magenta rayé de noir, c'était Diane, la vierge divine, qui lance des flèches et souvent aussi, sous le nom d'Hécate, préside aux expiations et aux enchantements. Entourée de ses nymphes, elle promenait sur elles un regard d'indifférence; elle ne partageait point leurs inquiétudes, la terre ne lui manquait point sous les pieds. Elle avait l'air grave, mais tranquille, le front pâle, mais serein. Sa suite était nombreuse, elle semblait seule; si accompagnées qu'elles soient, les déesses font une solitude autour d'elles.

Le piano fut tenu par un virtuose complaisant, arrivé de Paris à cet effet et à la requête de M. Saintis, qui avait eu le temps de lui faire sa leçon. Le berger entendait cette fois s'occuper uniquement de conduire son troupeau, le bâton de mesure en main. Au préalable, il le passa en revue; comme la veille, il adressait à chacune de ses brebis une parole encourageante; il avait le ton bénin, caressant. Je ne sais ce qu'il dit à Catherine: la pauvre fille crut voir le ciel s'ouvrir; ce qu'elle éprouva en cet instant suprême, elle s'en souviendra toute sa vie. Quand il eut fini sa tournée et réconforté ses ouailles, campé devant son pupitre, la tête haute, le sourcil frémissant, il donna enfin le signal, et on attaqua le premier tutti. Des conscrits bien commandés se battent quelquefois comme de vieux soldats. Sous l'œil et le bâton du grand maître qui les avait dressées, stylées, façonnées, ces filles de la glèbe firent merveilles. Pas un manquement, pas un accroc; toutes les nuances furent observées. On les admirait tant qu'on n'osait les applaudir. Les mères s'épanouissaient, se rengorgeaient, se pavanaient; leur visage semblait dire: «C'est pourtant nous qui les avons faites!»

Il y avait tout au bout de la salle un étranger. C'était le directeur d'une des principales scènes lyriques de l'Allemagne. Appelé par des affaires à Paris, il était venu voir la forêt. Après son déjeuner, il s'était avisé qu'il y avait un grand parc où tout le monde entrait; il y était entré, lui aussi, et en jouant des coudes, il s'était introduit dans la tente. Pendant une pause, il demanda à l'un de ses voisins d'où sortaient ces jeunes filles qui chantaient avec tant de justesse, d'expression et d'ensemble, et posaient si bien le son. Le voisin lui répondit que c'étaient des villageoises. Il n'en revenait pas; il déclara que, si tous les villages de France étaient en mesure de se donner à eux-mêmes de tels concerts, il fallait que le Français fût, quoi qu'on en dît, le plus musical de tous les peuples. Le voisin lui expliqua qu'il n'y avait des côtes de la Manche aux Pyrénées qu'un seul village où l'on chantât si bien et comment la chose était arrivée, après quoi ils se turent: Diane venait d'entrer en scène.

Jusqu'alors Mlle Vanesse n'avait été qu'une écolière intelligente, docile, appliquée, récitant sa leçon comme le maître voulait qu'on la dît, s'abstenant d'y mettre du sien, ni rien qui ressemblât à une interprétation personnelle. Ce jour-là, ce fut autre chose. En s'avançant au bord de l'estrade, son regard avait rencontré celui de Mme Sauvigny, et elle avait ressenti une commotion, une secousse électrique. Dès ce moment, elle ne vit plus dans cette vaste tente et dans le monde entier que la femme rare ou plutôt unique qui l'avait réchappée des galères, qui l'avait rachetée de captivité, qui l'avait arrachée aux boues d'un marais infect, retirée du pays des menteurs et des impurs, qui avait rafraîchi son sang et donné de l'air à sa vie, qui lui avait persuadé que ce triste monde a du bon et qu'il est doux d'aimer. Elle bénit l'occasion qui s'offrait à elle de lui dire publiquement tout ce qu'elle lui devait, de lui jurer par-devant témoins une tendre et inviolable fidélité. Elle se livra, elle s'abandonna; elle fut extraordinaire. Un sentiment intense fit vibrer sa voix, sans en altérer la merveilleuse limpidité; le frisson de son âme passa dans son chant.

Elle détailla avec une douceur infinie cette stance de Chénier:

Le ciel t'a vue en nos prairies
Oublier tes loisirs, tes lentes rêveries,
Et tes dons, et tes soins chercher les malheureux,
Tes délicates moins à leurs lèvres amères
Présenter des sucs salutaires,
Ou presser d'un lin pur leurs membres douloureux.
Elle eut des éclats de passion et remua tout l'auditoire, lorsque, couvant des yeux Mme Sauvigny, qui très pâle ne jouait plus de l'éventail, elle chanta d'une voix tour à tour sombre ou flûtée les strophes dans lesquelles M. Saintis lui faisait raconter son histoire:

Comme le corps, tu guéris l'âme.
Les cœurs les plus glacés se fondent à ta flamme.
Un ver rongeait ma vie, en dévorait la fleur;
Je m'étais fait un dieu de mon chagrin sauvage.
Tu parus, et ton doux visage
À mes yeux étonnés révéla le bonheur.

Rien ne résiste à ta tendresse.
On croyait voir en moi Diane chasseresse,
Je prenais mon plaisir à vider mon carquois.
Tu vainquis ma fierté, qui fut dure à réduire,
Par la grâce de ton sourire,
Et tu vois à tes pieds l'habitante des bois.
Elle avait fini, et on l'écoutait encore, au grand préjudice du dernier tutti, qui était pourtant un morceau à effet. Le directeur allemand demanda à son voisin comment se nommait la jeune blonde à la robe rouge.

«Si étonnantes que soient vos villageoises, lui dit-il, je veux mourir si jamais celle-ci a trait les vaches.»

Le voisin l'ayant renseigné, il joua de nouveau des coudes à la manière allemande, qui est la meilleure, réussit à fendre la foule, à accoster M. Saintis, qu'il tenait pour un compositeur de grand avenir. Après l'avoir complimenté chaleureusement sur sa cantate, sur ses prodigieuses élèves, après lui avoir déclaré que le professeur qui les avait dressées en si peu de temps avait fait un vrai tour de force, il ajouta:

«Pour Mlle Vanesse, il est regrettable qu'elle ne se destine pas au théâtre. J'estime qu'elle a l'étoffe d'une grande cantatrice.

—C'est aussi mon opinion», répondit M. Saintis.

Il était sincère. Ses choristes, dont il était sûr, avaient rempli son attente, sans la surpasser. Ces machines dociles, qu'il avait montées de ses mains, avaient rendu exactement tout ce qu'il savait qu'elles pouvaient rendre. Mais Mlle Vanesse lui avait causé une profonde surprise, et, pensant à sa Roussalka, il s'était dit:

«Intelligente et douée comme elle l'est, si elle avait de l'étude, plus d'acquis et la pratique de la scène, je la chargerais volontiers de créer le rôle.»

Il l'aborda au moment où, après l'avoir embrassée, Mme Sauvigny lui murmurait à l'oreille:

«Pour vous exprimer dignement ce que j'ai ressenti, il faudrait le mettre en vers, et je n'en fais pas; je vous le dirai en vile prose quand nous serons seules.»

À son tour il félicita, en lui tendant les deux mains, l'héroïne du jour. En matière d'éloges, il n'allongeait jamais les sauces; il se contenta de dire:

«Hier c'était presque bien; aujourd'hui vous avez chanté en artiste.»

On ne put lire sur la physionomie de Jacquine lequel de ces compliments l'avait touchée davantage.

Deux buffets avaient été dressés sur la terrasse. L'un, surchargé de chauds-froids de volailles, de filets à la gelée, de pâtés, de tartes et de paniers de bouteilles, était destiné à l'usage du grand public. L'autre, beaucoup plus petit, dont Mme Sauvigny tenait à faire elle-même les honneurs, était réservé aux vingt chanteuses de M. Saintis. Debout derrière le comptoir, elle donnait la becquée à ces oiseaux, leur choisissait des morceaux délicats, arrosait de son meilleur champagne leurs gosiers qui tout à l'heure avaient si bien travaillé. Pendant qu'elle régalait et abreuvait cette jeunesse, elle s'avisa qu'à trente pas de son comptoir, il y avait un banc au pied d'un orme, que quelqu'un venait de s'y asseoir et fumait des cigarettes. Sans avoir vu le visage de ce fumeur, qu'elle évitait de regarder, elle savait qui c'était, et elle savait aussi qu'il la regardait, et, chaque fois qu'elle sentait ce regard se poser sur elle, un vague sourire errait sur ses lèvres et une légère rougeur montait à ses joues, sans qu'elle cessât un instant de s'occuper de Zoé, de Catherine et de Gertrude. Elle avait raison de croire qu'il la regardait; il ne la perdait de vue que dans les courts moments où il allumait une cigarette. Épanouie par le bonheur, jamais elle ne lui avait paru plus charmante; jamais il n'avait été si fier du bien qui lui était échu, ni si impatient de prendre possession. Il se disait avec orgueil:

«Trois semaines encore, et on saura qu'elle est à moi.»

Tout à coup Mme Sauvigny se trouva seule. Les jeunesses qui l'environnaient avaient entendu les premières mesures d'une polka, elles venaient de s'envoler pour retourner dans la tente, qu'on avait promptement débarrassée, et où le bal allait s'ouvrir. M. Saintis quitta son banc. Il avait fait la réflexion que, s'il est doux de regarder à trente mètres de distance la femme qu'on aime, il est encore plus doux de la serrer dans ses bras. Il entra au buffet et dit à Mme Sauvigny:

«Nous avons été jadis d'intrépides valseurs, vous et moi. Tout à l'heure je prierai la société d'harmonie de jouer une valse de Strauss, et nous valserons ensemble.»

Elle se récria, protesta. Qu'en diraient ses vieillards? qu'en penseraient ses religieuses? Il voulait donc la déconsidérer à jamais! C'en serait fait de son autorité, de son prestige. Et puis elle était vieille, elle n'avait plus ses jambes de vingt ans.

«C'est ce que nous verrons», dit-il.

Et, moitié de gré, moitié de force, il l'emmena; dix minutes plus tard, ils valsaient. Elle crut d'abord que ses jambes de trente-six ans s'étaient rouillées, qu'elle ne parviendrait pas à les déraidir; mais elle les sentit s'assouplir par degrés, et par degrés aussi, elle reprenait goût à un art depuis longtemps délaissé; elle éprouvait des sensations qu'elle avait oubliées et qui l'étonnaient; l'ivresse de la valse la gagna: il lui sembla, comme jadis, qu'il est plus naturel de danser que de marcher, que la vraie vie est un mouvement réglé et rythmique, qu'il n'est pas d'occupation plus charmante ni plus raisonnable que de tourner en mesure sur une terre qui tourne. M. Saintis lui demanda deux fois si elle était lasse; elle répondit que non, et elle ne s'arrêta de tourner, le front penché, les paupières à demi fermées, que quand la musique se tut. Alors elle redressa la tête, rouvrit les yeux, revint à elle et dit:

«Passe encore de bâtir, mais valser à cet âge! Quelle folie! Ne suis-je pas prodigieusement ridicule?

—L'homme qui rira de vous, répondit-il, est encore à trouver. Mais j'en vois un qui fait une bien vilaine grimace.»

Elle regarda autour d'elle. La plupart de ses bons vieux et de ses bonnes vieilles étaient là, faisant galerie. Pendant qu'elle dansait, ils ne l'avaient pas quittée des yeux, et leur figure exprimait la surprise, sans qu'on pût dire si la nouveauté de ce spectacle leur agréait. Ils s'étaient flattés de connaître leur patronne, de savoir exactement qui elle était, et tout à l'heure ils lui avaient découvert à la fois une faiblesse humaine et un remarquable talent, qu'ils étaient loin de soupçonner. Ce qui venait de se passer compliquait, changeait l'idée qu'ils se faisaient de la dame du Chalet. C'était une définition à revoir. Ils se sentaient déroutés; ils cherchaient, et ils devaient tous mourir sans avoir trouvé. À quelques pas derrière eux, une femme en cornette se tenait debout sur une chaise, où elle était montée pour mieux voir. Celle-là ne cherchait plus, elle avait trouvé depuis longtemps. Sœur Agnès était une de ces religieuses qui, dans la grande armée de la charité, sont les grenadiers de la vieille garde. Une longue et laborieuse pratique des œuvres de miséricorde avait produit en elle un saint endurcissement du cœur; rien ne l'émouvait, rien ne la scandalisait; tous les chemins lui étaient indifférents, parce qu'au bout du compte ils peuvent tous mener à Dieu. Elle avait constaté que Mme Sauvigny valsait à merveille, et elle ne s'en étonnait point: la dame du Chalet faisait beaucoup de choses et les faisait toutes bien. Du haut de son perchoir, elle lui témoigna son admiration par un léger battement de ses vieilles mains ridées et jaunies, dont les os s'étaient desséchés en palpant des misères. Elle semblait lui dire: «Hier, ce n'était pas mal; aujourd'hui, c'est encore mieux; vous êtes complète».

Qui donc se permettait de faire une vilaine grimace? Ce ne pouvait être que cet homme corpulent et massif qu'on apercevait là-bas, près de la porte, se disposant à sortir, et qui, éminent dans son art, n'avait jamais eu celui de dissimuler ses chagrins. Dès le matin, cette fête, où il ne jouait qu'un rôle très effacé et dont M. Saintis, disait-il, était le coq, avait été odieuse au docteur Oserel, un vrai jour de deuil et de mortification. L'éclatant succès de la cantate que, par convenance, par bon procédé, il n'avait pu se dispenser d'entendre, l'avait exaspéré. Jusqu'alors il ne professait pour la musique qu'une indifférence méprisante; il l'avait prise en haine, il la tenait désormais pour son ennemie mortelle et pour un art corrupteur. Mais ce qu'il venait de voir, l'événement inouï, déplorable, dont ses yeux avaient été les témoins attristés, l'avait mis hors de lui. M. Saintis, prenant Mme Sauvigny par la taille, l'enlaçant dans ses bras et tournant avec elle sur une terre qui tourne! C'en était trop, la mesure était comble. Chose étrange, il les avait regardés tourner; on a autant de peine à s'arracher aux spectacles funestes qu'à ceux qui plaisent. Dès lors tout lui semblait possible, il prévoyait tous les malheurs; c'est ce que disait sa grimace. Quand il eut savouré son supplice, il leva trois fois jusqu'au ciel ses puissantes épaules, se fraya un chemin à travers une foule de stupides badauds, incapables et indignes de comprendre ce qui se passait dans son cœur, partit, détala; on ne le revit plus.

«Il faut que je retourne sur la terrasse, dit Mme Sauvigny à M. Saintis. Ne ferez-vous pas danser Jacquine?

—Chère madame, répliqua-t-il, il est des cas où, après avoir bu, un galant homme brise son verre; quand on a dansé avec Mme Sauvigny, on ne danse plus.»

Résolu à ne pas la quitter, il sortit avec elle, la suivit quelque temps; mais elle était très occupée, fort entourée; on la lui prit, et faute de mieux, il revint sur ses pas, rentra dans la tente, où, à son tour, il essuya une cruelle mortification. La grimace du docteur l'avait délecté; il ne grimaçait jamais, mais il avait parfois le visage allongé et morne, et lorsque quelque chose lui portait sur les nerfs, cela se lisait dans ses yeux.

M. André Belfons, pour employer sa propre expression, n'en menait pas large depuis quelque temps. On lui donnait peu d'encouragements; on était froide, inattentive, on était capricieuse, et souvent on était hautaine, superbe, on le tenait à distance, on l'envoyait planter ses choux. Il les plantait mélancoliquement. Durant plusieurs semaines, il ne s'était occupé que de cultiver ses terres et le calcul différentiel; il avait résolu un grand nombre d'équations, preuve certaine que ses affaires de cœur allaient mal. Cependant il ne se rebutait pas; les véritables amoureux, les amoureux passionnés ne se rebutent jamais, et les mathématiciens sont de grands entêtés, d'éternels recommenceurs: quand leurs calculs semblent démontrer la fausseté de leur théorème, ils les refont, et tout finit par s'arranger.

En venant assister à une fête de vieillards, M. Belfons ne s'était pas douté qu'elle réservait de vifs plaisirs à sa bouillante jeunesse. Et d'abord il avait eu la joie d'entendre pour la première fois chanter Mlle Vanesse. Elle l'avait ravi en admiration; dans son enthousiasme, il s'était reproché de n'avoir pas senti jusque-là tout ce que valait sa divinité. Belle, mystérieuse et fascinante, elle aurait pu se dispenser d'avoir du talent; elle daignait en avoir, et quel talent! Elle avait touché au sublime. Après la cérémonie, il s'était approché d'elle, mais à peine osait-il l'aborder; il tremblait que ses félicitations ne fussent mal reçues, il avait l'air piteux d'un chien qui craint d'être fouetté. Elle lui avait fait le plus gracieux accueil; elle avait poussé l'amabilité jusqu'à se plaindre que ses visites étaient rares, qu'on ne le voyait plus. Le cœur au large, il s'aventura un peu plus tard à lui témoigner son ardent désir de danser avec elle une polka; sa demande lui fut accordée sans hésitation. Ils polkaient encore quand M. Saintis était entré. Il les vit, l'instant d'après, se mettre à l'écart, puis se retirer dans le fond de la salle, où ils s'assirent, et engager un long entretien qui paraissait les intéresser beaucoup. Il crut remarquer que M. Belfons s'échauffait en parlant, que Jacquine prenait plaisir à lui renvoyer la balle, à se moquer doucement de lui, qu'elle lui faisait des agaceries, qu'elle ne lui plaignait pas ses sourires, qu'au surplus, ils étaient l'un et l'autre trop absorbés dans leur conversation pour s'apercevoir que M. Saintis était là, qu'il les regardait de travers, qu'il n'était pas content.

Il était sûr, parfaitement sûr de ne point l'aimer; il aimait ailleurs. À la vérité, elle lui avait causé, quelques heures auparavant, une légère émotion des sens; c'était un accident négligeable; se préoccupe-t-on des suites que peut avoir une éruption fugitive de petite vérole volante? Non, vraiment, il n'éprouvait pour elle aucun sentiment sérieux, à cela près que cette créature singulière irritait sa curiosité et qu'il se glorifiait, s'applaudissait d'avoir conquis un cœur dur et fermé, qui avait jusque-là méprisé l'amour. Aussi entendait-il la traiter en pays de conquête, assujetti au bon plaisir du vainqueur. Sa superbe fatuité avait conclu avec Mlle Vanesse un contrat unilatéral; il ne lui avait rien promis, ne lui devait rien; elle lui devait une entière et servile obéissance. Elle était engagée; elle avait dans leur entretien de la veille reconnu les droits souverains, imprescriptibles, du génie, elle s'était rendue à discrétion. Elle était désormais son bien, elle lui appartenait. Aux temps antiques, on voyait errer et paître en liberté dans l'enclos de certains temples des cavales vouées au service du dieu; malheur au passant qui eût osé porter sur elles une main sacrilège! Aujourd'hui encore, dans les îles de la Polynésie, il y a des personnes et des choses sur qui pèse une interdiction sacerdotale; soumises à la loi du tabou, elles ne sont plus à l'usage du commun des mortels. Mlle Vanesse était une de ces cavales sacrées dont un dieu jaloux se réserve la possession; Mlle Vanesse était tabou. Non seulement il était défendu d'y toucher, d'avoir des vues sur elle, de la désirer: il n'était pas permis de lui parler longuement et de près, et M. Saintis décida que M. Belfons était un insolent.

Il le vit tout à coup se lever, s'éloigner rapidement, sortir de la salle, et il voulut profiter de son absence pour reprendre possession. Malheureusement le chemin qu'il devait suivre pour arriver jusqu'à Jacquine était fort encombré, et il arriva trop tard: Mme Belfons à son tour s'était emparée d'elle; après le fils, la mère, et, ce qui lui parut grave, elle semblait se soucier autant d'agréer à la mère qu'au fils, elle lui prodiguait ses grâces. Il s'était arrêté à quinze pas de cette prêtresse infidèle, qui, oublieuse de son dieu, coquetait avec des imbéciles. Il s'avança de quelques pas encore, dans l'espoir que, reconnaissant enfin son maître et prise de honte, elle quitterait tout pour venir à lui. Il ne réussit pas à attirer son attention, elle semblait ne pas le voir. Bientôt M. Belfons revint; il apportait à Mlle Vanesse une glace aux framboises. Pour la manger plus à l'aise, elle remit son éventail à son cavalier servant, qui rougit de plaisir, et, comme pour s'assurer que cet éventail précieux jouait bien, tour à tour il le fermait ou le rouvrait; à plusieurs reprises il le porta à la hauteur de son visage, et, quoiqu'il fût loin d'être myope, il l'examinait de si près que c'était une question de savoir s'il ne l'avait pas touché de ses lèvres. Outré de dépit, M. Saintis tourna les talons et s'en alla fumer des cigarettes et cuver son chagrin dans le parc de l'Asile, dont il arpenta longtemps l'avenue la plus solitaire. La jalousie est la fille de l'amour, mais quelquefois c'est elle qui le fait naître, à quoi il faut ajouter que l'homme qui a besoin d'être inquiet pour aimer n'a jamais aimé que lui-même.

À huit heures, pendant que ses vieillards festinaient dans leurs réfectoires, Mme Sauvigny avait quinze ou seize personnes à dîner. Le docteur Oserel boudait, il ne parut pas; il avait envoyé s'excuser en alléguant des prétextes spécieux; les médecins en trouvent facilement. Il serait venu s'il avait pu prévoir que, pendant tout le repas, son triomphant rival aurait l'air pensif et le front nuageux. M. Saintis en voulait à Mme Sauvigny d'avoir placé M. Belfons à côté de Mlle Vanesse. Ils semblaient fort occupés l'un de l'autre, et elle paraissait charmée de les voir si bien ensemble. Avait-elle par hasard conçu un dessein secret dont il transpirait quelque chose sur son visage? Il s'était plaint un jour en riant qu'elle eût la manie de marier tout le monde. Cette fois il ne riait plus.

M. Lixieux et l'abbé Blandès, qui le matin avaient dû, bien à regret, écourter leurs discours, n'attendaient que l'occasion de prendre leur revanche; au dessert, ils portèrent des toasts à M. Saintis. Le maire le remercia, au nom de la commune, «d'avoir allumé le feu sacré des beaux-arts dans un village longtemps inconnu, que Mme Sauvigny avait illustré la première en y fondant son asile, et plus tard en attirant auprès d'elle un éminent et célèbre praticien». Grâce à M. Saintis, ce village jouirait désormais de tous les genres de gloire. S'adressant à l'instituteur et à la maîtresse d'école, qui étaient du dîner, M. Lixieux leur déclara qu'ils étaient dorénavant commis au soin d'entretenir la flamme sainte, et il les compara à ces prêtresses augustes, qui encouraient des peines sévères quand elles laissaient s'éteindre le feu de Vesta. On jugea généralement que cet ancien avocat, qui avait renoncé au barreau pour des raisons de santé, se souvenait trop du Palais, qu'il avait mis dans sa harangue trop de solennité, de pompe et trop de Vestales.

Le discours de l'abbé Blandès eut plus de succès. Il aimait la musique, il la savait, et il avait compris que les résultats obtenus par M. Saintis étaient dus surtout à sa façon de préparer ses élèves. Faisant allusion à une parabole qu'il aimait à citer: «Un semeur, dit-il, avait répandu une partie de son grain le long d'une route où les oiseaux la mangèrent, une autre dans des endroits rocailleux où le soleil la brûla, une autre encore parmi des épines qui l'étouffèrent. M. Saintis ne ressemble point à ce semeur négligent; avant de semer, il avait eu soin de labourer et d'amender sa terre; tout son grain a levé, la beauté de sa moisson nous a tous émerveillés.» Sa conclusion fut que le respect des humbles est la première, la plus touchante des vertus, qu'un musicien illustre, qui ne dédaigne pas d'enseigner l'A b c de son art à de modestes villageoises, donne un grand et bel exemple et témoigne que son caractère est à la hauteur de son génie.

Mme Sauvigny insinua à M. Saintis qu'il était tenu de dire quelque chose. Il ne put s'y refuser, et prenant sur sa mauvaise humeur, il répondît d'un ton de gaîté forcée qu'il était fort sensible aux éloges qu'on faisait de sa vertu, mais qu'il ne les méritait pas, qu'il en allait de lui comme de Mme Sauvigny, qui, de son propre aveu, était une parfaite égoïste et en travaillant au bonheur des autres, ne s'occupait que du sien, qu'en ce qui le concernait, il se piquait d'avoir le don de l'enseignement, qu'il avait été charmé de prouver l'excellence de sa méthode, qu'au surplus c'était l'histoire de tout le monde, que maires, ecclésiastiques, philanthropes ou musiciens, chacun prend plaisir à montrer ce qu'il est capable de faire. Puis, se tournant vers Jacquine et affectant de ne pas la regarder:

«Toutefois, ajouta-t-il, il n'est pas de règles sans exceptions, et j'en conviens, je connais des jeunes filles qui sont aussi heureuses d'enfouir leurs talents que d'autres d'en faire montre. Pour citer, moi aussi, une parabole de l'Évangile, je les comparerai à ce serviteur inutile, qui creusa un trou en terre et y cacha l'argent que son maître lui avait confié pour qu'il le fit valoir. C'est le cas de Mlle Vanesse, qui en toutes choses est une nature exceptionnelle. C'est aujourd'hui seulement qu'elle a daigné nous révéler le don que le ciel lui a départi; aujourd'hui, pour la première fois, elle a chanté ma musique en artiste, me causant ainsi une vive et profonde surprise. Mais, croyez-moi, elle l'a fait sans plaisir, malgré elle, à son corps défendant, comme on s'acquitte d'un devoir désagréable. Monsieur le maire, si la commune veut témoigner sa gratitude à l'un de nous, c'est à Mlle Vanesse qu'elle doit ériger une statue. Sa vertu mérite récompense.»

Jacquine s'était penchée vers M. Belfons; elle lui chuchota quelques mots à l'oreille, et aussitôt il se leva et dit:

«Mesdames et messieurs, Mlle Vanesse, qui se déclare incapable de parler en public, me charge de plaider sa cause devant vous, moi son serviteur indigne. Elle respecte trop son illustre maître pour oser le contredire en face, et cependant elle ne peut laisser passer sans réclamation le jugement qu'il vient de porter sur elle. Non, elle ne goûte point un malin plaisir, comme il l'en accuse, à enfouir ses talents. Si jusqu'ici, pour employer le mot de ce maître aussi sévère qu'illustre, elle n'avait chanté son solo que presque bien, si aujourd'hui, je vous prends tous à témoin, elle l'a chanté excellemment, supérieurement et, que ma cliente me pardonne d'offenser sa modestie, divinement, c'est que pour la première fois elle le chantait en présence de Mme Sauvigny, qui la regardait en souriant. Vous savez que ce sourire fait des miracles; c'en est un de plus à ajouter à la légende de notre sainte. Au surplus, Mlle Vanesse me prie de représenter à M. Saintis qu'après l'avoir accusée injustement, il la gratifie d'une qualité qu'elle ne possède point, qu'à son vif regret et quoi qu'il en dise, elle n'est et ne sera jamais une artiste. Vous en penserez ce qu'il vous plaira, ce n'est pas moi qui parle, c'est elle qui vous parle par ma bouche. Je m'arrête; elle m'a recommandé d'être succinct dans mes explications, et ses volontés sont pour moi des ordres.»

Si Mlle Vanesse avait divinement chanté, la plaidoirie de son avocat déplut souverainement à M. Saintis. De quoi se mêlait M. Belfons? De quel droit s'ingérait-il dans cette affaire? À quel titre Mlle Vanesse l'avait-elle choisi pour l'interprète de ses sentiments? Il fallait que ce faquin fût bien avant dans ses bonnes grâces pour qu'elle le chargeât d'expliquer à son maître ce qu'elle avait à lui dire. Jusqu'à la fin du dîner et pendant les deux heures qui suivirent, M. Saintis sentit que, quelques efforts qu'il pût faire pour dissimuler sa mélancolie, il n'y réussissait qu'à moitié, que la jalousie le mordait au cœur, que sa gaîté affectée sonnait faux. Mme Sauvigny lui demanda s'il était souffrant; il se plaignit d'avoir la tête embarrassée et descendit prendre le frais au jardin. Il n'y resta pas longtemps, son agitation ne se plaisait nulle part. Il venait de rentrer dans la véranda, se disposait à retourner au salon quand il vit paraître Mlle Vanesse, qui le cherchait pour lui offrir une tasse de thé. Il feignit à son tour de ne pas la voir et il passait outre; elle se posta devant lui, lui coupa le chemin. Elle le regardait et souriait. Comme le sourire de Mme Sauvigny, celui de Jacquine faisait quelquefois des miracles. M. Saintis se sentit renaître; grâce à la prodigieuse mobilité de ses nerfs d'artiste, son chagrin se dissipa en fumée.

Ce sourire à la fois doux et malin, ce sourire plein de séduction, ce sourire éloquent, qui valait un long discours, lui disait clairement:

«Que vous êtes ombrageux, et que vous avez quelquefois l'esprit court! Vous n'avez donc pas compris que je jouais la comédie? Ne suis-je pas tenue d'être très prudente, très circonspecte, d'écarter, d'endormir les soupçons? Tout le jour j'ai paru m'occuper de M. Belfons; il m'est tout à fait indifférent. Je ne me soucie que d'un homme, qui est plus qu'un homme. Vous ne savez donc pas lire dans le cœur des femmes? Depuis hier, il y a un pacte entre vous et moi, et je sens encore sur mes lèvres la douceur de votre baiser.»

Il lui prit la tasse des mains, en disant:

«J'existe donc? C'est la première fois que vous daignez me regarder.

—Est-il besoin de regarder son dieu pour le voir? murmura-t-elle. On le porte partout avec soi.»

Ils n'eurent pas le temps d'en dire plus long, Mme Belfons troubla leur tête-à-tête. M. Saintis lui fit bon visage; il était pleinement rassuré, il ne voulait plus de mal à personne et son thé lui parut délicieux. Il rentra bientôt dans le salon, où il courut s'asseoir auprès de Mme Sauvigny, et il lui prodigua les propos caressants, ses plus tendres gentillesses, ses plus exquises chatteries.

Minuit sonnant, il était en selle et regagnait son ermitage. Contre sa coutume, il n'échangea pas, le long du chemin, trois paroles avec sa jument blanche. Il conversait avec lui-même. Son imagination, qui s'était montée, lui persuadait qu'il avait deux cœurs. Les natures d'artistes sont si étoffées, si riche, qu'elles ont tout à double. Quand on a deux cœurs, on peut aimer deux femmes à la fois sans que personne soit lésé; de quoi se plaindraient-elles? chacune a part entière.

Il se disait:

«L'une fera mon bonheur; que ferai-je de l'autre? C'est un point à régler. L'une est adorable et je l'adore; l'autre est née dans le monde de la grande bohème, et elle a beau dire, elle en tient: il y a en elle je ne sais quelle magie noire qui la rend infiniment piquante. L'une est mon bon génie et je me laisserai gouverner par elle; je gouvernerai l'autre et elle m'amusera. L'une sera le charme et les délices de ma vie; l'autre en sera le piment.»

Si discrète que soit une jument blanche, il est des choses qu'on ne lui dit pas.

Au même moment, tous ses invités étant partis, Mme Sauvigny se trouvait seule avec Mlle Vanesse dans la logette vitrée. Elle était parfaitement heureuse, et si elle n'avait pas, comme M. Saintis, l'imagination montée, si elle ne se figurait point avoir deux cœurs, ses nerfs étaient un peu excités. Se sentant le gosier sec, elle sonna, se fit apporter du champagne; elle en avait beaucoup versé et n'en avait point bu. Après avoir parlé à Jacquine de la profonde émotion qu'elle avait ressentie en lui entendant chanter son solo, elle repassa sur les menus incidents de la journée:

«Il me semble que tout a bien marché, que tout le monde s'amusait, qu'il y avait de la gaîté dans l'air.»

Jacquine s'étira lentement comme une chatte qui aiguise ses ongles et répondit:

«Plus les fêtes sont belles, plus il faut se défier de leurs lendemains.»

La lune, qui était dans son plein, sortit tout à coup d'un gros nuage qui l'avait longtemps masquée.

«Bel astre, je vous salue! dit Mme Sauvigny, en levant sa coupe. Faites mentir cet oiseau de mauvais augure.»

L'instant d'après, Jacquine s'accroupissait à ses pieds et, la tête contre ses genoux, s'emparait d'une de ses mains, qu'elle couvrit de tendres baisers. Mme Sauvigny était à mille lieues de se douter que sa fille adoptive, que sa sœur cadette lui demandait pardon d'un cruel chagrin qu'elle lui avait savamment préparé.

XVII

La lune ne fit pas mentir l'oiseau de mauvais augure, et pourtant le lendemain de cette fête s'annonçait bien. Mme Sauvigny avait craint de se réveiller la tête lourde, embarrassée; c'était souvent la rançon de ses plaisirs; elle n'eut pas la migraine. Elle craignait aussi que ses vieillards n'eussent fait des excès préjudiciables à leur santé; elle courut s'en informer dès la première heure; ils se portaient tous à merveille, l'infirmerie était vide.

Vers deux heures de l'après-midi, on vint l'avertir que M. Belfons la demandait. Elle se hâta d'aller le rejoindre au salon, et s'avisa à première vue qu'il était fort agité. Il avait la fièvre, il ne tenait pas en place. Après quelques propos indifférents:

«Chère madame, dit-il, vous êtes la plus clairvoyante des femmes. Vous avez sûrement deviné pourquoi je suis ici et ce que j'ai à vous dire.

—Je crois le deviner.

—Et vous approuvez ma démarche?

—Non. Je vous ai recommandé d'être patient, très patient; je vous trouve trop pressé.»

Il se leva, s'approcha d'une étagère chargée de bibelots, qu'il toucha, tâta, remua de leur place, l'un après l'autre.

«Touchez, lui dit-elle, mais ne cassez rien.»

Après avoir tourné, viré, s'asseyant sur le bras d'un fauteuil:

«Vous m'engagez à attendre, vous en parlez à votre aise. Je n'ai pas fermé l'œil cette nuit; je suis éperdument, stupidement amoureux, et croyez bien que le véritable amour est l'amour bête, et que l'amour bête n'attend pas. Je n'ai pas la présomption de croire que je suis au bout de mes peines, mais je suis au bout de ma patience.»

Elle se mit à rire.

«De grâce, ne demeurez pas perché sur ce bras de fauteuil, asseyez-vous convenablement, et tâchons de parler raison.»

Il obéit, en disant:

«Exige-t-on que les bêtes parlent raison?

—Répondez à mes questions, reprit Mme Sauvigny. Que s'est-il passé hier entre vous? Il me semble que vous avez sujet de vous louer d'elle, qu'elle s'est montrée fort gracieuse. Mais j'ai remarqué que, dès qu'on vous encourage, vous hasardez le paquet; vous devenez audacieux, téméraire, et vos témérités ne sont pas heureuses. Je crains que vous n'ayez lâché quelque parole imprudente.... Que lui avez-vous dit?

—Vous me calomniez, madame. J'ai été tout le jour très prudent, très réservé. Je n'ai pas osé offrir la bataille, tout au plus ai-je engagé une légère escarmouche.

—Je vous prie, quelques minutes avant minuit, au moment de partir, que lui avez-vous dit?

—Puisque vous voulez le savoir, je lui ai dit: «Mademoiselle, vous m'avez fait ce soir l'honneur de me prendre pour votre avocat; me permettez-vous demain de vous prendre pour mon juge et de mettre mon sort dans vos mains?»

—Voilà ce que vous appelez une légère escarmouche!... Et qu'a-t-elle répondu?

—Elle n'a répondu ni oui ni non, ou plutôt, pour être tout à fait exact, elle a dit non, mais je vous jure sur mon honneur que son sourire disait oui.

—Un sourire de ma chère petite sœur! répliqua Mme Sauvigny. La belle caution! la belle garantie!

—Vous ne l'aimez donc plus?

—Je l'aime tous les jours davantage.

—Mais vous croyez que je lui déplais?

—Je crois que vous êtes de tous les hommes celui qui lui déplaît le moins; je crois aussi qu'il faudra l'aller chercher avec la croix et la bannière pour la réconcilier avec le mariage, qui de toutes les chaînes est à ses yeux la plus lourde et la plus humiliante.

—Je me charge de la lui faire aimer; je la lui rendrai si légère! Que dis-je, c'est moi qui la porterai. Vous me tenez, n'est-ce pas? pour un très bon garçon, d'humeur commode. Ah! par exemple, il est des points sur lesquels je suis intraitable; mais dans le détail de la vie, et après tout la vie se compose de détails, je serai très doux, très facile, très complaisant, c'est dans ses yeux que je chercherai ma volonté.... Faites venir cette Diane, qui méprise les hommes; vous lui expliquerez en ma présence que je ne suis plus un homme, qu'elle m'a réduit à l'état de bête, que je serai son caniche, qu'elle me mènera en laisse, qu'elle m'aura à sa merci, que je suis un de ces toutous qui lèchent la main qui les frappe.

—Et si elle commande à Azor de brûler ses livres de mathématiques?

—Azor les brûlera tous jusqu'au dernier. Le calcul infinitésimal a toujours été ma consolation. Si j'épouse cette divine et exécrable créature, de quoi me servira-t-il? La joie où je serai de la posséder à jamais me consolera suffisamment de tous les déplaisirs qu'il lui plaira de me donner.... Faites-la appeler, madame. Vous lui direz que je suis venu vous demander sa main; je ne peux plus attendre; qu'elle ordonne de mon sort!

—Malheureux, vous êtes fou, lui repartit Mme Sauvigny; vous jouez à tout perdre. Vous m'aviez priée, il y a quelque temps, de vous venir en aide, et je vous avais répondu: «C'est à vous de la persuader!» Je me ravise; vous êtes un de ces fiers maladroits; une de ces têtes chaudes qui prétendent brusquer les places qu'il faut assiéger en forme. Confiez-moi le soin de vos intérêts; mais j'exige que vous soyez très sage, très docile. Convenons de nos faits.

—Commandez, vous serez obéie.

—Promettre et tenir sont deux. Je le prévois, vous gâterez nos affaires par quelque échappée, par quelque frasque. Voulez-vous savoir ce que vous feriez si vous étiez vraiment sage?

—Quoi donc?

—L'hiver dernier, à Nice, vous aviez lié connaissance avec un grand propriétaire anglais, réputé l'un des plus habiles éleveurs de tout le Royaume-Uni. Il vous a écrit récemment pour vous presser d'aller faire un séjour chez lui. Si vous m'en croyez, vous irez étudier de près ses moutons, ses vaches, ses chevaux et ses porcs, vous passerez un mois dans cette agréable société. Pendant ce temps, la taupe travaillera; si elle ne réussit pas, ce ne sera pas faute de zèle.»

Il leva les bras au ciel. S'éloigner, s'en aller, être un grand mois sans la voir! Impossible!

Elle insista, parla haut et clair, le menaça de l'abandonner à son mauvais destin; il finit par se rendre.

«Que le ciel bénisse cette bonne taupe, s'écria-t-il, et l'aide à creuser sa galerie! Demain soir, j'aurai passé la Manche.»

Et, lui ayant baisé les mains, il partit. Dix minutes plus tard, Jacquine entrait. Elle avait l'œil scintillant de malice.

«Décidément, Charlotte, ce jeune homme est fort ponctuel, on ne saurait trop louer son exactitude.

—De quel jeune homme pariez-vous, ma chère?

—Je parle de M. André Belfons, qui sort d'ici.

—Comment savez-vous....

—Je l'ai vu sortir, j'étais à ma fenêtre.... Ma petite maman, lui avez-vous accordé ma main?

—Je vous prie de croire qu'il ne me l'a pas demandée.

—Quand Charlotte altère ou déguise la vérité, répliqua-t-elle, Charlotte rougit, et dans ce moment Charlotte est rouge comme le feu.

—Vous êtes donc sûre qu'il est venu faire sa demande? Cela prouve que vous lui aviez donné quelque encouragement.

—Je ne lui veux point de mal. Il est gentil, c'est un bon garçon, dont la candeur m'amuse; quelque amorce que je mette au bout de ma ligne, le poisson mord.

—M. Belfons n'est pas seulement un bon garçon, dit Mme Sauvigny avec un accent de reproche. C'est un homme de grand mérite et un cœur d'or, et si j'étais Mlle Jacquine Vanesse, je ne serais pas tentée de m'amuser de lui.»

Au même instant, elle vit la porte du salon se rouvrir pour livrer passage au docteur Oserel et à M. Saintis, qui venaient s'assurer qu'elle ne se ressentait pas de ses fatigues de la veille. Jacquine leur tournait le dos, mais juste en face d'elle il y avait une glace. Mme Sauvigny l'avertit qu'elles n'étaient plus seules, en posant sur ses lèvres l'index de sa main droite, et elle accompagna son geste d'un chut! fort expressif. Jacquine ne remarqua ni le geste ni le chut! ou plus probablement ne voulut pas les remarquer. Haussant la voix:

«Après tout, dit-elle, je suis fort sensible à la démarche de M. Belfons. Si un homme pouvait me réconcilier avec le mariage, ce serait lui; mais ce ne sera pas l'affaire d'un jour; qu'il me laisse le temps de réfléchir!»

À ces mots, s'étant retournée, elle parut fort surprise de se trouver en présence de M. Saintis, et elle se retira, l'oreille basse, comme si elle eût été confuse de son étourderie.

Mme Sauvigny et les deux survenants furent quelques secondes à se regarder. Elle paraissait fort contrariée; M. Saintis avait le front plissé et lugubre; le docteur seul semblait content.

«Que ceux qui n'ont pas l'ouïe dure entendent! dit-il en se plongeant dans un fauteuil qui craqua sous lui. Mlle Vanesse, plus avisée à l'ordinaire et plus secrète, vient de nous apprendre que M. Belfons a fait tout à l'heure une démarche qui l'a touchée. Elle demande à réfléchir, cela est juste et naturel. Mais je crains que, livrée à elle-même, sa sagesse n'ait bien du mal à triompher de son horreur pour le mariage. Heureusement vous êtes là, madame; vous avez beaucoup d'autorité sur elle, peut-être viendrez-vous à bout de ses virginales résistances.

—Je ferai mon possible, répondit-elle d'un ton bref; je suis convaincue que ce mariage serait pour tout le monde un heureux événement.

—Très heureux!» fit-il d'un air pénétré.

Et il se frotta le nez avec la pomme de sa canne.

«Ce serait un grand débarras, pensait-il; le malheur est que ce n'est pas elle qui me gêne le plus; je commençais à m'y faire. Qui me débarrassera de l'autre?»

Il regarda de côté M. Saintis et s'avisa que ce musicien avait le teint brouillé et la physionomie d'un homme qui vient d'avaler un grand verre de vinaigre ou de vin de prunelle.

M. Valery Saintis s'était promis de se bien tenir et de se taire; la passion fut la plus forte, il parla. C'est un prodigieux effort de vertu que de se laisser voler sans crier au voleur.

«Je suis désolé de vous contredire, chère madame, fit-il d'un ton brusque, grondeur, presque colère. Cet événement que vous qualifiez de fortuné serait à mes yeux un vrai désastre, et si, usant de votre autorité, que je crois très grande, vous arrachiez à votre pupille son consentement, vous lui rendriez un triste service. Comment pouvez-vous travailler à une union si mal assortie? Jamais projet ne fut plus absurde. M. Belfons est fait pour épouser Mlle Vanesse comme moi pour me marier avec la lune.... Il m'en coûte, poursuivit-il en s'échauffant, de mal parler d'un de vos amis, mais je ne partage point votre admiration pour ce propriétaire de biens-fonds. Il m'a toujours paru très ordinaire, très médiocre, et Mlle Vanesse, qui a une rare intelligence, aurait bientôt découvert les bornes de ce génie. Croyez-moi, cette haine, cette répulsion qu'elle ressent pour le mariage est un avertissement de sa nature, qui proteste contre la violence que vous prétendez lui faire. Eh! que diable, laissez-la se rendre heureuse à sa façon, consulter ses goûts et ses dégoûts, suivre les règles de conduite qui conviennent à son caractère, à son tempérament. Je vous l'ai dit, vous aimez trop à marier les gens. Ne vous mêlez pas de cette affaire, ne poussez pas à la roue, vous assumeriez une lourde responsabilité. C'est une belle chose que de faire le métier de providence; encore faut-il y mettre quelque discrétion.»

Il s'aperçut que Mme Sauvigny l'écoutait et le regardait avec un étonnement croissant, voisin de la stupeur. Il s'empressa de tourner bride.

«Mais, à quoi pensai-je? reprit-il, en changeant de ton. C'est bien à moi de vous donner des conseils! Vous n'en devez prendre que de vous-même et de votre chère raison, qui a toujours raison. Grâce à Dieu, vous n'êtes pas une étourdie comme ma sœur.»

Là-dessus, il raconta que Mme Leyrol avait eu récemment la main malheureuse, qu'après avoir marié le Grand-Turc à la république de Venise, elle avait dû les aider à se démarier. Il tâchait de donner à son histoire un tour plaisant; il s'évertuait, se trémoussait, se battait les flancs, il parlait par saccades. Tout en discourant, il se disait: «Il faut que je la voie. Cela presse. Elle est fantasque; je la crois capable de faire un coup de tête, de dire oui dès ce soir.... Quel jour est-il? Jeudi. C'est un des jours où elle va faire la lecture à Mlle Racot. Ne pourrais-je pas aller l'attendre sur la route, à son retour? À quoi bon? Elle ne sera pas seule.... La pendule marque trois heures. Peut-être n'est-elle pas encore partie....»

Il se leva, prit son chapeau, alléguant que l'aimable accompagnateur, qui la veille avait tenu le piano, passait la journée chez lui, qu'il ne pouvait décemment lui brûler plus longtemps la politesse, et il sortit, après avoir prévenu Mme Sauvigny qu'il viendrait le lendemain lui demander une tasse de thé.

Il avait eu une bonne inspiration: comme il traversait la cour, il avisa devant la grille un tilbury attelé et, à la tête du cheval, Mlle Vanesse occupée à l'émoucher. Elle attendait son cocher, qui était monté s'habiller. Il l'aborda, en disant:

«Mademoiselle Jacquine Vanesse, je désire avoir avec vous une conversation sérieuse. J'ai des choses très importantes à vous dire.

—À votre aise, j'écoute.

—Ah! permettez, cet entretien demande plus de mystère. Prenons un rendez-vous; fixez vous-même l'heure et l'endroit.

—Le puis-je? répondit-elle en détournant les yeux. Et si je le pouvais, le dois-je? J'ai constaté avant-hier que vous êtes un homme peu sûr, un homme dangereux, qui ne se contente pas d'user, qui abuse; je m'en suis plainte à vous, et j'ai pris la résolution d'éviter les tête-à-tête.

—Mademoiselle, je vous le répète, il faut absolument que nous causions ensemble, répliqua-t-il d'un ton d'autorité. Il y va de votre bonheur et du mien.»

Après un instant d'hésitation:

«Vous causez quelquefois avec votre jument blanche, fit-elle; j'ai deux mots à dire à mon cheval.»

Et, promenant ses mains sur les naseaux du poney, qui semblait goûter ses caresses:

«Prosper, la nuit sera belle, j'en profiterai pour donner la chasse aux papillons nocturnes. Il y en a par ici de fort beaux, entre autres une des plus grandes espèces de nos pays, la phalène du sureau, qui s'appelle dans une langue que tu ne sais pas l'urapteryx sambucaria. Cette phalène est d'un jaune de soufre et ses ailes sont rayées de brun. L'exemplaire que j'en possède dans ma collection s'est détérioré, je désire le remplacer. Ce soir, après dîner, vers neuf heures, je me rendrai dans un bosquet qui termine l'avenue du parc où l'on passe le moins. Tout près de là est un petit portail de bois, dont on ne retire jamais la clef; nous habitons une maison où l'on ne craint pas les voleurs. Mais, sais-tu, Prosper, on prétend que ce que femme veut, Dieu le veut. Dans la maison que j'habite, ce sont les dieux qui veulent, et la femme obéit.»

Elle achevait sa harangue quand son cocher survint. Elle sauta lestement dans le tilbury. Selon sa coutume, elle voulut conduire; elle prit le fouet en main et rendit les guides au poney, qui partit au grand trot.

«Ah! mais non, grommela entre ses dents M. Saintis, en la regardant s'éloigner, cet imbécile ne l'aura pas. C'est un morceau trop friand, trop délicat, trop cher pour lui. Je veux être perdu d'honneur s'il en tâte.»

Le docteur Oserel venait d'éprouver une douce surprise; un bonheur inespéré lui était tombé du ciel. Il lui semblait qu'en un clin d'œil les affaires avaient changé de face, que, par un étrange retour de fortune, tout conspirait pour lui, qu'avant peu il serait débarrassé de ses ennemis et de ses anxiétés. La veille, pendant que tout le monde s'amusait, il était rongé de dépit, d'envie et d'inquiétude; les lendemains de fêtes étaient ses fêtes; il se sentait au cœur cette surabondance de joie qui est le partage des âmes délivrées du purgatoire.

Il se renversa dans son fauteuil, se gratta le menton et dit:

«Ah ça! madame, que se passe-t-il donc? Que signifie l'inconvenante incartade que vous a faite M. Saintis, le noir chagrin qu'il a manifesté en apprenant que M. Belfons avait des vues sur Mlle Vanesse? Il semblait vraiment qu'on lui prit son bien.... Serait-il amoureux de cette jeune personne?»

Mme Sauvigny ne répondit pas. Il aurait pu deviner à sa pâleur qu'elle avait eu la même pensée que lui, et il se fût montré généreux en la laissant à ses réflexions. Il jeta de l'huile sur le feu; il fut brutal.

«Votre ami a l'humeur changeante, poursuivit-il. Jadis il ne pouvait souffrir Mlle Jacquine Vanesse, il l'avait en horreur; il s'est ravisé. Il nous a dit un soir, s'il m'en souvient, qu'elle était à ses yeux un joli, un très joli petit monstre; il aurait dû ajouter que les monstres, quand ils sont jolis, ont pour les artistes un irrésistible attrait. Il faut s'entendre sur le sens des mots et ne les employer que dans leur acception rigoureuse. Pour les anciens, les monstres étaient les gorgones, les griffons et les harpies; pour le vulgaire d'aujourd'hui, ce sont les moutons à six pattes et les veaux à deux têtes. Ce qui constitue le vrai monstre, dans le sens scientifique du terme, c'est une conformation inusitée, insolite, qui peut être aussi séduisante que singulière. La physiologie moderne a reconnu que toute anomalie est le résultat d'un arrêt de développement, mais que la plupart du temps cet arrêt correspond au développement prématuré, trop rapide, d'autres parties de l'organisme. C'est le cas de Mlle Vanesse. À l'âge où les petites demoiselles commencent à peine à se douter qu'on ne ramasse pas les poupons sous les choux, elle avait toutes les curiosités et toutes les divinations, elle connaissait l'envers des choses et les dessous de la vie. En revanche, d'autres cases de son cerveau étaient demeurées en friche, et elle n'acquerra jamais cet ensemble coordonné de notions communes qu'on appelle le bon sens. Elle joint à une étonnante maturité d'esprit les raisonnements puérils, les enfantillages. Elle ressemble à ces fruits précoces, mais mal venus, qui, encore verts d'un côté, de l'autre sont déjà blets. Cette fille subtile et déraisonnable n'a point d'âge, et c'est peut-être ce qui la recommande à l'admiration de M. Saintis.»

Mme Sauvigny persistait à garder le silence, et à peine l'écoutait-elle, occupée qu'elle était à démêler ses propres pensées.

«Non seulement Mlle Vanesse n'a point d'âge, reprit-il après une courte pause, elle n'a point de sexe. Je ne la soupçonnerai jamais d'être un homme, et je nie qu'elle ait les nerfs et le cœur d'une femme. Sa principale fonction dans ce monde, sa grande affaire est d'être et de rester vierge. Soit orgueil, soit par l'effet d'un respect superstitieux pour sa petite personne, elle met sa gloire à mépriser l'amour et à se défendre contre toute attaque. Je l'ai définie dès le premier jour une vierge noire, et sans doute la couleur de son âme la rend plus désirable et plus précieuse à votre ami. Il a du goût pour l'extraordinaire et pour les entreprises hasardeuses, et il se pique facilement au jeu. Il a juré qu'il viendrait à bout de ce cœur qui se refuse, de cette chair que rien n'émeut, qu'il dompterait ce joli petit monstre, qu'il dénouerait cette indénouable ceinture....»

Il parlait dans la plénitude de son cœur, on voyait briller dans ses yeux la joie féroce du sanglier qui fait face au vautrait et découd le ventre d'un chien. Il ne jouit pas longtemps de son triomphe; il eut une alerte, qui fut vive, Mme Sauvigny s'était levée brusquement et lui criait d'une voix frémissante:

«En voilà assez; pas un mot de plus! Taisez-vous!... Si l'amitié est à vos yeux un privilège qui dispense de tous les égards, dès aujourd'hui rompons la paille.»

Il sentit qu'il était allé trop loin; il s'humilia, fit amende honorable, s'anéantit. Elle refusa d'entendre ses excuses. Elle ne connaissait plus rien, ne se possédait plus.

«Taisez-vous, vous dis-je, et laissez-moi. Votre langage me révolte, votre figure m'est odieuse. Vous êtes un bourru malfaisant et vous avez trop longtemps abusé de ma patience. Sortez, allez-vous-en; je vous déteste. Attendez pour reparaître ici que je vous aie prié d'y revenir.»

Il se retira en baissant la tête, les épaules serrées, le visage bouleversé; il avait l'air d'un homme qui a reçu la foudre. Il venait d'assister à une colère de Mme Sauvigny, et c'était une chose qu'il n'avait jamais vue. Il avait toujours posé en principe que cette nerveuse tranquille était incapable de se fâcher. Les savants se trompent quelquefois.

XVIII

Une méthode recommandée pour la chasse aux papillons nocturnes consiste à déposer dans un berceau de verdure une veilleuse allumée, qu'on y laisse brûler toute la nuit. Il faut avoir soin de l'abriter par un entonnoir en verre, qui empêchera le vent de l'éteindre et les papillons de s'y rôtir les ailes. Le lendemain, Dieu aidant, vous aurez peut-être le plaisir de surprendre dans leur repos une nombreuse compagnie de phalènes, appliquées sur le tronc des arbres ou collées à la charpente du berceau.

Un papillon de grande taille avait hâte de se faire prendre: M. Valery Saintis se présenta au rendez-vous bien avant le moment fixé. La nuit secondait son entreprise; le ciel était voilé, mais la couche de nuages était mince, et la lune dans son plein répandait sur la campagne une clarté diffuse, à la faveur de laquelle il put regarder l'heure à sa montre et s'assurer qu'il était en avance. Il descendit de sa bicyclette à deux pas du petit portail à claire-voie, qui n'était fermé qu'au pêne, et, quelques minutes après, il s'introduisait dans le bosquet de sureaux, dont le milieu était occupé par une petite table de pierre. Il s'assit dans un fauteuil rustique, et il attendit. Il était impatient, mais il n'était pas inquiet. Il était sûr de sa somnambule et de son empire sur elle; il l'avait à son commandement, elle avait fait vœu d'obéissance.

Il ne s'abusait pas; il aperçut dans le parc une lumière mouvante, qui suivait les sinuosités d'un sentier et semblait se diriger vers le bosquet.

«C'est elle, se dit-il; je ne doutais pas qu'elle ne vînt.»

Elle arriva bientôt, tenant à la main sa veilleuse enfermée dans une lanterne. La soirée étant fraîche, cette déesse des bois s'était affublée d'un collet, dont elle avait rabattu le capuchon sur sa tête. Elle déposa sur la table de pierre sa lanterne, après en avoir essuyé les verres avec son mouchoir. Il la regardait en silence et la trouvait exquise. Il décida que cette esclave faisait honneur à son maître, que la Circassie ne produisait aucune fleur digne de lui être comparée, qu'elle valait à elle seule un harem tout entier, et son orgueil s'arrondissait.

«Le pacha turc le plus blasé, pensait-il, m'envierait ma conquête. Il y a en moi plusieurs hommes, et l'un d'eux est un homme de théâtre; c'est à lui que je la donne. Elle sera dans ma riche et heureuse existence la part de la fantaisie.»

Elle se tenait debout devant lui et ne lui jetait que des regards furtifs. Elle semblait éviter ses yeux, dont elle redoutait la puissance magnétique.

«Vous le voyez, dit-elle en lui montrant du doigt la lanterne, c'est bien pour chasser aux papillons que je suis venue dans ce bosquet de sureaux. J'y rencontre par hasard mon maître et seigneur; je ne le cherchais pas, ma conscience n'a rien à me reprocher.

—Mademoiselle Jacquine Vanesse, convenez que votre conscience ne vous tourmente pas souvent; je la crois très bonne fille, et il est des cas où je la voudrais plus sévère.

—De quel crime m'accusez-vous?

—J'ai appris tantôt de votre bouche que M. Belfons avait demandé votre main, que sa démarche vous avait touchée, qu'il était le seul homme qui pût vous réconcilier avec le mariage. Vous l'avez dit, et vous avez la conscience nette! Eh quoi! vous consentiriez à être la femme d'un rustaud qui n'a pour lui que ses millions! Sachez qu'on ne violente pas impunément sa nature et sa destinée. Je vous connais, vous ne tarderiez pas à prendre en dégoût votre épais bonheur bourgeois. On vous a longtemps reproché votre humeur chagrine et farouche. Ah! vraiment, on vous a trop apprivoisée, vous êtes devenue trop accommodante. Appartenir à ce bélître! La pièce s'annonçait bien; quel dénouement, bon Dieu!... Vous allez me jurer solennellement que jamais, au grand jamais, quelques conseils qu'on vous donne, quelque pression qu'on exerce sur vous, on ne pourra vous déterminer à épouser M. Belfons.»

Elle ne prononça pas le serment qu'il réclamait. Elle suivait des yeux une petite phalène qui tournoyait autour de la veilleuse, et qui ne lui inspirait qu'un médiocre intérêt; ce n'était pas une urapteryx sambucaria.

«Vous n'avez pas encore juré, reprit M. Saintis avec un peu d'irritation. Il y a cent bonnes raisons pour que vous n'épousiez pas M. Belfons, il n'y en a pas une pour que vous l'épousiez,... à moins toutefois que vous ne l'aimiez.

—Mon cœur, murmura-t-elle, n'a point de secret pour vous, et vous savez mieux que personne ce qui s'y passe. Mais je crois M. Belfons sérieusement épris de moi, et il pourrait arriver que, s'il s'obstinait dans sa poursuite, de guerre lasse, dans un moment de faiblesse, touchée de pitié....

—Vous vous imaginez donc, interrompit-il, que cet olibrius sait aimer? Il mourra sans avoir pénétré les mystères de la grande passion. Par un effort de son génie, il s'est avisé que vous étiez divinement jolie; le beau mérite! Les vaches qui vous regardent passer le long des chemins ont fait avant lui cette découverte; mais, comme les vaches, il ne saura jamais ce que vous valez. Il faut avoir des yeux et un cœur d'artiste pour sentir ce qu'il y a en vous de particulier, de rare et de prenant.... Ah! croyez-moi, dispensez-vous de le plaindre, ce serait de la pitié mal placée.

—Si vous ne voulez pas que je le plaigne, permettez-moi d'avoir un peu de compassion pour moi-même. Franchement, vous n'entrez pas dans mes peines, vous vous souciez peu de mes intérêts. Ma situation n'est pas gaie. Je vis dans une maison étrangère, où la charité m'a accueillie et où me retient la plus tendre des amitiés. Mais dans quelques semaines Mme Sauvigny sera la femme d'un célèbre musicien. Jusqu'ici elle m'a prouvé par ses attentions que je lui étais chère et qu'elle tenait à moi. Du jour où elle aura épousé l'homme qu'elle aime, peut-être, malgré elle, me fera-t-elle sentir que je suis de trop dans son chalet. Je serai prompte à m'en apercevoir; j'ai l'épiderme délicat, et mon orgueil est chatouilleux. J'aurai bientôt fait de plier mon petit paquet et de m'en aller pour ne plus revenir. Mais où irai-je? que deviendrai-je? Si j'épousais M. Belfons, j'aurais un chez moi. Il est permis de songer à l'avenir, et c'est pourquoi je ne prête pas le serment que vous prétendez m'arracher.

—Vous êtes injuste, mademoiselle, autant qu'ingrate, répliqua-t-il. Vous vous figurez donc que je ne m'occupe point de vos intérêts, de votre avenir? Pourquoi suis-je ici? Je désirais vous entretenir dès aujourd'hui des projets que j'ai formés pour vous. Écoutez-moi: quoi qu'en pense votre modestie, vous avez révélé hier une puissance de talent et d'émotion que je ne vous soupçonnais pas, et quelques minutes ont suffi pour changer l'opinion que j'avais de Mlle Vanesse, pour me convaincre qu'il ne dépend que d'elle de devenir une grande artiste. En retournant le soir dans son ermitage, M. Saintis eut une vision: il se crut transporté dans une salle de spectacle où l'on donnait sa Roussalka, représentée pour la première fois trois ou quatre ans auparavant. Le succès avait été contesté; M. Saintis avait beaucoup d'ennemis; il avait eu raison des jaloux et de leurs cabales, mais sa victoire avait du plomb dans l'aile. Un directeur intelligent venait de reprendre la Roussalka pour les débuts d'une jeune cantatrice, dont on ne parlait encore que sous le manteau de la cheminée, et grâce à sa beauté étrange, à son admirable voix, à la sûreté de sa méthode, cette reprise était un triomphe. La débutante, c'était vous, et vous étiez de moitié dans la gloire du musicien.

—Ah! monsieur, dit-elle, quand donc renoncerez-vous à vous moquer de moi?

—Jamais je ne fus plus sérieux. Cordes de la voix, cordes de l'âme, il semble que ce rôle vous ait été destiné, qu'en écrivant ses vers et sa musique, le compositeur n'ait cessé de penser à vous. J'ai acquis la conviction que vous êtes un grand talent inculte, un diamant emprisonné dans sa gangue. Je vous le répète, il ne tient qu'à Mlle Vanesse d'être un jour une grande cantatrice. Ah! par exemple, ce ne sera pas l'ouvrage d'un jour; c'est par un obstiné travail que vous arriverez.... Que mes conseils soient pour vous des ordres! Dès le lendemain de ce mariage qui vous inquiète, vous donnerez à entendre à Mme Sauvigny que désormais sa maison vous déplaît, et vous retournerez à Paris. Je vous mettrai dans les mains d'une femme qui est un incomparable professeur de chant. Elle m'a des obligations; j'obtiendrai sans peine qu'elle vous prenne chez elle, vous serez sa pensionnaire et son élève. Aussi bien je serai là, je surveillerai, je dirigerai cette éducation. Ce sera l'affaire de deux ans, et je me charge du reste.»

Elle le regardait d'un air interdit. Puis, d'une voix sombre:

«Être de moitié dans la gloire de M. Saintis! Quel rêve! Et pourtant, quand ce rêve devrait s'accomplir, cela ne me suffirait pas.

—Que vous manquerait-il encore?

—Depuis deux mois, depuis le jour où j'eus la candeur de changer ma coiffure dans la vaine espérance de plaire à un homme que je croyais haïr, j'ai tant changé que je ne me reconnais plus.... Vous promettez une couronne d'étoiles à l'artiste. Que donnerez-vous à la femme?»

Il prit plaisir à lui faire attendre sa réponse. «Pauvre petite, qui demandes l'aumône, pensait-il, sois tranquille, on te la fera.» Puis, se penchant vers elle:

«La femme est bien modeste dans ses prétentions, puisque, à la rigueur, elle se contenterait de ce que peut lui offrir M. Belfons.

—Ne parlez pas mal de lui. Il a sur d'autres hommes cet avantage que, lorsqu'il aime, il le dit, et le dit si bien qu'on l'en croit.

—Et si je vous disais que je vous aime, vous ne me croiriez pas?»

Après un silence, elle murmura d'une voix altérée, qui n'était qu'un souffle:

«Si vous m'aimiez, vous ne songeriez pas à épouser Mme Sauvigny.

—Seigneur Dieu! fit-il, que les petites filles ont le cerveau dur et étroit! Et qu'il est difficile de leur expliquer certaines choses! Livrées à leurs propres lumières, elles ne comprennent pas qu'il est des femmes qu'on épouse et d'autres qu'on aime sans avoir aucune envie de les épouser.

—Mais, si je ne me trompe, c'est un mariage d'amour que vous faites.

—N'en doutez pas.»

Elle voulait parler, et la parole expirait sur ses lèvres. Elle réussit enfin à dire:

«Ce sacrifice serait trop grand? Vous ne pourriez vous résoudre à me le faire?

—Jamais, au grand jamais! s'écria-t-il. Vraiment les petites filles sont insupportables, elles ne comprennent rien à rien, elles voient des contradictions où il n'y en a point. M'entendez-vous? Mme Sauvigny est nécessaire à mon bonheur, à mon talent, elle est adorable et je l'adore. Elle est de ces femmes qui transportent un homme de la terre dans le ciel; on en connaît d'autres qui font descendre le ciel sur la terre. Les dieux ont l'humeur inquiète; ils s'ennuient parfois dans leur Olympe, ils veulent voir autre chose.... Cette femme unique est une magicienne bienfaisante, elle sait plus d'un secret et met des baumes sur les blessures. Mais elle n'est pas experte en magie noire, et l'amour qui est une fièvre, une extravagance, une maladie, un voluptueux malheur, ce n'est pas auprès d'elle qu'on en savoure les délices.... Mademoiselle Jacquine Vanesse, vous êtes une Roussalka, une sirène et la plus charmante des empoisonneuses; vous m'avez infusé dans les veines un peu de ce venin subtil, délicieux et funeste, qui brûle le sang, et croyez-moi, ne me croyez pas, je suis à l'heure qu'il est follement amoureux de vous.»

Il avait la tête troublée, il n'était plus maître de lui. Le mystère de cette entrevue nocturne et d'un visage qui tour à tour se dérobait dans l'ombre d'un capuchon ou lui apparaissait à la clarté vacillante et rougeâtre d'une veilleuse, un grand ciel sans étoiles, une lune qui éclairait et qu'on ne voyait pas, une nuit baignée d'une vapeur de lumière, le parfum pénétrant qu'exhalait un buisson de citronnelle en fleur, des papillons tournoyants, qui cherchaient sans bruit leur destin, une chouette cachée dans un sapin noir, son hôlement doux et sinistre, dont les retours réguliers semblaient dire que ce qui doit arriver arrive, que toutes les fatalités s'accomplissent.... Non, il ne se possédait plus; il n'était pas jusqu'au son de sa propre voix qui ne grisât son imagination et son cœur, et leur ivresse se communiquait à ses sens.

«Ne craignez point, dit-il en se levant. Vous me traitez d'homme dangereux, je suis le sage des sages. Ma devise sera: feuille à feuille.»

Et s'avançant vers elle: «Je n'en ai pris qu'un avant-hier, il m'en faut dix».

Cette fois, elle se tenait en garde contre les surprises. Elle fit un saut de côté et mit la table de pierre entre elle et lui. Ils se mesurèrent un instant des yeux. Frappé d'étonnement, il ne reconnaissait plus son esclave. Aussi droite qu'une statue, le front sourcilleux, la bouche de travers, l'œil plombé, elle le regardait avec un sourire méprisant et lui jetait un défi.

«Votre devise me plaît, dit-elle. Feuille à feuille! Quelles fêtes vous me préparez! Et qu'ils aient ou non du génie, que les fats sont faciles à tromper!.... Vous ne voyez donc pas que, depuis deux mois, vous vous laissez mystifier par une petite fille au cerveau étroit et dur!... Vous êtes un imprudent; vous saviez que la femme que vous vous étiez promis d'épouser a le cœur aussi fier que tendre.»

Puis, haussant le ton:

«Dois-je dire à Mme Sauvigny, qui me croira, que vous goûterez un plaisir extrême à la posséder, mais que vous comptez sur moi pour vous consoler de votre bonheur?... Trouvez des raisons ou des prétextes pour ne plus la voir, et je serai discrète comme une phalène.»

La vipère s'était redressée et sifflait. Tout à coup, ce qui n'arrive guère aux serpents, elle partit d'un éclat de rire, et ce rire strident, saccadé, diabolique, qui jadis avait épouvanté Mme Vanesse et un valet de ferme, fit reculer de deux pas M. Saintis. Il se heurta contre une branche d'arbre, son chapeau tomba à terre, il se baissa pour le ramasser; quand il se releva, la vipère avait disparu. Il ne vit plus qu'une veilleuse, protégée par une lanterne contre les empressements d'êtres ailés, désireux de se brûler à sa flamme. Ils semblaient désespérés de ne pouvoir arriver jusqu'à elle, et pourtant M. Saintis, en comparant leur sort au sien, le trouva digne d'envie.

Après avoir eu cet accès de colère dont le docteur Oserel devait garder éternellement la mémoire, Mme Sauvigny avait fait de grands efforts pour s'apaiser, pour se calmer; mais, quoique son visage ne le dît pas, elle était rongée par l'inquiétude. Il est des états d'esprit où l'on se prend à douter que les choses, les âmes, les caractères soient gouvernés par des règles: toutes les certitudes acquises s'évanouissent, on n'a plus d'opinion arrêtée sur rien ni sur personne, les hommes sont des fantômes dont on ignore les secrets, la vie a le décousu et les déraisons d'un mauvais rêve, tout semble possible et tout fait peur. Il semblait à Mme Sauvigny que le malheur rôdât autour de sa maison et n'attendit pour entrer que de trouver une porte ouverte.

Elle avait dîné tête à tête avec Jacquine, et s'était demandé plus d'une fois si cette jeune fille assise à sa table était bien celle qu'elle avait coutume d'y voir, si ce n'était pas une seconde demoiselle Vanesse, qui ne ressemblait que de visage à la première, si cette inconnue au cœur tortueux, à l'âme ténébreuse, avait comme l'autre une sincère aversion pour l'amour et pour les hommes qui lui en parlaient. Une heure plus tard, elle la vit sortir, une lanterne à la main, et se dit: «Je suis folle; c'est bien la même Jacquine, puisqu'elle n'a que ses papillons en tête». Tout à coup elle se prit à douter qu'il s'agit de papillons dans cette affaire. Sa sœur cadette n'allait jamais en chasse sans lui proposer de l'accompagner; l'inconnue s'était échappée furtivement, en grand mystère. Il lui vint une idée qui lui parut extravagante, absurde; mais il est des jours où, malgré soi, on croit à l'absurde. Elle voulut en avoir le cœur net; elle voulait voir, elle voulait savoir. Elle jeta une cape sur sa tête, sortit en hâte, suivit de loin une lanterne dont la flamme lui semblait danser comme un feu follet. Elle approchait du bosquet de sureaux, quand elle entendit une voix d'homme qu'elle reconnut, et qui lui donna une secousse. Elle mourait d'envie d'écouter de plus près ce que cette voix disait. Mais elle se fit un crime d'avoir été sur le point de succomber à la tentation. Sa fierté tenait l'espionnage pour un métier bas, honteux, dégradant, et lui défendait de s'avilir, et sa fierté avait toujours le dernier mot.

Elle se retira, elle s'enfuit. Elle avait l'esprit si troublé qu'elle ne voyait pas son chemin, et qu'à plusieurs reprises elle sentit son pied enfoncer dans le terreau mou d'une plate-bande. Les jambes lui flageolaient; elle s'assit sur un banc, et il lui paraissait évident que l'invraisemblable seul est vrai, qu'elle devait renoncer désormais à discerner les mensonges d'avec les vérités. Quand son cœur battit moins fort, elle se remit en marche. Mais à peine eut-elle gravi les degrés du petit perron en fer à cheval qui précédait la véranda, elle fut prise d'un autre scrupule et se reprocha d'avoir, par une fausse délicatesse, manqué à un devoir sacré: tant qu'elle avait la garde de Mlle Vanesse, elle était tenue de la surveiller; ne répondait-elle pas de son honneur? Elle allait sortir une seconde fois pour retourner au bosquet, lorsqu'elle la vit arriver. Il lui suffit de la regarder pour s'assurer que l'honneur était sauf. Mais que s'était-il passé? Cette jeune fille qu'elle ne connaissait plus avait la tête haute, l'œil ardent, le front rayonnant de joie, et son sourire exprimait l'ivresse d'une victoire.

«Vous vous disposiez à sortir, Charlotte. Voulez-vous que je vous accompagne?

—Merci, ma chère, je renonce à ma promenade. Je ne sais ce que j'ai ce soir, ce parc me fait horreur. Je ferai mieux d'aller dormir.»

Elle monta l'escalier, suivie de Jacquine fort étonnée. En atteignant le haut de la rampe, elle se retourna:

«Avec qui causiez-vous tout à l'heure dans le parc?

—Mais, Charlotte, comment savez-vous....

—Je ne sais rien, j'ai entendu de très loin une voix d'homme que j'ai cru reconnaître. Peut-être avez-vous des explications à me donner; je vous les demanderai plus tard.»

Et elle entra dans sa chambre, dont elle referma la porte sans avoir pris la main que Jacquine lui tendait.

Elle avait eu ses raisons pour retarder le moment des explications; elle était si émue, si ébranlée que, quoi que Mlle Vanesse pût lui dire, elle craignait de répondre avec des larmes; son bonheur avait sombré, elle voulait que sa dignité réchappât de ce naufrage. Durant des heures, de tristes pensées lui roulèrent dans l'esprit; elle avait sur le cœur un poids d'amertume, et son chagrin était mêlé d'indignation: elle protestait contre son sort, qu'elle n'avait pas mérité. Elle s'en prenait à tout le monde, même à son Dieu. Elle se souvint que le jour où elle avait projeté de servir de mère à une jeune fille qui lui inspirait une profonde pitié, elle avait dit au grand inconnu: «Je t'offre ma bonne action, bénis-la». Quelle étrange bénédiction il avait versée sur elle! que cette manne céleste était douce à son palais! Après avoir écouté ses plaintes, son Dieu, qui ne demeurait jamais court, lui répondit par la bouche du moine qui a écrit l'Imitation: «Rien n'est pur ni parfait de ce qui est mêlé d'intérêt propre. Ne demandez pas ce qui est doux, mais ce qui me plaît.» Elle fit un retour sur elle-même: elle s'était promis d'employer sa vie à travailler au bonheur des autres, et elle avait cherché le sien, qui lui était apparu sous les traits d'un jeune et glorieux Apollon, dont la tête, qui ne devait jamais blanchir, était aussi légère que sa chevelure était blonde. Elle s'était flattée de lui jeter un charme, de fixer pour toujours son inconstance, et abusée par une chimère, elle avait cherché «ce qui est doux». Qu'elle payait cher son erreur! À peine avait-elle approché de ses lèvres le fruit rafraîchissant qu'un esprit de séduction avait promis à sa soif, il s'était séché, réduit en cendre, et cette cendre insipide, nauséabonde, criait sous ses dents. De quoi se plaignait-elle? c'était justice, elle avait reçu le châtiment de sa faute et appris, comme l'avait dit un moine, «que rien n'est parfait de ce qui est mêlé d'intérêt propre», qu'il ne faut pas se dévouer à moitié ni se reprendre après s'être donné.

Ces réflexions austères la calmaient, sans adoucir sa peine; mais détachée d'elle-même, tantôt assise, tantôt marchant à petits pas, elle causait avec sa tristesse comme avec une étrangère dont le martyre la touchait, et à qui elle offrait des consolations. Après beaucoup d'allées et de venues, elle finit par s'accroupir sur le pied de son lit, et le front dans ses mains, les yeux clos, elle se plongea, s'enfonça dans un de ces grands silences de l'âme et des sens, où l'on s'engloutit comme dans un gouffre: tous les bruits de la terre s'étaient éteints, son cœur ne parlait plus; perdue dans une immensité, sa vie n'était qu'un point qu'elle avait pris pour un monde; elle sentait son infinie petitesse et jouissait de son néant. Lorsque, à la pointe du jour, elle sortit de cet abîme, elle avait fait son sacrifice.

Le matin, de bonne heure, comme elle achevait de s'habiller, elle reçut la visite de Mlle Vanesse, et son premier mot fut pour lui dire d'une voix qui ne tremblait pas:

«Puisque vous l'aimez, puisqu'il vous aime, il faut vous épouser.»

Frappée de stupéfaction, Jacquine la regardait bouche béante.

«À qui parlez-vous, Charlotte? Vous vous imaginez donc.... Êtes-vous folle?»

Mme Sauvigny s'était assise et attendait.

«Il est bien fâcheux, reprit Jacquine, que vous soyez descendue hier soir dans le parc; il est encore plus fâcheux que, nous ayant surpris dans notre bosquet, M. Saintis et moi, vous n'ayez pas écouté ce que nous disions. Me voilà obligée de parler, et je m'étais promis de me taire; j'ai peu de goût pour la délation. J'avais donné à entendre à M. Saintis que s'il trouvait des prétextes pour être quelque temps sans reparaître ici, je ne vous ferais point part des propositions qu'il m'a faites, que mon silence était à ce prix. Vous auriez cru à un refroidissement de sa passion, vous vous seriez refroidie vous-même, le lien se serait peu à peu dénoué, je vous aurais épargné le chagrin d'une rupture.

—Quelles propositions vous a-t-il faites?» demanda d'un ton tranquille Mme Sauvigny.

Mlle Vanesse en voulait à sa sœur aînée de s'être retirée la veille sans lui donner la main, et d'avoir en ce moment un visage impassible, dont la sévérité calme la démontait. Quand on s'avisait de l'intimider, elle payait d'audace.

«Soyons justes pour tout le monde, Charlotte, reprit-elle avec un accent de froide ironie, ne calomnions pas M. Saintis. Il nous aime toutes les deux, et aucune de nous ne sera sacrifiée à l'autre. C'est un galant homme, qui veut bien faire les choses. Son cœur est si grand que deux femmes y peuvent loger à l'aise, et du reste il estime que ce n'est pas trop de deux pour en faire une. J'ajoute que, dans ce partage, vous avez le beau rôle. Vous êtes la femme qui ouvre les portes du ciel et qu'on épouse; je suis l'humble créature auprès de qui on oublie le ciel, et qu'il n'est pas besoin d'épouser pour entrer en possession de sa personne. Il me destine au théâtre; dans trois ans, dans quatre ans, que sais-je? je chanterai sa Roussalka, et il me récompensera de mon zèle en faisant de moi sa maîtresse. Il ne se pressera pas, il entend faire durer le plaisir et me cueillir feuille à feuille.»

Sa voix et son regard étaient de glace. Elle n'avait pas pris le temps de se coiffer; ses cheveux, négligemment noués, se déroulèrent tout à coup et tombèrent en boucles onduleuses sur ses épaules. Mme Sauvigny crut voir une tête de Méduse et une chevelure de serpents.

«Quand on médit de son prochain, poursuivit-elle, il est équitable de ne pas trop s'épargner soi-même. Durant ces dernières semaines, j'ai pris à tâche de rendre M. Saintis amoureux de moi; à la vérité, je n'y ai pas eu grand'peine, il a fait les trois quarts du chemin. On peut expliquer ma conduite de deux façons. Peut-être ai-je rêvé de vous le prendre; peut-être aussi, persuadée que vous vous faisiez de dangereuses illusions sur son caractère, ai-je voulu vous montrer ce qu'il valait et dissoudre un mariage qui eût fait le malheur de votre vie. Cette seconde explication me paraît la plus vraisemblable; mais je vois bien que, quelles qu'aient été mes intentions, vous ne me pardonnerez jamais le chagrin que je vous cause.... Mon Dieu! tout peut se réparer. Je vous le déclare franchement, M. Saintis n'a d'affection sérieuse que pour vous; il ne s'est agi entre lui et moi que d'un simple flirtage; demain il m'aura oubliée, il ne vous oubliera jamais. Épousez-le; vous en serez quitte pour le surveiller et le tenir de court. Et puis, il y a encore une autre ressource. Persuadez-vous que je vous en impose, que je vous fais des contes en l'air, que nous avons passé notre temps dans ce bosquet à contempler la lune et des papillons tournant autour d'une lanterne. Rien ne prouve que je sois véridique, rien ne vous force à me croire.

—Le malheur est que je vous crois, répondit Mme Sauvigny; mais vous n'attendez pas, je pense, que je vous remercie.

—Et pourtant, répliqua-t-elle en se dirigeant vers la porte, vous m'avez une grande obligation, je m'en rapporte à votre conscience, qui un jour vous accusera d'ingratitude.»

À peine fut-elle sortie, Mme Sauvigny écrivit un petit billet ainsi conçu:

«Le hasard a voulu que je vous aie surpris hier soir causant tête à tête avec Mlle Vanesse. Si vous avez quelque chose à dire pour votre justification, venez vous en expliquer avec moi en sa présence.»

L'exprès qu'elle dépêcha à l'Ermitage revint au bout d'une heure avec la nouvelle que M. Saintis était parti subitement pour Paris, que son valet de chambre, qui devait le rejoindre dans la journée, lui remettrait le billet.

XIX

On avait décousu, et on renonçait à recoudre. On déjeunait, dînait ensemble, on se promenait côte à côte, les corps se touchaient, et les deux âmes ne se touchaient plus, elles étaient loin l'une de l'autre. On ne parlait plus que de choses indifférentes, et on se les disait froidement. On mangeait du même pain, on vivait sous le même toit, et la vie commune avait cessé. Mlle Vanesse ne se reprochait rien; elle pensait avoir mérité les plus grands éloges. Comme Mme Sauvigny l'avait écrit un soir, quoique son caractère parût compliqué, elle n'avait d'autres règles de conduite qu'un petit nombre d'idées très simples, qui étaient à ses yeux des vérités évidentes, des axiomes. Elle s'était vengée d'un homme qui lui avait fait une grave insulte; elle estimait que la vengeance n'est pas seulement un droit, mais un devoir. Elle l'avait privé d'un bonheur dont sa fatuité ne sentait pas le prix; elle avait fait un exemple, exécuté un acte de haute justice, et la justice est la première des vertus. Mais, ce qui lui tenait encore plus au cœur, elle venait de rendre à Mme Sauvigny un inappréciable service. Qui pouvait nier qu'en l'empêchant de se donner à un homme indigne de la posséder, elle ne lui eût épargné d'amers déboires, de cruels chagrins et les humiliantes tristesses d'une déchéance! Elle lui avait sauvé la vie et l'honneur, et Mme Sauvigny lui en voulait. Quel aveuglement! Elle ressentait contre cette ingrate une sourde irritation, qui s'aigrissait de jour en jour.

Une semaine s'écoula, les âmes ne se rapprochaient pas, et on éprouvait, sans oser le dire, le besoin de rester quelque temps sans se voir. Comment sortir de cette situation embarrassante? M. Vanesse, revenu récemment du Brésil, se chargea de trouver l'expédient qu'on cherchait; il fut le dieu secourable qui intervient pour dénouer les tragédies. Il avait été gravement malade, et on l'avait envoyé rétablir ses forces en Europe. Après avoir séjourné un mois à Lisbonne où il avait des affaires à régler, il était venu se reposer tout à fait en s'enterrant dans une petite ferme qu'il possédait en Brie, près de Provins; c'était le seul débris de son patrimoine qui, faute d'acquéreur, lui fût demeuré pour compte. Il désirait y passer quelques semaines, mais l'endroit lui parut fort retiré, et si, dans ses convalescences, il aimait le repos, il n'avait jamais aimé la solitude. Ne pouvant demander à Mme Vanesse de venir partager la sienne, ce fut à sa fille qu'il eut recours. Elle le vit un matin arriver au Chalet, en lui disant: «Je t'enlève». Elle se laissa enlever.

M. Saintis était un homme bien informé, il avait l'art de se renseigner. Deux jours après le départ de Jacquine, dont il fut averti on ne sait comment, il adressait de Paris à Mme Sauvigny une longue, tendre et suppliante missive et lui demandait une audience. Cette lettre mit un peu de baume sur sa blessure: quelque sainte qu'on soit, on a son amour-propre de femme, et il est dur d'être quittée. Elle répondit non. Le surlendemain, nouvelle missive plus pressante encore que la première. Cette fois la réponse fut un peu plus longue:

«Vous perdez votre temps. Vous avez souvent vanté ma douceur; ce sont les âmes douces qui s'obstinent le plus dans leurs refus. Je veux croire que vos protestations sont sincères, qu'il n'y avait rien de sérieux ni dans vos sentiments pour Mlle Vanesse, ni dans les propositions que vous lui avez faites, que les artistes se grisent quelquefois de leurs paroles, que tout cela n'était qu'un jeu d'enfant. Convenez que vous avez été fort léger; la confiance est morte, vous ne la ressusciterez pas. Vous êtes un ami charmant, très obligeant, que je regretterai toujours; mais j'avais commis une erreur déplorable en me laissant arracher un consentement que je n'aurais pas tardé à regretter. Le jour où vous serez aussi convaincu que moi que notre projet était insensé, vous retrouverez en moi l'amie d'autrefois; mais ne me parlez plus d'amour; vous me condamneriez à ne jamais vous revoir.»

Il se le tint pour dit; elle apprit bientôt qu'il avait rendu au propriétaire les clefs de l'Ermitage.

Les deux lettres lui avaient apporté un léger soulagement, elle n'en sentit pas longtemps la douceur. Que la vie lui était amère! Que les heures lui semblaient lourdes! Que sa maison lui semblait vide! Elle n'y voyait plus les deux êtres qui l'intéressaient le plus dans le monde, et le monde lui-même avait changé d'aspect; tout était gris, terne, morne, couleur de plomb, de fumée ou de brouillard. Elle ne pouvait passer devant son piano sans éprouver un frisson: il lui demandait des nouvelles du pianiste sous les doigts duquel il aimait à vibrer. Le matin, à son réveil, son cœur se serrait, parce qu'elle n'entendait plus au-dessus de sa tête un pas sautillant et léger, et bientôt après le bruit d'une fenêtre s'entr'ouvrant pour laisser entrer le souffle frais du matin: qu'était devenue la voix pure qui mêlait à cette fraîcheur la gaîté d'une chanson?

Le docteur Oserel, qui avait obtenu sa grâce, n'était qu'à demi content. Débarrassé de ses deux rivaux, demeuré maître du champ de bataille, il ne s'était pas senti de joie; mais Mme Sauvigny le désolait par sa gravité mélancolique. Il constatait avec chagrin qu'en vaquant à ses fonctions accoutumées, elle semblait s'en acquitter sans plaisir, par devoir, pour l'acquit de sa conscience. Il ne pouvait se dissimuler qu'il ne suffisait pas à son bonheur. Il aurait bien voulu connaître la cause déterminante des deux départs; une fâcheuse expérience l'ayant rendu prudent, il s'abstenait de faire aucune question. Il savait désormais que les colères des nerveuses tranquilles sont terribles, il craignait de rallumer des foudres mal éteints.

«Que les femmes sont absurdes! pensait-il en mâchant son mors. Les servitudes leur plaisent, et on les désoblige en les délivrant. C'est l'éternelle histoire de Martine qui voulait être battue.»

Jacquine était partie depuis un mois, quand Mme Sauvigny reçut la visite de M. Belfons, débarqué de la veille. Il avait tenu loyalement sa parole, il avait passé quatre semaines en Angleterre, témoignant ainsi de l'entière confiance qu'il mettait en son amie. Elle le consterna en lui apprenant que Mlle Vanesse n'était plus au Chalet.

«Mais comment se peut-il, madame, que vous m'ayez laissé si longtemps sans nouvelles?

—J'espérais que vous commenciez à l'oublier. Loin des yeux, loin du cœur.

—Ce proverbe n'est point à mon usage, et vous ne connaissez pas les mathématiciens. De près, de loin, j'aimerai toujours Mlle Vanesse. Mais vous avez donc changé d'idée? Vous ne voulez plus me la donner? Vous ne me jugez plus digne de posséder cette princesse?

—Je craindrais, en vous la donnant, de vous faire un présent funeste. Mon pauvre ami, elle vous rendrait très malheureux.

—Et si je vous disais que j'aime mieux souffrir avec elle que d'être heureux avec une autre!...

—J'en serais quitte pour vous répondre que vous êtes fou. Libre à vous de conspirer contre vous-même, je me ferais conscience de tremper dans ce complot.»

Et comme il se récriait:

«Elle est ce qu'elle est, vous ne la changerez pas. Je m'étais attelée à la plus chimérique des entreprises; j'en ai été punie, j'ai essuyé une défaite, qui est un jugement de Dieu. Je m'étais fait illusion sur ses incurables défauts; elle s'est chargée de m'ouvrir les yeux; je lui croyais du cœur, elle n'en a point. Elle m'a prouvé que la haine du mal, qui n'est pas accompagnée de l'amour du bien, est un poison ou, si vous l'aimez mieux, un mauvais levain qui corrompt et aigrit la pâte. Ah! mon ami, ne mangez pas de ce pain, il n'est pas mangeable.... Elle m'a prouvé aussi qu'on ne respire pas impunément un air vicié. Le monde infect où elle a trop longtemps vécu a perverti son sens moral; elle avait pris son entourage en dégoût, elle le méprise et elle en portera toujours la marque. On l'a dit avant moi, elle est pure, mais perverse. Ajoutez qu'elle a des ruses de sauvage, la manie des machinations secrètes, l'amour des voies obliques et des chemins tortueux. Il n'y a pas pour elle d'autre vertu que la propreté du corps et de l'âme, et soyez sûr que telle pécheresse est plus près du ciel que cette vierge immaculée. L'hermine est fière de la blancheur de sa fourrure, mais l'hermine est, paraît-il, un carnassier farouche et inapprivoisable. J'avais tenté d'apprivoiser une hermine et j'ai misérablement échoué. Je me dois une revanche à moi-même. J'élèverai une petite fille, que j'aurai soin de choisir parmi celles qui, en barbotant dans le ruisseau, se sont crottées jusqu'aux oreilles; Dieu aidant, je la nettoierai. Plût au ciel que Mlle Vanesse y eût attrapé une tache, une petite tache! Si imperceptible que fût l'éclaboussure, son orgueil, qui est son idole, ne s'en consolerait pas, et, devenue plus humble, peut-être aurait-elle du cœur. Mon pauvre ami, faites des mathématiques et oubliez-la. Je voudrais bien l'oublier, moi aussi; hélas! on se souvient à jamais d'une hermine toute blanche qu'on caressait et qui vous a mordu jusqu'au sang.»

Il l'écoutait avec un étonnement profond:

«Ah! madame, est-ce bien vous qui parlez? Elle doit vous avoir fait un abominable trait. Que s'est-il passé entre vous?

—Ne m'interrogez pas. Qu'il vous suffise de savoir qu'elle m'a rendu service, qu'elle m'a préservée d'un danger par un moyen indigne, par un vilain moyen.

—Très vilain?

—Par une odieuse perfidie.

—Vous me voyez désolé, navré.... Sans doute, elle en est aux regrets.

—Que vous la connaissez peu! Elle ne regrette rien, elle fait gloire de sa méchante action.

—C'est fâcheux, très fâcheux. Mais, je vous prie, le service qu'elle vous a rendu était-il important, essentiel?»

Mme Sauvigny ne répondit pas.

«Tout compté, tout rabattu, faisons-lui grâce, s'il vous plaît, reprit-il. Tant de gens emploient les vilains moyens à de vilaines fins qu'il faut être indulgent pour les perfidies bienfaisantes, pour les jeunes filles qui appliquent aux bonnes œuvres les méthodes du diable.»

Puis il s'écria:

«Que voulez-vous? On n'échappe pas à son destin, et le mien est d'aimer Mlle Jacquine Vanesse. Perfidies, incurables défauts, ruses de sauvage, machinations secrètes, voies tortueuses, appétits carnassiers, coquetteries criminelles, entraînements diaboliques, je l'aime en bloc comme les jacobins aiment la Révolution française, sans vouloir y rien ajouter, ni en rien retrancher, et, croyez-moi, les hommes qui n'aiment pas en bloc ne connaissent pas le véritable amour. Mais vous ne me persuaderez jamais que cette hermine n'ait pas de cœur. Ah! madame, elle vous adore, elle vous a voué un tendre et fidèle attachement.»

Elle l'interrompit en lui disant d'une voix éteinte:

«Il vous plaît de le croire. Apprenez que, depuis un mois qu'elle m'a quittée, elle ne m'a pas donné signe de vie, qu'elle ne m'a pas écrit un mot, un seul mot.»

Sa réplique porta coup; il en fut atterré:

«C'est autre chose, dit-il. S'il est vrai qu'après avoir vécu près d'un an dans votre intimité, elle vous ait reniée, chassée de son cœur et de son souvenir, je renonce à l'aimer. Il faut avoir l'âme dénaturée pour rompre avec une femme telle que vous. Allons, voilà qui est fait, qu'on ne me parle plus d'elle, je la laisse à qui veut la prendre.»

Et, l'instant d'après, cet imperturbable optimiste ajoutait:

«Eh bien! madame, figurez-vous que je n'en crois rien. Elle est en délicatesse avec vous, et en pareil cas on n'écrit pas au courant de la plume, on cherche péniblement ses mots, on craint d'en trop dire ou de n'en pas dire assez. Je me porte caution pour elle, soyez certaine qu'elle a commencé vingt lettres qu'elle n'a pas achevées. Madame, ayez un peu de patience, et prenez note de ma prophétie, je donne ma tête à couper qu'avant quinze jours elle vous écrira.»

Cet amoureux avait dit vrai; quinze jours plus tard ou peu s'en faut, Mme Sauvigny recevait la lettre que voici:

«On ne sait qui vit ni qui meurt. Il est certain que je vis encore, et j'en profite pour vous écrire. Après ce qui s'est passé, êtes-vous capable de vous intéresser à moi? Rassurez-vous, ma lettre sera courte, je désire que vous la lisiez jusqu'au bout. Mon père m'a quittée; il est parti pour Bordeaux, et dans la quinzaine il retournera au Brésil. Il est très désireux de m'y emmener; il a découvert à sa vive surprise que je savais tenir un ménage. Je ne crois pas qu'il me trouve sur le quai le jour où il s'embarquera. Quoiqu'il m'ait fait de grandes promesses, le Brésil ne m'attire point. Depuis quarante-huit heures, je suis reine et maîtresse de ma petite maison rustique, où le temps coule comme ailleurs; il ne tiendrait qu'à moi d'y manger mes petites rentes jusqu'à la fin de mes jours. Je n'ai pas d'autre société que celle de ma femme de chambre, du fermier et de sa famille. Je lis, je me promène, je brode, je chante et j'apprends à battre le beurre; je ne m'ennuie pas, vous savez que je ne m'ennuie jamais. Si quelque jour un heureux hasard vous amène à Provins, poussez jusqu'à la petite ferme des Volandes; vous m'y trouverez peut-être trayant les vaches. En attendant, donnez-moi de vos nouvelles; je vous en serais fort obligée, et je vous prie de croire à tous mes sentiments....

«Eh bien! non, Charlotte, je ne puis finir ainsi ma lettre, et je mets ma fierté sous mes pieds. Je m'étais appliquée à me passer de vous, j'ai fait l'impossible pour vous oublier, j'ai cent fois chassé l'obsédante image, elle revenait sans cesse. À la bonté vous joignez un charme qui vous rend redoutable, et quand on a eu le bonheur ou le malheur de vivre sous votre toit, on ne peut plus vivre ailleurs. Dans un des volumes que je feuillette, j'ai trouvé ces mots: «Être avec les gens qu'on aime, cela suffit; rêver, parler, ne leur parler point, penser à eux, penser à des choses plus indifférentes, mais auprès d'eux, tout est égal». Et je me disais: J'ai connu cela; pourvu que je la sentisse près de moi, toute occupation me plaisait; pourvu qu'elle fût là, tout me semblait égal. Elle existait; c'était tout ce que je voulais d'elle.... Elle n'existe plus.

«Je vous le répète, la maison que j'habite a tout ce qui peut me plaire; j'y suis parfaitement libre, et vous savez que jadis la liberté était pour moi le premier des biens. Pourquoi vous ai-je connue? Peut-être apprendrez-vous avant peu que je suis morte d'ennui.

Ce serait la meilleure aventure qui pût m'arriver. Vous sentiriez, j'en suis certaine, se ranimer dans votre grand bon cœur une tendresse mal éteinte qui couve sous la cendre, et vous oublieriez les chagrins que j'ai pu vous donner. Pourquoi vous ai-je fait souffrir? C'est que, haines ou affections, je suis violente dans tous mes sentiments, et qu'après m'être longtemps défendue de vous aimer, je vous ai trop aimée.

«Ma grande sœur, ma petite maman, promettez-moi que, si je meurs, vous recommencerez à m'aimer. Je voudrais que votre cœur fût ma tombe; j'y aurais chaud.»

Cette lettre causa à Mme Sauvigny une violente émotion, mêlée de remords et d'inquiétude. Elle fit appeler en hâte M. Belfons et lui dit:

«Vous aviez raison, j'ai manqué de foi. Lisez.... Que dois-je lui dire de votre part?»

Il lut et s'écria:

«Que bénie soit à jamais la trahison qu'elle vous a faite! Ayant beaucoup à réparer, elle ne peut rien vous refuser. Madame, vous lui direz de ma part que j'ai des chevaux qui vont comme le vent, et qu'ils mourraient de honte s'ils mettaient plus de dix minutes à me transporter de la Givrine dans un chalet qu'on ne peut quitter; vous lui direz qu'en devenant ma femme, elle ne cessera pas de vivre avec vous.»

Sept ou huit heures après, un peu avant la tombée de la nuit, Mlle Vanesse était assise au bord d'un étang que la canillée recouvrait ça et là d'un tapis vert, et qu'enfermaient de tous côtés de grands arbres penchés, qui s'appliquaient à lui cacher le ciel. Au pied des berges, alentour des joncs, croissaient des plantes tristes, la pesse, l'utriculaire aux feuilles submergées, le marrube aux petites fleurs blanches striées de rouge. De temps à autre, une couleuvre se glissait parmi les hautes herbes; parfois aussi des bulles d'air montaient à la surface de cette eau immobile et lourde, et on pouvait croire que dans la vase du fond respirait un monstre qui n'osait se montrer ou qui, embusqué, guettait sa proie. Jacquine venait souvent dans ce lieu malsain qui plaisait à sa mélancolie. En ce moment, elle tenait à la main un livre qu'elle ne lisait pas. Elle regardait l'eau et les bulles d'air, et peut-être le monstre invisible adressait-il de secrets appels à cette âme en détresse. Comme aux mauvais jours de son histoire, elle trouvait que la vie humaine et les mares se ressemblent beaucoup.

Absorbée dans sa lugubre songerie, elle n'entendit pas quelqu'un marcher derrière elle. Tout à coup deux doigts longs et menus, qui s'étaient insinués entre sa collerette et sa nuque, pincèrent doucement sa peau rosée de blonde. Elle poussa un cri de joie, se leva brusquement, se retourna, contempla pendant quelques secondes un visage que par instants elle désespérait de revoir, reconnut le sourire d'autrefois, et Mme Sauvigny sentit s'enlacer autour de son cou deux bras souples, qui pour la première fois lui parurent moelleux, tandis que collée à son oreille, une bouche pâlie par le chagrin murmurait:

«Je ne vous remercie pas; j'étais sûre que je vous manquais autant que vous me manquez.»

Durant deux heures, elles furent à la joie de se retrouver; mais dans la soirée un vif débat s'engagea. L'une disait: «Il le faut, je le veux». L'autre répondait: «Vous êtes donc bien pressée de vous débarrasser de moi?» À quoi Mme Sauvigny répliquait que la femme est faite pour se donner, que la vierge qui de propos délibéré entend rester vierge sans se consacrer à Dieu ou au service de la misère humaine, fût-elle blanche comme une hermine, sera toujours une vierge noire.

On était de retour depuis une semaine, et la querelle commencée dans la petite ferme des Volandes n'était pas encore vidée. Enfin Mlle Vanesse se rendit, en disant:

«C'est la plus grande marque d'amitié et de confiance que je puisse vous donner; c'est le plus grand sacrifice que vous puissiez exiger de moi.»

Le lendemain, le docteur Oserel, assisté de Mme Sauvigny, fit une belle, difficile et glorieuse opération. Comme ils sortaient de la maison de santé pour aller déjeuner au

Chalet, elle l'informa de l'événement qui la réjouissait. Il en eût été charmé s'il avait pu penser que M. Belfons cloîtrerait sa femme ou la déporterait en Amérique. Il était condamné à ne goûter que des bonheurs imparfaits, ses plaisirs les plus doux étaient toujours mêlés d'amertume. Il se disait mélancoliquement que rien n'est plus propre à exalter les amitiés déraisonnables et à les éterniser que de ne pas vivre ensemble, mais porte à porte, que ces deux femmes, ces deux folles, ne seraient pas un jour sans courir l'une après l'autre. Mais dorénavant il s'observait beaucoup, il surveillait sa langue, il mettait la sourdine à ses plaintes. Il se hasarda pourtant à dire:

«Convenez que Mlle Jacquine Vanesse a de la chance. Grande fortune, nom sans tache, mère respectable, caractère de tout repos, l'argent, la considération, les garanties, c'est lui qui apporte tout.

—Elle apporte sa personne, qui vaut une fortune, repartit vivement Mme Sauvigny. Elle apporte aussi sa bonne volonté, et si on mesure le prix du don à l'étendue du sacrifice, soyez certain que ce n'est pas elle qui doit du retour.

—Là, madame, vous pensez vraiment qu'ils seront heureux? grommela-t-il. Pour commencer, que de difficultés elle va faire!»

Mme Sauvigny se reprochait d'avoir manqué un jour de foi; elle chanta la palinodie:

«Vous ne l'aimez pas, vous ne l'avez jamais aimée, vous n'aimez que les femmes qui se pâment devant vos laparotomies et vous aident à endormir vos patients, répondit-elle avec une volubilité inaccoutumée qui le déconcerta, l'étourdit. Docteur, vous êtes un gros jaloux et vous avez un détestable caractère. J'admire infiniment vos mains de prestidigitateur et la sûreté de votre science; mais, foi d'honnête femme, mon bon voisin, elle a ses bornes. Vous nous donnez pour des oracles vos explications qui expliquent tout, sauf l'inexplicable. Notre vie est gouvernée par une puissance mystérieuse qui aime à se jouer des règles. Comment faut-il la nommer? Il n'importe. Appelons-la, si vous le voulez bien, la divine ironie ou plutôt la grâce divine, et croyons à un royaume de la grâce où il se passe des choses fort étonnantes. Que vous dirai-je? la nature elle-même est une véritable boîte à surprises, la nature abonde en exceptions, en singularités. Mon bon docteur, savez-vous quelle est la pomme de discorde entre les femmes et les savants? Elles croient facilement aux exceptions, parce qu'elles les aiment, et vous autres, vous avez peine à y croire, parce que vous ne pouvez les souffrir; vous leur en voulez de troubler votre quiétude, de vous déranger, de contrarier vos chers petits principes. Je m'étonnais l'an dernier d'avoir découvert cinq variétés de pavots dans mon jardin, qui jusqu'alors n'en possédait qu'une, et j'attribuais ce miracle à l'industrie ou, pour mieux dire, à l'instinct divin de la mouche à miel. Vous avez levé les épaules, vous avez ri de moi et de mes crédulités mystiques. Je gagerais bien que vous ne croyez pas au trèfle à quatre feuilles, qui porte bonheur à qui le rencontre; vous vous figurez qu'il n'existe que dans ma folle imagination, et, à la vérité, vous feriez dix fois le tour de cette pelouse sans en trouver. J'en trouve souvent, ne vous déplaise, moi qui vous parle.»

Elle s'arrêta, laissa vaguer dans le gazon ses yeux qui voyaient tout.

«Eh! tenez, on voilà un!» s'écria-t-elle.

Et ayant cueilli son trèfle à quatre feuilles, elle le promena sous l'énorme nez crochu du docteur. Mécontent de n'avoir pu placer un mot, impatient d'avoir sa revanche, il mesurait, pesait, soupesait dans sa tête les termes d'une réplique très courtoise, mais péremptoire et foudroyante; toute réflexion faite, il préféra la garder pour lui, tant il était devenu circonspect. Il se contenta de dire sans grimacer:

«À vos souhaits, chère madame! Et puisse la grâce divine se mêler de l'affaire qui vous réjouit si fort! M. Belfons lui devra un beau cierge.»

Milton Keynes UK
Ingram Content Group UK Ltd.
UKHW031121280823
427620UK00010B/651